Μαρία Καλατζή

Ο ΘΗΣΑΥΡΟΣ ΤΟΥ ΝΕΡΟΥ

Μυθιστόρημα

Άκακία
PUBLICATIONS

ΜΑΡΙΑ ΚΑΛΑΤΖΗ

Ο ΘΗΣΑΥΡΟΣ ΤΟΥ ΝΕΡΟΥ
Μυθιστόρημα

ISBN: 978-1-910714-86-7

Cover Image: Δήμητρα Σταθοπούλου
Cover Editing: Μπέλλος Παναγιώτης
Mixed and Designed by AKAKIA Publications

Editing: Ματσίδη Ειρήνη

PUBLICATIONS

St Peters Vicarage, Wightman Road, London N8 0LY, UK

T. 0044 207 1244 057
F. 0044 203 4325 030

www.akakia.net
publications@akakia.net

2016, London, UK

Ευχαριστώ θερμά τη μητέρα μου Ειρήνη Καλατζή για τις πολύτιμες πληροφορίες της. Οι παιδικές της αναμνήσεις από την εικόνα του Αγίου Γεωργίου στο νησί της την Αστυπάλαια, ήταν η βάση για τη δημιουργία αυτού του βιβλίου.

Επίσης ευχαριστώ την κόρη μου Ειρήνη Ματσίδη για τη στήριξη και την βοήθειά της στην ολοκλήρωση του.

ΠΡΟΛΟΓΟΣ

Λίγο πριν τη μικρασιατική καταστροφή, τότε που ο όλεθρος απειλούσε τη Σμύρνη και άρχισαν να την εγκαταλείπουν, μια ξεριζωμένη ομάδα ανθρώπων ξεκίνησε το μακρύ ταξίδι της προσφυγιάς. Οι αποσκευές τους λιγοστές, μα δεν αμέλησαν να διασώσουν ένα πολύτιμο κομμάτι της θρησκευτικής τους πίστης. Πήραν μαζί τους τη θαυματουργή εικόνα τού Αγίου Γεωργίου από ένα εκκλησάκι, που είχαν φτιάξει με τα χέρια τους. Έτσι κατάφεραν να την προστατεύσουν από το ολοκαύτωμα που ακολούθησε. Ο εγγονός του Ιερέα ήταν τότε ένα δωδεκάχρονο παιδί και είχε αναλάβει να την κουβαλά ευλαβικά στην αγκαλιά του, καθ' όλο το διάστημα του οδοιπορικού τους.

Πεζοπορούσαν για μήνες αναζητώντας ένα μέρος για να εγκατασταθούν. Κάποιοι κατάφεραν να στεριώσουν, μα κάποιοι άλλοι συνέχισαν την περιπλάνησή τους, ψάχνοντας για μια πατρίδα που θα τους αποδεχόταν. Ο Ιερέας κι η οικογένειά του ήταν ανάμεσα σε μια ομάδα τριάντα ανθρώπων, που δεν είχαν βρει τον κατάλληλο τόπο

7

να τους δεχτεί. Η αναζήτηση καινούργιας πατρίδας τούς οδήγησε σ' ένα ακατοίκητο ξερονήσι.

Όταν έφτασαν, απογοητεύτηκαν από την ερημιά που αντίκρισαν, μα ήταν πολύ εξαντλημένοι για να συνεχίσουν. Έψαξαν για κάποιο κατάλυμα να τους φιλοξενήσει προσωρινά. Οι προμήθειες τού νερού είχαν τελειώσει και δεν βρήκαν πουθενά κάποια πηγή να τους ξεδιψάσει, ώστε ν' ανακτήσουν τις δυνάμεις τους και να συνεχίσουν την αναζήτησή. Τα παιδιά έκλαιγαν από τη δίψα και ζητούσαν από τους απελπισμένους γονείς να ξαποστάσουν. Όλοι προσευχήθηκαν με πίστη στον Άγιο-Γεώργιο που ήταν προστάτης τους, αφήνοντας σ' εκείνον να ορίσει τη μοίρα τους.

Το παιδί που περπατούσε υπομονετικά μεταφέροντας το ιερό κειμήλιο, παρατήρησε ένα πουλί μ' ένα παράξενο γαλάζιο, ιριδίζων φτέρωμα, που όμοιό του δεν είχε ξαναδεί. Καθόταν πάνω σ' ένα πελώριο βράχο, στον οποίο οδηγούσε το ανηφορικό μονοπάτι και είχε εστιάσει σ' ένα συγκεκριμένο σημείο, χτυπώντας το ράμφος του. Το έδειξε στον Ιερέα παππού του κι εκείνος ένιωσε πως αυτό ήταν ένα θεϊκό σημάδι. Ως ηγέτης της ομάδας, προχώρησε προς τα εκεί. Οι εξαθλιωμένοι πρόσφυγες πλησίασαν αρκετά, μα το γαλαζωπό πουλί δε φαινόταν να ταράζεται από την παρουσία τους. Συνέχιζε να σκαλίζει με το μακρύ ράμφος του το σκληρό έδαφος, αγνοώντας την περιέργεια των παρευρισκομένων.

Και ως εκ θαύματος η επίμονη προσπάθεια του πτηνού ανταμείφθηκε. Ένα ρυάκι διάφανου νερού άρχισε ν' αναβλύζει από το σημείο που σκάλιζε και γυάλιζε καθώς κυλούσε πάνω στον γκρίζο βράχο. Ο Ιερέας πήρε το τσεκούρι που είχε μαζί του κι άρχισε να χτυπά με δύναμη, συνεχίζοντας το έργο του πουλιού. Ένας ορμητικός χείμαρρος κρυστάλλινου νερού ξεπήδησε, λασπώνοντας το στεγνό έδαφος. Όλοι ζητωκραύγασαν από τη χαρά τους για το θαύμα που συντελέστηκε και άπλωσαν τις χούφτες τους, για να πλυθούν και να γευτούν το διάφανο υγρό. Αφού ξεδίψασαν, ανακάλυψαν πως εκεί υπήρχε μια σπηλιά. Δέσποζε πάνω στο πλάτωμα του βράχου, λες κι είχε φτιαχτεί από το χέρι του Θεού, για να τους φιλοξενήσει. Σταμάτησαν την αναζήτησή τους κι εγκαταστάθηκαν προσωρινά. Όμως αυτό που θεώρησαν προσωρινό, αποδείχτηκε με τον καιρό, πως ήταν το ιδανικό μέρος για την εγκατάστασή τους.

Το εσωτερικό της σπηλιάς ήταν άνετο κι ακριβώς δίπλα από την πηγή, που διευκόλυνε την διαβίωσή τους. Η εικόνα του Αγίου Γεωργίου τοποθετήθηκε από το παιδί, σε μια πέτρινη εσοχή που έμοιαζε σαν να είχε λαξευτεί, ειδικά για να δεχτεί την παρουσία της. Το αγόρι κηρύχτηκε υπερασπιστής αυτού του ιερού κειμηλίου κι ήταν αυτός που φρόντιζε να είναι πάντα αναμμένο το καντήλι που υπήρχε δίπλα της.

Ανάμεσα στο παιδί και τον Άγιο, είχε δημιουργηθεί μια παράξενη επικοινωνία. Πολλές φορές έβλεπε σε όραμα τον Άγιο και μέσω εκείνου έδινε οδηγίες, που βοηθούσαν και διευκόλυναν τη διαβίωσή τους. Όταν κοιμόταν και το καντήλι έσβηνε, ένιωθε ένα άγγιγμα στα πόδια και μ' αυτό τον τρόπο τον ειδοποιούσε να ξυπνήσει για να του το ανάψει. Η νοερή παρουσία του Αγίου ευεργέτησε το νησί και τα θαύματα που ακολούθησαν οδήγησαν πολύ κόσμο από τις γύρω περιοχές να το επισκεφτούν.

Ο υγρός θησαυρός που συνέχισε να τρέχει, αγκάλιασε προοδευτικά όλο το διψασμένο νησί, δημιουργώντας καταρράχτες και στη συνέχεια καινούργιες πηγές σε κάθε του γωνιά. Από τότε όλα άλλαξαν και σιγά - σιγά στο ξερονήσι άρχισε να φυτρώνει κάθε λογής βλάστηση. Μέχρι και ο καιρός έγινε σύμμαχος τους. Οι ισχυροί άνεμοι που σάρωναν τα πάντα στο διάβα τους σκεπάζοντας τα με σκόνη, κόπασαν. Οι ευεργετικές βροχές που ήταν σπάνιες, έγιναν αισθητά περισσότερες, μεταμορφώνοντας το στεγνό έδαφος σε γόνιμο.

Άρχισαν να καλλιεργούν τη νέα τους πατρίδα και να παράγουν ότι χρειάζονταν για να επιβιώσουν. Σταδιακά το νησί έγινε καταπράσινο και τ' ονόμασαν Παραδείσι, γιατί από έρημο ξερότοπο, μετατράπηκε σε μια έφορη Εδέμ. Το παράξενο είδος του γαλάζιου πουλιού που τους οδήγησε στην κρυμμένη πηγή του νερού, συμπλήρωσε τ' ονειρικό σκηνικό. Ευδοκίμησε στο νησί και ήταν το μοναδικό μέρος που μπορούσες να το συναντήσεις. Πολυπληθή σμήνη, διέσχιζαν τον ουρανό και φώλιαζαν στις πυκνές φυλλωσιές.

Οι πρόσφυγες συνέχισαν να κατοικούν μέσα στη σπηλιά μα οργάνωσαν τη ζωή τους κι εξελίχτηκαν σε μια προκομμένη κοινότητα. Είχαν πια όλα όσα χρειάζονταν. Η εξέλιξη ήταν θεαματική και όλοι δούλευαν με όρεξη, καθώς έβλεπαν πως το καλλιεργήσιμο πλέον έδαφος ανταμειβε τους κόπους τους.

Η φήμη της θαυματουργής εικόνας εξαπλωνόταν με το πέρασμα του χρόνου κι έγινε σύμβολο για το νησί. Έρχονταν στη σπηλιά, ολοένα και περισσότεροι προσκυνητές, που με τις δωρεές τους, φρόντισαν τις ανάγκες των προσφύγων κι έφεραν απροσδόκητα έσοδα στο πενιχρό μέχρι τότε ταμείο τους. Η συνεχής προσέλευση πιστών καθιστούσε αναγκαία την οικοδόμηση ενός μεγαλύτερου ναού. Έτσι, όλοι μαζί βοήθησαν ώστε να κατασκευαστεί ένας κατάλληλος χώρος για το πλήθος των πιστών που συνέρεαν ακατάπαυστα.

Η πρόσβασή τους στην απέναντι στεριά έγινε ευκολότερη καθώς μηχανοκίνητα καΐκια πηγαινοέρχονταν καθημερινά. Οι εμπορικές συναλλαγές έφεραν κάθε λογής αγαθό και το Παραδείσι άνθισε οικονομικά. Ο ένας βοήθησε τον άλλο και κατασκεύασαν σπίτια για τις οικογένειές τους, που τα μέλη τους αυξήθηκαν με τον καιρό.

Αυτό συνέβαινε για πενήντα χρόνια περίπου, μέχρι που έγινε κάτι που έμελε ν' αλλάξει τα πάντα. Είχαν φτιάξει ένα γήινο παράδεισο, που τον σκέπασαν τα σύννεφα της απερισκεψίας δυο νέων ανθρώπων. Βρέθηκαν τυχαία εκεί μετά από μια καταιγίδα και ο ερχομός τους σηματοδότησε την καταστροφή. Έκλεψαν την ιερή εικόνα από τη θέση που κατείχε για πάνω από μισό αιώνα. Από εκείνη τη μέρα το νερό σταμάτησε να τρέχει στο νησί. Με το πέρασμα των χρόνων έγινε πάλι ο ξερότοπος που ήταν κάποτε και οι κάτοικοι αναγκάστηκαν να το εγκαταλείψουν.

ΚΕΦΑΛΑΙΟ ΠΡΩΤΟ

Κάπου πολύ πιο μακριά από εκείνο το νησί, υπήρχε μια περιοχή που ονομαζόταν Ροδώνας. Εκεί οι περισσότεροι κάτοικοι ασχολούνταν με τη γεωργία και την κτηνοτροφία. Η καλοκαιρινή περίοδος ήταν το αποκορύφωμα των αγροτικών εργασιών. Τα αγροκτήματα ήταν γεμάτα ζωή και κίνηση. Η Δάφνη ατένιζε το καταπράσινο αγρόκτημα της, λουσμένο από το καλοκαιρινό φως. Το νοητό περίγραμμα που τόσο καιρό κουβαλούσε στην σκέψη της, να που τώρα γέμισε με εικόνες πραγματικότητας. Όταν αποφάσισε να καλλιεργήσει αυτά τα δεκαπέντε στρέμματα που της άφησε ο πατριός της, υπήρχαν πολύ λίγα εκεί. Με σύμμαχο την σκληρή δουλειά και την ισχυρή της θέληση, κατάφερε να το κάνει έναν τόπο για τον οποίο ήταν πια περήφανη.

Είχε σπουδάσει στην Αθήνα, χημικός με ειδικότητα στην οινολογία. Οι συνθήκες στην μεγαλούπολη ήταν απογοητευτικές και οι ελπίδες εξέλιξης μηδαμινές. Η οικογένειά της είχε διαλυθεί από τότε που ήταν μικρή και οι γονείς της είχαν τραβήξει διαφορετικούς δρόμους. Τον πατέρα της είχε να τον δει πολλά χρόνια και η μητέρα της είχε ξαναπαντρευτεί. Ο πατριός της ήταν ένας εξαιρετικός άνθρωπος. Δεν είχε παιδιά και την μεγάλωσε σαν δικό του. Νοιαζόταν για το επαγγελματικό της μέλλον, που δεν προχωρούσε στην Αθήνα κι αποφάσισε να της γράψει το μερίδιό του από το κτήμα του στον Ροδώνα. Ήταν δεκαπέντε στρέμματα που αντιστοιχούσαν στο πενήντα τις εκατό της συνολικής έκτασης. Εκείνος δεν μπορούσε πλέον ν' ασχοληθεί με τις καλλιέργειες και παρέμενε ανεκμετάλλευτο εδώ και χρόνια. Επίσης της έδωσε και το πατρικό του σπίτι, που βρισκόταν πολύ κοντά στο αγρόκτημα. Το ήξερε πολύ καλά εκείνο το σπίτι γιατί είχε περάσει πολλές από τις καλοκαιρινές της διακοπές εκεί. Με τη βοήθεια του πατριού της και τις λιγοστές οικονομίες της, το ανακαίνισε κι είχε γίνει πολύ όμορφο.

Εγκατέλειψε τα πάντα στην πόλη κι εγκαταστάθηκε στον Ροδώνα Στα είκοσι οχτώ της χρόνια είχε επιτέλους μια βάση για να ξεκινήσει και μια ευκαιρία που επιθυμούσε να εκμεταλλευτεί στο έπακρο. Έκανε τα πάντα για να πετύχει στο νέο της εγχείρημα. Παρακολούθησε σεμινάρια, ενημερώθηκε για τις καλλιέργειες και τις αγροτικές εργασίες. Ήθελε να είναι πανέτοιμη και να έχει επιτυχία. Πάνω απ' όλα είχε όρεξη για πρόοδο και δημιουργία.

Είχε δώσει σκληρή μάχη για να φτάσει σ' αυτό το σημείο. Δούλεψε με όλη της την ψυχή και καλλιέργησε το παραμελημένο αγρόκτημα. Θυσίασε ότι είχε και δεν είχε για να κάνει αυτή τη γη να καρπίσει. Υποθήκευσε ακόμα και το σπίτι που της είχε γράψει ο πατριός της, για να

14

πάρει το απαραίτητο κεφάλαιο. Ήταν ένα ριψοκίνδυνο εγχείρημα, μα και μια αληθινή πρόκληση για εκείνη. Φέτος, μετά από τρία χρόνια προετοιμασίας, το αποτέλεσμα φαινόταν πως θα τη δικαίωνε. Τα καλοκαιρινά γεννήματα βρίσκονταν στην ωριμότερη στιγμή τους. Οι λεμονανθοί αντάμα με τις πασχαλιές, έσπαγαν τις μύτες με τις ευωδιές τους. Σταμάτησε λίγο να ξεκουραστεί κι έβγαλε το πλατύγυρο καπέλο της. Έδεσε τα μακριά μαλλιά της μ' ένα μαντήλι για να εμποδίσει τον άνεμο να τ' ανακατεύει. Τα γκρίζα μάτια της βούρκωσαν από την ευτυχία που την κατέκλυζε. Κοίταξε προς τη μεριά του σταροχώραφου. Τα ώριμα στάχυα έμοιαζαν με ολόχρυση κυματιστή θάλασσα. Πέντε εργάτες δούλευαν τώρα εκεί. Με τα κοφτερά δρεπάνια τους θέριζαν τον ώριμο καρπό τους και τα έδεναν σε δεμάτια. Οι ροδακινιές είχαν γείρει από το βάρος των καρπών τους και το μποστάνι ήταν γεμάτο από λαχανικά κάθε είδους.

Οι αμπελώνες ήταν φορτωμένοι με λαχταριστά τσαμπιά, δίνοντας υπόσχεση για τις εκλεκτότερες ποικιλίες κρασιού. Τα σχέδιά της περιελάμβαναν τη δημιουργία ενός οινοποιείου, που ήταν και το αντικείμενο των σπουδών της. Όλα έδειχναν πως φέτος θα τα κατάφερνε. Τα πλούσια τσαμπιά συμβόλιζαν το ελπιδοφόρο ξεκίνημα μιας καινούργιας ζωής.

Στο νοτιότερο σημείο του αγροκτήματος ήταν το μαντρί με τις προβατίνες και τα μικρά αρνάκια, που έβοσκαν ανέμελα στο μικρό λιβάδι με το τριφύλλι. Το μαλλί τους φαινόταν πλούσιο και πολύ καλής ποιότητας. Σύντομα θα το κούρευαν και θα το πουλούσε.

Το ελαφρύ αεράκι μετέφερε στ' αυτιά της τον ήχο από τα βελάσματα και το γαύγισμα του Αράπη. Ήταν το πιστό σκυλί τού επιστάτη της. Είχε αναλάβει τη φύλαξη του κοπαδιού και το έκανε με μεγάλη υπευθυνότητα. Όταν τα ζώα έβγαιναν για βοσκή τα παρατηρούσε με το άγρυπνο βλέμμα του κι αν κάποιο τολμούσε να ξεστρατίσει το επανέφερε αμέσως στην τάξη. Έτρεχε ακούραστα ολόγυρα από το κοπάδι, προσπαθώντας να μαζέψει τα ζώα και να τα οδηγήσει στο κατάλυμά τους, δίνοντάς τους να καταλάβουν πως η βοσκή τελείωσε. Ένιωθε μια κρυφή χαρά να την πλημμυρίζει καμαρώνοντας το αποτέλεσμα των κόπων της. Είχε επενδύσει πολλά στη σοδειά από το αγρόκτημα. Ανυπομονούσε για το τέλος της συγκομιδής που θα αλάφραινε το οικονομικό της βάρος. Το χρέος ήταν μεγάλο και την πίεζε αφόρητα. Αν κάτι πήγαινε στραβά δεν είχε άλλους πόρους για να τα βγάλει πέρα. Όχι όμως! Όλα είχαν πάει περίφημα και είχε κάθε λόγο να είναι αισιόδοξη. Οι έμποροι είχαν ελέγξει την παραγωγή της και την βρήκαν εξαιρετική. Περίμεναν ν' αγοράσουν τη σοδειά της και θα την αποζημίωναν για τους κόπους της.

Μοναδική παραφωνία ήταν ο γείτονάς της, ο Άρης Δήμου. Συνεχώς της δημιουργούσε προβλήματα και της δυσκόλευε τη ζωή με τις παραξενιές του. Είχε τη φήμη δύστροπου ανθρώπου, μα όλοι τον υπάκουαν γιατί ήταν ο πιο ισχυρός οικονομικός παράγοντας της περιοχής.

Το δεκαπέντε στρέμματα του κτήματός που τώρα κατείχε, ήταν ενιαίο κομμάτι με το δικό του. Οι προκάτοχοι της τωρινής ιδιοκτησίας τους ήταν κάποτε συνέταιροι, μα μια επαγγελματική διαφωνία τους έκανε ν' ψυχρανθούν και να χωρίσουν τις ιδιοκτησίες τους. Το κτήμα μοιράστηκε στα δύο και το ένα από τα δύο μερίδια, αγοράστηκε από τον πατριό της. Ο Άρης ήθελε πολύ να το αποκτήσει και της είχε κάνει πολλές προτάσεις να του το πουλήσει. Η ιδιαιτερότητα της συνιδιοκτησίας τους ήταν ότι ο ένας εξαρτιόταν από τον άλλο μ' έναν ιδιότυπο τρόπο. Το κομμάτι που ανήκε στον Άρη ήταν περισσότερο βραχώδες, όμως ανάβλυζε η μοναδική πηγή του κτήματος. Η μεριά της Δάφνης είχε την μοναδική έξοδο προς το δρόμο, μα ήταν άνυδρο. Η συμφωνία που προϋπήρχε ήταν ο ένας ν' αφήνει το νερό να τρέχει προς τη μεριά του άλλου, με αντάλλαγμα να του παραχωρεί πέρασμα προς την έξοδο.

Στην αρχή δεν υπήρχαν ιδιαίτερα προβλήματα, ίσως γιατί ο Άρης δεν πίστεψε πως θ' ασχοληθεί σοβαρά με τις αγροτικές εργασίες και θεώρησε πως γρήγορα θα τα παρατούσε και θα επέστρεφε στην Αθήνα. Όταν κατάλαβε πως οι οικονομικές της δυνατότητες ήταν περιορισμένες, άρχισαν οι προτάσεις για πώληση του μεριδίου της προς σ' εκείνον.

Οι αρνητικές απαντήσεις που λάμβανε από την μεριά της, τον έκαναν να υιοθετήσει μια εχθρική στάση απέναντί της. Η Δάφνη δανειοδοτήθηκε από την τράπεζα κι είχε πλέον τα κεφάλαια για να συνεχίσει. Εκείνος συνειδητοποίησε πως δεν είχε πια ελπίδες να το αποκτήσει και το μόνο που έκανε ήταν να την ενοχλεί διαρκώς.

Μια πυκνή σειρά από πικροδάφνες υπήρχε στην βόρεια πλευρά του κτήματος και σαν φυσικός φράχτης, χώριζε τις δυο ιδιοκτησίες. Πέτρινοι τοίχοι συμπλήρωναν τα περάσματα και όριζαν τα σύνορά τους.

«Οι καλοί φράχτες κάνουν τους καλούς γείτονες», σκέφτηκε η Δάφνη. Κατευθύνθηκε προς το μικρό καταρράκτη που κυλούσε ανάμεσα απ' τους βράχους. Οι ηλιαχτίδες χόρευαν πάνω στο διάφανο υγρό. Κατέβαινε απ' την πηγή του Άρη και το νερό του συγκεντρωνόταν στην κεντρική στέρνα του κτήματός της. Από εκεί διακλαδωνόταν μ' ένα σύστημα από αυλάκια και μικρότερες στέρνες. Μ' αυτό τον τρόπο το έστελνε σε όλο το αγρόκτημα. Το υγρό χρυσάφι του ήταν η καρδιά, που με το ζωηρό της χτύπο έδινε ζωή στη γη της. Αν ήταν στο χέρι του Άρη θα την έκανε να σταματήσει να χτυπά, εμποδίζοντας το νερό να ρέει προς τη μεριά της, μα δεν τον συνέφερε να το κάνει. Είχε κι εκείνη τα δικά της όπλα.

Ο Αράπης έτρεξε προς την Δάφνη, γαυγίζοντας και κουνώντας χαρούμενος την ουρά του. Τον χάιδεψε τρυφερά στο πάνω μέρος του κεφαλιού του και την λαμπερή, ολόμαυρη ράχη του. Η βοήθειά του ήταν πολύτιμη και το μόνο που ζητούσε ως επιβράβευση, ήταν αυτό το χάδι. Τον ακολουθούσε ο Θωμάς, ο άνθρωπος που φρόντιζε για το κτήμα σαν να ήταν δικό του.

Ήταν το δεξί της χέρι και ο εκπρόσωπός της όπου δεν μπορούσε να βρίσκεται εκείνη. Επέβλεπε τους εργάτες κι επιθεωρούσε κάθε εργασία. Γνώριζε πολύ καλύτερα από κείνη τη σωστή λειτουργία του αγροκτήματος. Ήξερε πότε ήταν η εποχή να φυτευτεί το κάθε φυντάνι, να κλαδευτούν τα δέντρα και να μαζευτούν οι καρποί. Με τις σωστές οδηγίες του, κατάφεραν φέτος να πετύχουν τα μέγιστα αποτελέσματα.

- *Αφεντικό!* φώναξε αλαφιασμένος καθώς την πλησίαζε.

- *Τι συμβαίνει Θωμά!*
- *Είδα το γείτονά σου παρέα με τον επιστάτη του να έρχονται προς τα εδώ.*
- *Ωχ! αυτό μου έλειπε τώρα.* Δε βαρέθηκε να μ' ενοχλεί; Κάνοντας μεταβολή είδε τον ψηλό, μελαχρινό άνδρα, με τα πράσινα μάτια και το αλαζονικό ύφος να καταφθάνει. Φορούσε ένα σκούρο κουστούμι παρά την ζέστη που επικρατούσε. Η προσεγμένη του εμφάνιση, την έκανε να νιώσει άβολα για το μακό μπλουζάκι και το ταλαιπωρημένο τζιν που φορούσε εκείνη. Μερικά βήματα πιο πίσω ακολουθούσε ο Σίμος. Ήταν ο επιστάτης του, μα έμοιαζε περισσότερο με σωματοφύλακα έτοιμο να τον υπερασπιστεί αν χρειαζόταν. Ήταν πανύψηλος, γεροδεμένος, με κοντοκουρεμένα μαλλιά και ανοιχτόχρωμα μάτια.
- *Καλημέρα δεσποινίς Πετρίδου.*
- *Καλημέρα κύριε Δήμου. Μετά από μια τόσο κοπιαστική μέρα, ήλπιζα πως δε θα χρειαζόταν να υποστώ και τη δική σου επίσκεψη,* είπε σκουπίζοντας το μέτωπό της.
- *Θέλω να μου δώσεις απάντηση στην προσφορά που σου έκανα πριν λίγες μέρες. Τελικά θα μου πουλήσεις το κτήμα σου;*
- *Λυπάμαι που θα σε απογοητεύσω αλλά η απάντησή μου συνεχίζει να είναι αρνητική. Σταμάτα να επιμένεις γιατί άδικα χάνεις το χρόνο σου.*
- *Σου δίνω πολύ παραπάνω απ' όσα αξίζει. Δε θα βρεθεί κανείς να σου δώσει περισσότερα.*
- *Δε με νοιάζει το ποσό γιατί απλούστατα δεν ενδιαφέρομαι να το πουλήσω.*

- *Αν πρόκειται για τα κέρδη από τη σοδειά σου, θα το αγοράσω μετά τη συγκομιδή.*
- *Αυτό το αγρόκτημα είναι πλέον όλη μου η ζωή και δεν είμαι διατεθειμένη να το πουλήσω για κανένα λόγο. Σου το έχω ήδη ξεκαθαρίσει κι απορώ με την επιμονή σου.*

Η απάντησή της φάνηκε πως δεν ήταν αυτή που ήθελε και το ύφος του έγινε πιο αυστηρό.

- *Είμαι πολύ πιο δυνατός και μπορώ να σε συντρίψω αν το θελήσω, είπε τονίζοντας με νόημα κάθε του λέξη. Όταν κάποιος στέκεται εμπόδιο στα σχέδιά μου, τον κάνω να εξαφανιστεί έτσι απλά, είπε χτυπώντας ηχηρά τα δάχτυλά του.*

Η Δάφνη δεν μπορούσε να πιστέψει το θράσος αυτού του τύπου.

- *Απειλή είναι αυτό;*
- *Παρ' το όπως θέλεις, είπε ανασηκώνοντας ελαφρά τον ώμο του και βάζοντας όση ειρωνεία μπορούσε στα λόγια του.*
- *Και με ποιο τρόπο θα το κάνεις; Θα μου κόψεις το νερό; Αν τολμήσεις κάτι τέτοιο θα κλείσω το πέρασμα και η έξοδος σου θα είναι απαγορευτική. Θ' αναγκαστείς να σκαρφαλώνεις τα βουνά ή να ροβολάς στο γκρεμό για να βγεις στο δρόμο. Πόσο μάλλον να φροντίσεις τις εργασίες του κτήματός σου! Καλά θα κάνεις να σεβαστείς τη συμφωνία που προϋπάρχει, για το καλό και των δυο μας.*

Ένα ειρωνικό μειδίαμα καθρεφτίστηκε στην όψη του.

- *Μην τα βάζεις μαζί μου γιατί θα βγεις χαμένη. Αν θελήσω να σε πολεμήσω έχω πολλούς τρόπους.*

Η φωνή του έδειχνε πως ήταν κατηγορηματικός κι απόλυτος στις αποφάσεις του. Ο τόνος της υπεροχής δεν άρεσε καθόλου στην Δάφνη κι έσπευσε να του κόψει τη φόρα.

- Δε θα σου χαρίσω τον έλεγχο των αποφάσεων μου. Ότι κι αν έχεις βάλει στο μυαλό σου, καλύτερα να το ξεχάσεις. Είμαι πολύ επίμονη κι έχω μάθει να ξεπερνάω τα εμπόδια.

- Κι εγώ να τα τσακίζω, είπε με νόημα. Αν αλλάξεις γνώμη θα με βρεις σ' αυτό το νούμερο, είπε δίνοντάς της μια κάρτα με το τηλέφωνό του. Πάμε Σίμο, πρόσταξε τον υποταχτικό του, γυρίζοντας την πλάτη του.

Εκείνος υπάκουσε στην προσταγή του και τον ακολούθησε.

Η Δάφνη ένιωσε ν' ανατριχιάζει από το παγωμένο βλέμμα που συνόδευε τα λόγια του. Είχε την εντύπωση πως είχαν ένα απώτερο νόημα, που δεν τολμούσε να το εκφράσει καθαρά. Της είχε πετάξει αόριστα υπονοούμενα, που έκρυβαν μπερδεμένα νοήματα. Ο τρόπος που εκτόξευσε τις απειλές του, την προβλημάτισαν αρκετά.

Ασυναίσθητα άγγιξε τον χρυσό σταυρό που κρεμόταν στο λαιμό της. Ήταν κειμήλιο της γιαγιάς της και της τον είχε χαρίσει όταν ενηλικιώθηκε. Τον φορούσε συνεχώς και στις δύσκολες στιγμές ένιωθε πως έπαιρνε δύναμη απ' αυτόν. Όπως τώρα που αυτός ο άνθρωπος ήρθε να της δηλητηριάσει τη χαρά, παρόλο που δεν είχε λόγο να τον φοβάται. Άλλωστε πώς θα μπορούσε να την βλάψει;

- Τι ήθελε πάλι αφεντικό; είπε ο Θωμάς.

- Τα ίδια, όπως κάθε άλλη φορά. Εποφθαλμιά το κτή-

21

μα μου και θέλησε να μου ξεκαθαρίσει πως θα χρησιμοποιήσει κάθε μέσο για να το πετύχει. Είχε στοιχηματίσει πως θα τα παρατούσα πολύ γρήγορα και τώρα του κακοφαίνεται.

- Πρόσεχέ τον γιατί μπορεί να σου δημιουργήσει προβλήματα. Όλοι εδώ στην περιοχή τον υπακούουν τυφλά γιατί το υφαντουργείο του απασχολεί το μισό χωριό.

- Μα πώς κατάφερε ν' αποκτήσει τόση περιουσία;

- Την κληρονόμησε από τον πατέρα του. Είναι ο πιο πλούσιος εδώ γύρω κι όλοι τον προσκυνούν. Κανείς δε θα ήθελε να είναι εχθρός του.

- Ούτε κι εγώ το θέλω, αλλά δε μου δίνει ευκαιρία να είμαι φιλική μαζί του. Αυτός ο άνθρωπος θεωρεί δικαίωμά του ν' αποκτά ότι του γυαλίζει κι αυτό μ' εκνευρίζει αφάνταστα. Δεν αντέχω αυτό το ψηλομύτικο ύφος και την αφόρητη αλαζονεία. Αναγκάζομαι να γίνομαι επιθετική για να αμυνθώ. Μα πώς είναι δυνατόν να μου πάρει το κτήμα με το ζόρι; Έχω παλέψει πολύ γι' αυτό και δεν πρόκειται να υποκύψω στις απειλές του.

ΚΕΦΑΛΑΙΟ ΔΕΥΤΕΡΟ

Ο Αρης παρέα με τον Σίμο, πέρασαν στον αυλόγυρο του σπιτιού του, σκεφτόμενος τον τρόπο που θα έκανε την Δάφνη να παραιτηθεί από την ιδιοκτησία της. Μέσα στο μυαλό του το λογάριαζε σαν δικό του κτήμα και δε θα σταματούσε να το διεκδικεί, παρά τις αντιρρήσεις της τωρινής του ιδιοκτήτριας. Παρότι σ' εκείνο το κομμάτι δεν πήγαζε νερό, ήταν πολύ πιο έφορο από εκείνου. Το δικό του ήταν απότομο, και είχε πολλές δυσκολίες στην καλλιέργειά του. Οι αντιρρήσεις της τον έκαναν να πεισμώνει.

- *Δε θα επιτρέψω σ' αυτήν την παρείσακτη να έχει το κτήμα που πρέπει να είναι δικό μου, μονολόγησε θυμωμένος. Δεν έχει καταλάβει ακόμα με ποιον τα έχει βάλει. Αρκετά την ανέχτηκα. Ήρθε η ώρα να δράσω. Εγώ ότι βάζω στο μυαλό μου το πετυχαίνω, είπε παίρνοντας ένα εχθρικό ύφος.*
- *Σίμο, αναφώνησε απευθυνόμενος στον μυώδη άνδρα που τον υπάκουε πιστά. Τρέχα να βρεις τον Γιάννη, τον διέταξε. Είναι ο επικεφαλής των εργατών*

που δουλεύουν για εκείνη. Μου χρωστάει πολλά και ήρθε η ώρα να μου το ξεπληρώσει.

- Πάω αμέσως, είπε εκείνος υπακούοντας στην προσταγή του.

- Ωραία τώρα μπορώ να ηρεμήσω, μονολόγησε. Προχώρησε με τον αγέρωχο βηματισμό του και τη σιγουριά της επιτυχίας. Το βλέμμα του στάθηκε στην άκρη του κήπου. Ένας ασθενικός κορμός έστεκε ανάμεσα στ' ανθισμένα παρτέρια. Αναπόφευκτα ξεκίνησε μια νοερή αναδρομή στο παρελθόν κι εκεί που στάθηκε υπήρχε το αγκάθι που πλήγωνε όλη τη μετέπειτα ζωή του. Μια ρωγμή στη μάσκα της αυτοκυριαρχίας του, φάνηκε στη στιγμή. Η σκέψη του αγκιστρώθηκε σ' ένα επίμονο σήμα απ' το παρελθόν, που συννέφιασε τα μάτια του. Αυτό τον ασθενικό κορμό τον αποκαλούσε «*δέντρο της συγνώμης*», μα παρά τις προσπάθειές του δεν είχε καταφέρει να τον κάνει να βλαστήσει.

- Τόση φροντίδα κι εσύ συνεχίζεις να παραμένεις ένα ξερό κούτσουρο, ψέλλισε με μια νότα καημού στη φωνή του.

Κατέβαλε υπεράνθρωπες προσπάθειες να ξεφύγει από τις επώδυνες αναμνήσεις που προσπαθούσε να θάψει βαθιά μέσα του. Το οδυνηρό μυστικό που ήταν φορτωμένο στην ψυχή του, δεν άφηνε χώρο για συναισθηματισμούς Όμως κάθε φορά λύγιζε όταν κοιτούσε εκείνο τον άψυχο κορμό. Φαίνεται πως η πανοπλία που είχε φτιάξει γύρω του, δεν ήταν τόσο αδιαπέραστη όσο θα ήθελε.

Ήταν τριάντα εφτά χρονών και τα είχε καταφέρει καλά. Όμως πάντα ζητούσε περισσότερα από τη ζωή του.

Παρότι είχε εκπληρώσει τους στόχους του, δε σταματούσε να διεκδικεί, γιατί τίποτα δεν τον ευχαριστούσε. Μόνο η αύξηση της οικονομικής του δύναμης του έδινε σκοπό. Ίσως πάλευε να καλύψει το κενό που υπήρχε στην ψυχή του από τότε που...

- Όχι! Αναφώνησε βασανισμένος από αλληλοσυγκρουόμενα συναισθήματα.

Δεν έπρεπε να το σκέφτεται. Ήταν πια πολύ δυνατός και δε θ' άφηνε τις τύψεις του να τον νικήσουν. Πήρε το ποτιστήρι, έριξε νερό στη ρίζα του κι έφυγε γρήγορα απ' εκείνο το σημείο που τον έκανε να νιώσει έστω και προσωρινά ευάλωτος.

ΚΕΦΑΛΑΙΟ ΤΡΙΤΟ

Τα χρώματα της αυγής άρχισαν να ξυπνούν με το πρώτο αχνό φως. Η Δάφνη με το Θωμά έφτασαν προτού φανεί ο ήλιος στην κορυφογραμμή, για να στοιβάξουν τα δεμάτια του σταριού στην αποθήκη, που έφτιαξε πρόσφατα για να φυλάξει την σοδειά της. Μόλις άνοιξαν την σιδερένια πόρτα, αντιλήφθηκαν μια βιαστική κίνηση και κάτι να πετάγεται από το ανοιχτό παράθυρο.

- Τι ήταν αυτό αφεντικό;
- Δεν ξέρω Θωμά! Δεν πρόλαβα να το δω. Ίσως μπήκε κάποιο ζώο και το τρομάξαμε.
- Μάλλον δεν πρόκειται για ζώο, της είπε προχωρώντας προς το βάθος. Φοβάμαι πως ήταν άνθρωπος.
- Και τι ήρθε να κάνει τέτοια ώρα;
- Νομίζω πως διανυχτέρευσε εδώ, είπε δείχνοντας μια παλιά κουβέρτα στρωμένη πάνω στ' άχυρα.

Δίπλα από το αυτοσχέδιο στρώμα υπήρχαν απομεινάρια από λαχανικά κι ένα μισοφαγωμένο ροδάκινο.

- Κάποιος περαστικός θα ήταν και βρήκε κατάλυμα εδώ για να περάσει τη νύχτα του.

- Πιστεύω πως δεν είναι απλά περαστικός. Εδώ και μέρες, βρίσκω μισοφαγωμένα φρούτα και λαχανικά δίπλα στη στέρνα και δεν ήταν των εργατών. Είναι κάποιος που τριγυρνά εδώ και καιρό στο κτήμα σου. Ίσως να είναι κανένας παράνομος αλλοδαπός που κρύβεται. Τώρα τελευταία έχουν εμφανιστεί πολλοί απ' αυτούς στο χωριό μας. Αμέλησα να στο πω γιατί δεν το θεώρησα σημαντικό, αλλά τώρα βλέπω πως κοιμάται στην αποθήκη κι ίσως να είναι επικίνδυνος. Καλό θα ήταν να πάρεις τα μέτρα σου γιατί δεν ξέρουμε με ποιον έχουμε να κάνουμε.

- Δε βλέπω να έχει πειράξει τίποτα εδώ μέσα. Αν το μόνο που έκανε ήταν να φάει μερικά φρούτα και να κοιμηθεί, δεν θεωρώ πως υπάρχει κίνδυνος. Θέλω όμως να τον εντοπίσουμε σύντομα, γι' αυτό έχε το νου σου σε παρακαλώ! Ας συνεχίσουμε τη δουλειά μας. Τι ώρα θα έρθουν οι εργάτες να θερίσουν και το υπόλοιπο σταροχώραφο;

- Το απόγευμα μετά από τη δουλειά στο υφαντουργείο του γείτονά σου. Όμως θα πρέπει να βρούμε κι άλλα άτομα να μας βοηθούν από το πρωί τώρα που θ' αρχίσει η συγκομιδή των ροδάκινων και θα πνιγόμαστε.

- Θα προσπαθήσω αλλά το μέρος είναι μικρό και τα εργατικά χέρια λίγα. Οι περισσότεροι έχουν δουλειές στα δικά τους κτήματα και οι υπόλοιποι απασχολούνται στη βιοτεχνία του κυρίου Άρη. Θα ρωτήσω στο καφενείο που μαζεύονται οι εργάτες κι αν ενδιαφέρεται κάποιος θα του πω να έρθει να μιλήσετε.

- Σ' ευχαριστώ Θωμά. Δεν ξέρω τι θα έκανα χωρίς εσένα.

Οι ώρες πέρασαν πολύ γρήγορα και πριν το καταλάβουν, ο ήλιος άρχισε να πέφτει. Ο Θωμάς άνοιγε με την τσάπα του το τελευταίο ανάχωμα, επιτρέποντας στο νερό που ερχόταν από τ' αυλάκι, να περάσει στις φυτεμένες αλτάνες για να ποτιστούν. Ο Αράπης μ' ένα σφύριγμα του έτρεξε μεμιάς να μαζέψει το κοπάδι. Η Δάφνη ήταν κατάκοπη αλλά και απέραντα ικανοποιημένη. Οι εργασίες είχαν προχωρήσει αρκετά και η φρεσκοχτισμένη αποθήκη της άρχισε να γεμίζει. Κοίταξε το ρολόι της και ξαφνικά συνειδητοποίησε πως οι εργάτες που περίμεναν δεν είχαν φανεί ακόμα.

- *Θωμά οι εργάτες άργησαν. Δεν έπρεπε να ήταν ήδη εδώ;*
- *Αυτό αναρωτιόμουν κι εγώ. Μου υποσχέθηκαν πως θα έρθουν στις πέντε και πάντα ήταν ακριβείς στην ώρα τους. Είναι περίεργο που άργησαν τόσο πολύ.*

Πριν προλάβει να ολοκληρώσει τη φράση του είδε κάποιον να καταφθάνει.

- *Τι έγινε Γιάννη; Γιατί αργήσατε;*
- *Συγνώμη αφεντικό, αλλά ήρθα να σου πω κάτι που θα σε στεναχωρήσει.*
- *Φαίνεσαι πολύ ταραγμένος. Οι υπόλοιποι που είναι, γιατί δεν ήρθαν μαζί σου; Δεν είχαμε συμφωνήσει να είστε εδώ στις πέντε;*
- *Αφεντικό δεν ξέρω πώς να σου πω τ' άσχημα νέα, είπε σφίγγοντας νευρικά τα δάχτυλα του.*
- *Τι θέλεις να μου πεις και δυσκολεύεσαι τόσο;*
- *Κανείς δεν πρόκειται να έρθει για να δουλέψει στο κτήμα σου, ούτε σήμερα ούτε ποτέ πια.*
- *Μα για ποιο λόγο; είπε ξαφνιασμένη.*

- Ο κύριος Άρης μας είπε πως αν συνεχίσουμε να δουλεύουμε τ' απογεύματα στο κτήμα σου, θα μας απολύσει από τη βιοτεχνία του. Αυτή η δουλειά είναι η βασική πηγή απασχόλησης στην περιοχή μας και μας εξασφαλίζει μόνιμη εργασία για όλο το χρόνο. Κανείς δε ριψοκινδυνεύει να χάσει τη θέση του στο υφαντουργείο. Λυπούμαστε που δε θα σας βοηθήσουμε αλλά είναι αδύνατο να του εναντιωθούμε, γιατί θα το πληρώσουμε ακριβά.

Η Δάφνη τον άκουγε και δεν μπορούσε να πιστέψει στ' αυτιά της. Ένιωσε σαν να της έριξαν γροθιά στο στομάχι. Ξαφνικά η χαρά που ένιωθε για την πρόοδο των εργασιών της, εξανεμίστηκε. Δεν ήξερε τι να πει σ' αυτόν τον άνθρωπο που ήταν γεμάτος τύψεις γι' αυτό που τον υποχρεωνόταν να κάνει. Οι λέξεις που προσπαθούσε να βρει δεν μπορούσαν να περιγράψουν τη στεναχώρια του. Έσκυβε το κεφάλι γιατί δεν τολμούσε να την κοιτάξει στα μάτια κι ένιωθε την ανάγκη ν' απολογηθεί παρόλο που δεν έφταιγε.

- Δε χρειάζεται να δώσεις εξηγήσεις, εσύ αλλά αυτός που σας εκβίασε για να πετύχει το σκοπό του. Καταλαβαίνω τη δυσκολία της θέσης που σας έφερε. Πήγαινε τώρα και μη στεναχωριέσαι. Θα βρούμε κάποιο τρόπο να τα καταφέρουμε.

- Ευχαριστώ για την κατανόηση κι εύχομαι ο Θεός να σ' ανταμείψει για την καλοσύνη σου, είπε φεύγοντας.

Απέμεινε να κοιτά τη δουλειά που είχε μείνει μισοτελειωμένη και δυσανασχέτησε.

- Άρχισαν οι πισώπλατες μαχαιριές Θωμά.

- Και τώρα τι θα κάνουμε αφεντικό;
- Ειλικρινά δεν ξέρω. Πάντως δε θ' αφήσω να περάσει το δικό του. Δε θέλω να του δώσω την ικανοποίηση της νίκης.
- Χωρίς βοήθεια είναι σχεδόν αδύνατο να προλάβουμε τις προθεσμίες.
- Το γνωρίζω, μα έχω την ελπίδα πως κάτι θα γίνει. Πήγαινε τώρα στο σπίτι σου. Αρκετά δούλεψες για σήμερα.
- Μα δεν τελείωσα ακόμα και χωρίς τους εργάτες είναι πολλά αυτά που πρέπει να γίνουν.
- Δεν έχει κανένα νόημα. Όσο και να δουλέψουμε οι δυο μας και πάλι δε θα καταφέρουμε να τελειώσουμε. Πρέπει να βρούμε επειγόντως βοήθεια.
- Θα προσπαθήσω να φέρω άτομα αύριο. Όλο και κάποιος θα θέλει δουλειά.

Όταν η Δάφνη έμεινε μόνη της, κάθισε στη ρίζα μιας χαρουπιάς και βάλθηκε να σχεδιάζει τις επόμενες κινήσεις της.

Οι ρόδινες ανταύγειες του ήλιου κρύβονταν σταδιακά πίσω από το βουνό. Έμοιαζαν σαν ν' άπλωναν ένα τριανταφυλλένιο μανδύα που σκέπασε τον κατάφυτο αγρό της. Έμεινε εκεί μέχρι που οι κερασένιες γραμμές του βασιλέματος, άρχισαν να σβήνουν από τον ορίζοντα.

Η αισιοδοξία που ένιωθε μέχρι τώρα, είχε μετατραπεί σε οργή. Μέσα της είχε πολύ θυμό για να παραιτηθεί αλλά και πολύ δύναμη για να συνεχίσει. Το βλέμμα της έπεσε στα τρία δεμάτια που είχαν απομείνει. Ήταν κατάκοπη αλλά σηκώθηκε για να τα μεταφέρει στην αποθήκη πριν σκοτεινιάσει τελείως. Μπήκε μέσα με το πρώτο δεμάτι, το στοίβαξε πάνω στα άλλα κι ετοιμάστηκε να βγει για να φέρει το επόμενο.

Ξαφνικά ακούστηκε ένα περίεργο σύρσιμο στη δεξιά πλευρά και στάθηκε ακίνητη για ν' αφουγκραστεί καλύτερα. Ξανάφερε στο νου της όσα της είχε πει ο Θωμάς νωρίτερα. Οι προειδοποιήσεις του πυροδότησαν κι άλλο τους φόβους της. Της τόνισε πως υπήρχαν ενδείξεις ότι κάποιος τριγυρνούσε στο αγρόκτημά της και ίσως να ήταν επικίνδυνος. Το παράθυρο ήταν κλειστό, άρα αν ήταν κάποιος μέσα, είχε παγιδευτεί.

Ένας αμυδρός ήχος ξανακούστηκε και διέκρινε μια ανεπαίσθητη κίνηση στο σωρό από τ' άχυρα που υπήρχε στη γωνία. Ήταν πια σίγουρη πως κάποιος κρυβόταν εκεί κι έπρεπε να βρει τρόπο ν' αμυνθεί. Όποιος κι αν ήταν δεν είχε κανένα δικαίωμα να καταπατά την ιδιοκτησία της.

Τρομοκρατημένη όπως ήταν άρπαξε ένα φτυάρι και σε κατάσταση ετοιμότητας, πλησίασε με αργά, διστακτικά βήματα, προς το σωρό. Τώρα μπορούσε ν' ακούσει ακόμα και την ανάσα του. Έβλεπε τ' άχυρα να κινούνται στο λαχανιασμένο της ρυθμό. Έβαλε το φτυάρι δίπλα της και με μια απότομη κίνηση, βύθισε το αριστερό της χέρι στο σωρό και τράβηξε τον εισβολέα, που ήταν μαζεμένος σαν κουβάρι. Η έκπληξή έγινε τεράστια όταν μέσα από τ' άχυρα ξεπρόβαλε ένα παιδί. Ήταν ένα μελαχρινό αγόρι που έτρεμε από το φόβο του. Αισθανόταν ακόμα και το καρδιοχτύπι του, όπως το κρατούσε σφιχτά από τους ώμους.

- *Σε παρακαλώ μη με χτυπήσεις*, κλαψούρισε. Το κεφάλι του στράφηκε προς την αντίθετη πλευρά κι έκλεισε σφιχτά τα μάτια του. Σταύρωσε αμυντικά τα χέρια του προς εκείνη, προσπαθώντας να προστατευτεί.

- Μη φοβάσαι, του είπε χαλαρώνοντας το σφίξιμο των χεριών της. Του γύρισε το κεφάλι προς το μέρος της ενώ εκείνος συνέχισε να σφίγγει τα βλέφαρα από τον φόβο του.

- Ηρέμησε δεν πρόκειται να σε πειράξω! του είπε με ηρεμία.

Το αγόρι κατέβασε αργά τα χέρια από το πρόσωπό του και τα μεγάλα, μαύρα μάτια του στυλώθηκαν δισταχτικά πάνω της.

- Πώς σε λένε μικρέ;

- Χρήστο Παπαγιάννη, απάντησε χαμηλόφωνα.

- Πόσο χρονών είσαι;

- Δέκα, κυρία

- Και γιατί ένα αγόρι της ηλικίας σου, τριγυρνάει μονάχο του και κρύβετε σε μια αποθήκη;

- Δεν είχα που να πάω και σ' αυτό το μέρος βρήκα ότι χρειαζόμουν.

- Κι οι γονείς σου, πού είναι;

- Τη μητέρα μου δεν τη γνώρισα ποτέ γιατί με εγκατέλειψε όταν ήμουν ακόμα μωρό. Έμαθα πως μένει κάπου σ' αυτό το χωριό και τη λένε Κωνσταντία Παπαγιάννη. Αποφάσισα να έρθω εδώ και να ψάξω να την βρω.

- Κι ο πατέρας σου πού είναι;

- Λείπει αυτό το διάστημα για δουλειές.

- Και άφησε μονάχο του ένα μικρό παιδί; Γιατί δε σε πήρε μαζί του;

- Τώρα που είναι καλοκαίρι δουλεύει σε κτήματα, και

33

μένει σ' ένα σπίτι μαζί με τους άλλους εργάτες. Λείπει συχνά κι έχω μάθει να φροντίζω μόνος μου τον εαυτό μου.

- Είσαι πολύ μικρός για να είσαι μόνος σου.

- Δε με πειράζει καθόλου, γιατί έχω μάθει να τα βγάζω πέρα μόνος μου.

- Και πάλι είναι απαράδεχτο! Το να είστε χώρια δεν είναι καθόλου σωστό. Θα μπορούσε να εργαστεί εδώ για μένα, είπε μ' ενθουσιασμό. Χρειάζομαι βοήθεια στο αγρόκτημα και θα ήταν μια καλή ευκαιρία για να είστε μαζί.

- Μακάρι να γινόταν, αλλά δεν ξέρω που βρίσκεται! Δεν δουλεύει κάπου σταθερά και δεν μπορώ να επικοινωνήσω μαζί του.

- Κι αν επιστρέψει και δε σε βρει; Θ' ανησυχήσει αφού δεν ξέρει που βρίσκεσαι!

- Θ' αργήσει ακόμα. Ξέρω πότε είναι ο καιρός. Θα είμαι εκεί πριν γυρίσει. Αυτό που θέλω τώρα είναι να βρω τη μητέρα μου. Γι' αυτό θα ήθελα να μ' αφήσεις να κοιμάμαι στην αποθήκη σου για λίγο καιρό ακόμα.

- Αποκλείεται να επιτρέψω κάτι τέτοιο!

- Μα γιατί κυρά, ψέλλισε απογοητευμένος. Δεν έχω που να πάω. Άσε με να μείνω εδώ. Σου υπόσχομαι πως θα είμαι φρόνιμος και δε θα σ' ενοχλήσω καθόλου. Μη με διώξεις σε παρακαλώ! είπε ικετευτικά και τα μάτια του βούρκωσαν.

- Δεν ήθελα να πω αυτό μικρέ μου, είπε βγάζοντας από τα μαλλιά του μερικά άχυρα που είχαν απομείνει. Εννοούσα πως δε θα επιτρέψω σ' ένα παιδάκι στην ηλικία σου, να κοιμάται σ' ένα τόσο ακατάλληλο περιβάλλον. Θα έρθεις να μείνεις σπίτι μου, ώσπου να δούμε τι θα γίνει.

- Σ' ευχαριστώ κυρά, είπε με ανακούφιση ο μικρός.

- Έχεις πράγματα μαζί σου;

- Μόνο αυτό, είπε δείχνοντας ένα κόκκινο σακίδιο.

- Έλα πάμε γιατί χρειάζεσαι επειγόντως ένα ζεστό μπάνιο και καθαρά ρούχα. Ο Θωμάς, ο επιστάτης μου έχει εγγόνια κοντά στην ηλικία σου. Κάτι θα βρούμε να βολευτείς.

ΚΕΦΑΛΑΙΟ ΤΕΤΑΡΤΟ

Η καινούρια μέρα φαινόταν από νωρίς πως θα ήταν πολύ ζεστή. Οι συγχορδίες των τζιτζικιών ήταν εκκωφαντικές. Ξεκίνησαν το μονότονο τραγούδι τους πριν ακόμα χαράξει. Η Δάφνη βγήκε στην αυλή της και κάθισε στην αγαπημένη της θέση. Ήταν οι πιο ήρεμες στιγμές της μέρας της. Συνήθως τέτοια ώρα ετοίμαζε τη λίστα με τις εργασίες που έπρεπε να γίνουν στο αγρόκτημα. Ποτέ δεν είχε πέσει έξω στον προγραμματισμό της. Σήμερα όμως όλα είχαν ανατραπεί. Διαπίστωσε πως έπρεπε να γίνουν πολλά, αλλά μετά την ύπουλη παρέμβαση του γείτονά της, δεν υπήρχαν τα χέρια που θα τα έκαναν. Ο μικρός φιλοξενούμενος, έκανε την εμφάνισή του στην αυλή.

- *Γιατί ξύπνησες τόσο νωρίς μικρέ; Είσαι πάνω στην ανάπτυξη και πρέπει να κοιμάσαι καλά.*

- *Δεν είμαι και τόσο καλομαθημένος κυρά. Έχω συνηθίσει να ξυπνάω νωρίς.*

- *Έλα κάτσε να φας πρωινό. Είσαι πολύ αδύνατος και πρέπει να δυναμώσεις.*

Η Δάφνη έβαλε μπροστά του ένα ποτήρι γάλα και δυο φέτες ψωμί, αλειμμένες με βούτυρο και μέλι. Ο μικρός έφαγε το πρωινό του με λαιμαργία.

- *Είχα πολύ καιρό να φάω και να ξεκουραστώ τόσο καλά. Ελπίζω να βρω τρόπο ν' ανταποδώσω την καλοσύνη σου.*

- *Ο καθένας θα φρόντιζε ένα παιδί στη δική σου θέση.*

- *Δε θα το έκαναν πολλοί. Πίστεψέ με, το ξέρω γιατί το έχω ζήσει. Τι γράφεις εκεί;*

- *Είναι οι δουλειές που πρέπει να γίνουν σήμερα.*

- *Φαίνονται πολλές.*

- *Ναι πράγματι! Έχω μεγάλη λίστα και δεν ξέρω αν θα έχω άτομα να με βοηθήσουν.*

Η ώρα είχε προχωρήσει αρκετά όταν ο Θωμάς φάνηκε στη σιδερένια πόρτα του αυλόγυρου.

- *Καλημέρα αφεντικό.*

- *Καλημέρα και σε σένα.*

- *Τι κάνει ο μικρός μας εισβολέας; είπε γνωρίζοντας τα γεγονότα της χτεσινής μέρας.*

- *Πολύ καλά κύριε. Σας ευχαριστώ για τα ρούχα και τα παπούτσια που μου δώσατε. Θα σας τα επιστρέψω μόλις στεγνώσουν τα δικά μου.*

- *Κράτησέ τα. Τα εγγόνια μου μεγάλωσαν πια και δεν τους κάνουν. Όταν ξανάρθω θα σου φέρω κι ότι άλλο χρειάζεσαι.*

- *Περίμενα ανυπόμονα νέα σου Θωμά. Πες μου τι έγινε με τους εργάτες, είπε η Δάφνη, γεμάτη αγωνία. Τελικά βρήκες άτομα να μας βοηθήσουν;*

- *Λυπάμαι, αλλά δεν κατάφερα να φέρω κανέναν.*

- *Τόσοι άνθρωποι σ' αυτό τον τόπο και δεν ενδιαφέ-*

ρεται κανείς να δουλέψει για μένα; είπε απογοητευμένη.

- Ο γείτονας σου έχει τρομοκρατήσει τους πάντες. Κανείς δε ρισκάρει να χάσει την εύνοια του, για να σε βοηθήσει. Όλοι έχουν κάποιον στη οικογένειά τους που εργάζεται στο υφαντουργείο ή στα κτήματά του. Έχει δύναμη στα χέρια του και κανείς δεν τολμά να του πάει κόντρα. Όλοι θέλουν να τα έχουν καλά μαζί του, γιατί τον φοβούνται.

- Μου κήρυξε πόλεμο λοιπόν! Κι όλα αυτά για να με υποχρεώσει να του πουλήσω το αγρόκτημά μου. Όμως εγώ δε θα καταθέσω τα όπλα. Θα παλέψω για τη γη μου και δε θα του δώσω τη χαρά να την κάνει δική του.

- Θα σε υποστηρίξω με όλες μου τις δυνάμεις, είπε πρόθυμα ο Θωμάς.

- Άρα μείναμε οι δυο μας.

- Είμαι κι εγώ εδώ, φώναξε ο Χρήστος. Θα κάνω ότι μπορώ για να σε βοηθήσω καλή μου κυρά και μετά θα ψάξω για τη μαμά μου.

Οι επόμενες μέρες, ήταν πολύ κουραστικές. Από τα ξημερώματα μέχρι το δείλι, πάλευαν οι τρεις τους, για να κερδίσουν το στοίχημα που είχαν βάλει με τον εαυτό τους. Ήταν σ' ένα διαρκές κυνήγι με το χρόνο και τις προθεσμίες.

Το δεκάχρονο παιδί είχε εκπλήξει την Δάφνη. Αν και μικροκαμωμένος είχε πολύ δύναμη και αντοχή. Εργαζόταν ακούραστα όλη μέρα σαν μεγάλος άνδρας κι αγωνιζόταν εξίσου για τον κοινό τους σκοπό. Αν και είχαν μείνει λίγο πίσω στον προγραμματισμό τους, πήγαιναν αρκετά καλά για τα ελάχιστα εργατικά χέρια που διέθεταν. Η Δάφνη πότιζε σκάβοντας μικρά χωμάτινα φράγματα για να οδηγήσει το νερό στα φυτεμένα. Ο Αράπης πρόσεχε το κοπάδι κι ο Θωμάς με τον Στέφανο ταχτοποιούσαν στην αποθήκη, το μαλλί από τα πρόβατα που μόλις κούρεψαν.

- *Καλά πήγαμε σήμερα, είπε φανερά ικανοποιημένη. Μπορεί να καθυστερήσουμε λίγο αλλά θα τα καταφέρουμε. Ελπίζω ο κύριος Δήμου να σταματήσει τον ύπουλο πόλεμο του. Μικρέ, με ξεπλήρωσες με το παραπάνω. Τώρα εγώ είμαι αυτή που σου οφείλω.*
- *Χαίρομαι που μπορώ να βοηθήσω κυρά.*
- *Όμως σπαταλώντας το χρόνο σου μαζί μου, δεν έψαξες για τη μητέρα σου!*
- *Δεν πειράζει κυρά. Έκανα υπομονή τόσο καιρό. Δε χάθηκε ο κόσμος να περιμένω λίγο ακόμα, αφού είναι για καλό σκοπό.*
- *Υπόσχομαι πως με την πρώτη ευκαιρία θα ασχοληθώ κι εγώ μ' αυτό το ζήτημα. Τώρα βρες μου σε παρακαλώ το βιβλίο που γράφει, παραγγελίες γεωργικών υλικών. Είναι μέσα στην τσάντα που είναι δίπλα σου.*

Το παιδί έψαξε στο σωρό των τετραδίων που υπήρχε εκεί, μα αδυνατούσε να βρει αυτό που του ζήτησε.

- *Κυρία δεν ξέρω ποιο είναι.*
- *Διάβασε τις ετικέτες που είναι κολλημένες πάνω.*

Συνέχισε να κοιτάζει τα τετράδια με τη σειρά μα δεν κατέληγε σε κανένα. Η Δάφνη τον πλησίασε και είδε πως το τετράδιο που του ζητούσε, ήταν πρώτο στη σειρά. Το παιδί το κοιτούσε, μα φαινόταν πως δεν αναγνώριζε τις λέξεις που έγραφε στο εξώφυλλο.

- Χρήστο, δεν ξέρεις να διαβάζεις;
Εκείνος ντράπηκε με την παρατήρησή της, και τα μά-
γουλά του έγιναν κατακόκκινα.

- Όχι κυρία! Δεν έχω πάει σχολείο, παραδέχτηκε σκύ-
βοντας το κεφάλι από ντροπή.

- Μα είσαι δέκα χρονών! Πώς επέτρεψε ο πατέρας
σου να μην έχεις έστω και την στοιχειώδη μόρφωση;
Πρέπει να μιλήσω μαζί του. Είναι απαράδεκτη μια
τέτοια παράληψη. Πρέπει να βρούμε τρόπο να τον
ειδοποιήσουμε. Το απόγευμα θα πάω στην αστυνο-
μία. Εκείνοι θα έχουν κάποιο τρόπο να εντοπίσουν
το μέρος που βρίσκεται.

- Όχι στην αστυνομία! Μην το κάνεις αυτό κυρά, είπε
και πετάχτηκε τρομαγμένος.

Την Δάφνη την ξένισε αυτή η αντίδραση. Ο μικρός
βρισκόταν σε κατάσταση πανικού κι έτρεμε απ' το φόβο
του.

- Νομίζω πως δε μου τα έχεις πει όλα, είπε με την κα-
χυποψία να χρωματίζει έντονα τον τόνο της φωνής
της. Κάτι μου κρύβεις και φοβάμαι πως είναι σοβα-
ρό. Καλά θα κάνεις να μ' ενημερώσεις για ότι πραγ-
ματικά συμβαίνει.

- Θα μου υποσχεθείς πως δε θα με διώξεις αν σου πω
την αλήθεια; είπε κοιτάζοντας την ικετευτικά με τα
δακρυσμένα του μάτια.

- Εξαρτάται από το τι μου κρύβεις, απάντησε ανήσυχη
γι' αυτά που θ' άκουγε.

Το παιδί έσκυψε το κεφάλι και σχεδόν συλλαβιστά,
προσπάθησε να δώσει τις απαραίτητες εξηγήσεις.

- Ο πατέρας μου δεν μπορούσε να με φροντίσει και ζούσα στο κέντρο οικογενειακής μέριμνας στη διπλανή πόλη. Δεν άντεχα άλλο εκεί μέσα και το έσκασα.
- Τι είπες; φώναξε έξαλλη από θυμό. Γιατί μου έκρυψες κάτι τόσο σοβαρό; Ξέρεις ότι μπορεί να βρω το μπελά μου που σε κρατάω εδώ χωρίς να ενημερώσω κανένα; Μάλιστα θα με κατηγορήσουν ότι σ' εκμεταλλεύομαι αφού δούλεψες για μένα.
Η φωνή της ακούστηκε πιο δυνατή απ' ότι συνήθως και ο μικρός κατατρόμαξε από την ένταση.
- Συγνώμη είπε το παιδί συνεχίζοντας το κλαψούρισμα. Δεν ήξερα πως θα σε πείραζε.
- Δεν είναι τόσο απλό όσο νομίζεις! Είσαι ανήλικος. Έχεις δραπετεύσει από το ίδρυμα και είσαι εδώ παράνομα. Αν σου συμβεί το οτιδήποτε εγώ θα βρεθώ στη φυλακή και όλα θα καταστραφούν.
- Γιατί να σε βάλουν φυλακή; είπε τρέμοντας στο άκουσμα της λέξης.
- Γιατί με κορόιδεψες κι εγώ σε πίστεψα, χωρίς να βεβαιωθώ ότι μου έλεγες την αλήθεια. Αχ Θεέ μου! Δεν το πιστεύω αυτό που μου συμβαίνει! είπε πιάνοντας το μέτωπό της από απελπισία. Πώς έμπλεξα έτσι;
- Συγνώμη κυρά! Δεν ήξερα πως ήταν τόσο σοβαρό.
- Είναι και μάλιστα πάρα πολύ. Μ' άφησες να πιστεύω πράγματα που δεν ανταποκρίνονταν στην αλήθεια. Εγώ όμως φέρθηκα πολύ πιο ανόητα από σένα. Υπό την πίεση των δικών μου προβλήματα αμέλησα εσένα. Πρέπει κάτι να κάνω και μάλιστα σύντομα, φώναξε με απόγνωση. Ελπίζω να υπάρχει χρόνος να δι-

ορθώσω το σφάλμα μου, ειδάλλως θα το πληρώσω
πολύ ακριβά.
- Κι εγώ τι θ' απογίνω κυρά; Δε θέλω να ξαναγυρίσω σ'
εκείνο το μέρος. Δεν αντέχω εκεί μέσα.

Γύρισε και κοίταξε το θλιμμένο προσωπάκι του, που είχε γίνει κατακόκκινο από το κλάμα. Οι λυγμοί τον έπνιγαν και σκούπιζε διαρκώς τα δάκρυα με τις παλάμες του. Η έξαλλη αντίδρασή της τον είχε κατατρομάξει. Μέσα στον πανικό της δε σκέφτηκε το δράμα που περνούσε αυτό το παιδί και τον φόβο που είχε φωλιάσει στην τρυφερή ψυχούλα του. Η οργισμένη διάθεση εξανεμίστηκε στη στιγμή και πλησίασε κοντά του γεμάτη κατανόηση.

- Ούτε κι εγώ θέλω να φύγεις, είπε αγκαλιάζοντας τον.
Πρέπει όμως να καταλάβεις πως υπάρχουν νόμοι
που δεν μπορούμε να τους παραβούμε για κανένα
λόγο. Αύριο θα πάμε στο ίδρυμα και θα τους εξηγή-
σουμε. Ελπίζω να πάνε όλα καλά.
- Δηλαδή αν τους παρακαλέσουμε, θα με αφήσουν να
μείνω μαζί σου;
- Έλα μη στενοχωριέσαι, του είπε καθησυχαστικά. Θα
δούμε τι μπορεί να γίνει. Σου υπόσχομαι πως θα
ψάξω να βρω τη μαμά σου και τότε θα μπορείς να
φύγεις νόμιμα από εκεί.

Όμως ο μικρός Χρήστος συνέχισε να είναι φοβισμένος. Η Δάφνη του χάιδεψε τρυφερά τα μαλλιά και τον αγκάλιασε για να τον καθησυχάσει.

ΚΕΦΑΛΑΙΟ ΠΕΜΠΤΟ

Το ίδρυμα βρισκόταν μια ώρα μακριά από το κτήμα. Ο μικρός δεν ήταν καθόλου ευχαριστημένος που ξαναγύριζε, αλλά η Δάφνη τον έπεισε πως αυτή ήταν η πιο σωστή απόφαση. Διέσχισαν τους γνωστούς για εκείνον διαδρόμους κι έφτασαν στο γραφείο της διευθύντριας. Η κυρία Συμεωνίδου, μια ευγενική και συνάμα αυστηρή γυναίκα, εξεπλάγη με την εθελοντική επιστροφή του μικρού φυγά.

— *Δάφνη Πετρίδου, συστήθηκε. Σας έφερα τον Χρήστο και θα ήθελα να σας δώσω και τις απαραίτητες εξηγήσεις.*

Αφού ολοκληρώθηκε η χειραψία τους, άπλωσε το χέρι της να χαιρετήσει και το θλιμμένο αγόρι, μα εκείνος ζάρωσε πάνω στην Δάφνη σαν να ζητούσε προστασία.

— *Έκανες πολύ καλά που ξαναγύρισες. Δεν ήταν καθόλου σωστό αυτό που έκανες. Ανησυχήσαμε για σένα και πολλοί άνθρωποι έψαχναν να σε βρουν.*

Εκείνος την άκουγε κουρνιασμένος στο πλευρό της Δάφνης, με το κεφάλι κατεβασμένο και τα χέρια σφιγμένα γύρω από τον βραχίονά της. Περίμενε τρέμοντας τις αποφάσεις που θ' ακολουθούσαν και θα έκριναν την τύχη του.

- Το ότι επέστρεψες είναι θετικό σημάδι. Δείχνει ότι μετάνιωσες για το λάθος σου και αν το επαναλάβεις, η τιμωρία σου θα είναι πολύ αυστηρή. Δεν πρόκειται να σου συγχωρήσω άλλη τέτοιου είδους συμπεριφορά. Ελπίζω να έγινα κατανοητή.

- Μάλιστα κυρία, απάντησε συγκαταβατικά.

Η κυρία Συμεωνίδου ειδοποίησε τη γραμματέα της που βρισκόταν στο διπλανό γραφείο.

- Τώρα θα ήθελα να βγεις έξω και να περιμένεις ήσυχα με τη δεσποινίδα. Κατερίνα, πρόσεχέ τον σε παρακαλώ! είπε απευθυνόμενη στην γραμματέα της. *Θέλω να μιλήσω λίγο με την κυρία Πετρίδου και θα σε ειδοποιήσω να τον φέρεις μόλις τελειώσουμε τη συζήτησή μας.*

Ο μικρός σηκώθηκε απρόθυμα από το πλευρό της Δάφνης και την κοίταξε επίμονα, σαν να ήταν η τελευταία φορά που την έβλεπε. Μετά υπάκουσε στην εντολή της διευθύντριας κι έκλεισε την πόρτα πίσω του. Η Δάφνη εξιστόρησε όλα όσα είχαν προηγηθεί. Ανέφερε την ψεύτικη εκδοχή που της είχε δώσει ο μικρός και την άγνοιά της ότι φιλοξενούσε ένα παιδί που το είχε σκάσει από ίδρυμα.

- Ήταν αμέλειά μου να μην επαληθεύσω τα λεγόμενά του, είπε απολογητικά. *Εκείνες τις μέρες αντιμετώπιζα σοβαρά προβλήματα και το μυαλό μου ήταν μπερδεμένο. Αυτός ήταν ο λόγος που μ' έκανε να φερθώ εξίσου ανόητα και απερίσκεπτα μ' εκείνον.*

46

Δεν έχω καμία άλλη δικαιολογία και ζητώ συγνώμη για την ανευθυνότητα που έδειξα.

- Σίγουρα ήταν μεγάλο λάθος που τον κρατήσατε, αλλά και πολύ επικίνδυνο. Κατά το διάστημα της απουσίας του, είχε κινητοποιηθεί ένας ολόκληρος μηχανισμός γι' αυτόν. Αν τον ανακάλυπταν στο σπίτι σας θα είχατε μεγάλα προβλήματα με το νόμο.

- Το γνωρίζω και λυπάμαι γι' αυτό. Αν γνώριζα την αλήθεια θα τον είχα φέρει αμέσως.

- Και τώρα νομίζετε πως την γνωρίζετε;

- Τι θέλετε να πείτε; ρώτησε με έκπληξη.

- Πως δε θα έπρεπε να βασιστείτε στα λόγια ενός δεκάχρονου παιδιού, που μάλιστα διαθέτει τεράστια φαντασία. Δυστυχώς δεν είναι αγγελούδι όπως πιστεύετε.

- Δηλαδή μου έχει πει κι άλλα ψέματα.

- Δυστυχώς ναι! Ο πατέρας του μικρού βρίσκεται στη φυλακή.

- Στη φυλακή; τραύλισε επαναλαμβάνοντας με απέχθεια τη λέξη.

- Τον συνέλαβαν πριν ένα μήνα για διάρρηξη και κλοπή. Όμως δεν είναι η πρώτη φορά που κατηγορείται για τέτοιου είδους αδικήματα. Έχει βεβαρυμμένο ποινικό μητρώο. Το κακό σ' αυτή την ιστορία είναι ότι ανακάτευε και το παιδί στις κομπίνες του. Το έβαζε να κλέβει για λογαριασμό του και αμελούσε τελείως τις ανάγκες του. Εκμεταλλευόταν την παιδική του αθωότητα για να γλιτώνει εκείνος. Ζούσε μαζί του σ' ένα τελείως ακατάλληλο περιβάλλον και κινδύνευε συνεχώς η σωματική του ακεραιότητα.

47

Η ανικανότητα αυτού του ανθρώπου να το προστατεύσει, οδήγησε τις κρατικές υπηρεσίες να κινητοποιηθούν και ανάθεσαν την επιμέλεια του ανηλίκου στο ίδρυμά μας.

- Μου είπε ότι η μητέρα του ζει στο χωριό μου κι έψαχνε να την βρει. Γιατί δεν έγινε κάποια προσπάθεια να εντοπιστεί και ν' αναλάβει την επιμέλειά του;

- Σύμφωνα με το φάκελό του η μητέρα του έχει πεθάνει όταν ήταν λίγων μηνών, μα ο Χρήστος δεν το γνωρίζει.

- Το κακόμοιρο το παιδί! Κι έχει τόση λαχτάρα να την συναντήσει! Δεν το χωράει ο νους μου, είπε σοκαρισμένη. Σ' αυτή την ηλικία κι έχει περάσει τόσα πολλά!

- Υπάρχει και κάτι ακόμα. Το παιδί είναι αναλφάβητο. Δεν έχει πάει καθόλου σχολείο. Η κλοπή, ήταν το μόνο μάθημα που πήρε και το διδάχτηκε από τον ίδιο του τον πατέρα.

- Το ανακάλυψα μόλις χτες και μου έκανε τεράστια εντύπωση.

- Δυσκολεύεται ακόμα και τ' όνομά του να γράψει. Έχει πείσει τον εαυτό του ότι δεν μπορεί να μάθει γράμματα, αν και είναι πανέξυπνος. Αρνείται να πάει σχολείο και δεν κάνει καμιά προσπάθεια να διαβάσει ή να γράψει. Βέβαια στο κέντρο μας έγιναν κάποιες απόπειρες, αλλά δυστυχώς δεν ήταν καθόλου συνεργάσιμος. Απέρριπτε επιδειχτικά κάθε προσπάθεια εκμάθησης. Είναι ελεύθερο πνεύμα και θέλει να είναι ανεξάρτητος. Είναι πολύ ατίθασος και δεν προσαρμόζεται στους κανόνες μας.

- *Πως έχουμε την απαίτηση να υπακούει σε κανόνες, όταν έχει μεγαλώσει μ' έναν πατέρα που το μόνο που τον δίδαξε είναι να κλέβει και να κρύβεται για να επιβιώσει; Πάντως σ' εμένα έχει δώσει μια τελείως διαφορετική εικόνα. Ήταν πάντα υπάκουο και υπεύθυνο παιδί. Το διάστημα που τον φιλοξένησα μου έδωσε την εντύπωση ενός αγοριού πρόθυμου να πειθαρχήσει σε υποδείξεις και τις εντολές των μεγαλύτερων.*

- *Πράγματι! Σήμερα τον είδα πολύ διαφορετικό και διαπίστωσα πως είναι πολύ δεμένος μ' εσάς. Φαίνεται πως η συναναστροφή μαζί σας ήταν αρκετά εποικοδομητική. Αυτή σίγουρα είναι μια ευχάριστη αλλαγή. Εδώ ήταν πάντα επιθετικός και είχε τάσεις φυγής. Σε μια μικρή εκδρομή με τ' άλλα παιδιά, κατάφερε να το σκάσει και να πάει στον πατέρα του. Αργότερα μάθαμε πως εκείνος κατέληξε στη φυλακή και η τύχη του παιδιού αγνοείτο, μέχρι σήμερα τουλάχιστον. Χαίρομαι που τον φροντίσατε και δεν έπαθε κάτι άσχημο. Είχαμε ανησυχήσει πολύ για την τύχη του. Ένα ανήλικο χωρίς προστασία κινδυνεύει ανά πάσα στιγμή. Ευτυχώς έπεσε σε καλά χέρια.*

- *Μένω άναυδη μ' αυτά που μαθαίνω. Και τώρα, ποια θα είναι η τύχη αυτού του αγοριού;*

- *Στο διάστημα που βρίσκεται στο κέντρο γονικής μέριμνας έχουν γίνει προσπάθειες να ζήσει με ανάδοχη οικογένεια, αλλά όλες απέτυχαν. Έχει συνηθίσει σ' ένα διαφορετικό τρόπο ζωής και δεν μπορεί να μπει σε καλούπια. Οι οικογένειες που τον ανέλαβαν δεν κατάφεραν να τα βγάλουν πέρα μαζί του.*

Έκανε κάποιες μικροκλοπές και χρησιμοποιούσε ως δικαιολογία το ψέμα για ξεφύγει την τιμωρία. Αν δε βρεθεί κάποια λύση φοβάμαι πως θα καταλήξει σε κάποιο αναμορφωτήριο κι ίσως αργότερα σε κάποια φυλακή, σαν τον πατέρα του.

- Νιώθω σαν να μου περιγράφετε κάποιο άλλο άτομο. Έχω διακρίνει πάνω του μια ξεχωριστή ευγένεια. Ο Χρήστος είναι καλόκαρδο και συμπονετικό παιδί. Οι οικογένειες που το ανέλαβαν απέτυχαν γιατί δεν κατάφεραν να βγάλουν στην επιφάνεια αυτά τα προτερήματα. Φανταστείτε τη ζημιά που γινόταν στην ψυχούλα του κάθε φορά που τον απέρριπταν. Τον επέστρεφαν στο ίδρυμα σαν ελαττωματικό προϊόν γιατί ήταν ανυπάκουος. Το μόνο που είδαν σ' εκείνον ήταν ο επαναστατημένος κι ατίθασος χαραχτήρας του. Αντιδρούσε γιατί ένιωθε πως δεν τον καταλαβαίνουν και προσπαθούσαν να του στερήσουν την ελευθερία.

- Και ποια είναι η λύση για να συνετιστεί αυτό το αγόρι; Να το αφήσουμε ανεξέλεγκτο για να μην καταπιέζεται; Έχω προβληματιστεί για το μέλλον του. Πραγματικά δεν ξέρω τι να κάνω μαζί του. Τι είναι αυτό που θα τον παρακινήσει ν' αλλάξει;

- Χρειάζεται κάποιον να κατευθύνει τη ζωή του σύμφωνα με τις ψυχικές ανάγκες του. Κάποιον να σεβαστεί τα συναισθήματά του κι όχι να του επιβάλει όρους. Έχει ανάγκη από στοργή και κατανόηση, όχι από κανονισμούς και πειθαρχεία. Θέλει να νοιαστεί κάποιος πραγματικά για εκείνον και να ενδιαφερθεί γι' αυτά που κουβαλάει μέσα του. Αν νιώσει πως τον αγαπούν και τον καταλαβαίνουν θα βγάλει στην επιφάνεια τον καλό εαυτό του και είμαι σίγουρη πως είναι σαν ακατέργαστο διαμάντι.

- Πολύ σωστή η ανάλυσή σας κυρία Πετρίδου και συμφωνώ απόλυτα σε όλα όσα προαναφέρατε. Σίγουρα θα ήταν μια ιδανική λύση να βρεθεί κάποιος να τον πλησιάσει μ' αυτόν τον ιδιαίτερο τρόπο. Όμως πιστεύετε πως είναι εύκολο να εμπνεύσει ο ίδιος ο Χρήστος, τέτοια θετικά συναισθήματα; Μέχρι στιγμής είναι αρνητικός σε κάθε προσπάθεια προσέγγισης και το μόνο που παρουσιάζει σε όλους, είναι η πλευρά του δύστροπου χαραχτήρα του.

Η Δάφνη σκέφτηκε πως έπρεπε να κάνει κάτι και μάλιστα άμεσα, γι' αυτό το επαναστατημένο αγόρι. Η απάντηση ξεπήδησε αυτόματα από το μυαλό της. Η λύση ήταν μία.

- Ναι! Ίσως αυτό να είναι το καλύτερο για εκείνον, σκέφτηκε. Θα μπορούσα να τον αναλάβω εγώ. Αν μου το επιτρέψετε φυσικά. Άλλωστε είναι επιθυμία και του ίδιου. Του αρέσει πολύ η ζωή στο αγρόκτημα.

- Είστε σίγουρη ότι θέλετε να φορτωθείτε με μια τέτοια ευθύνη;

- Γιατί όχι! Όσο καιρό έζησε μαζί μου, ο χαραχτήρας του ήταν τελείως διαφορετικός από αυτόν που μου περιγράψατε. Ποτέ δεν ήταν επιθετικός απέναντί μου. Ήταν ευτυχισμένος κι ενθουσιαζόταν με το καθετί. Εκεί θα ζήσει ξέγνοιαστος. Θα είναι ελεύθερος απ' όσα τον περιόριζαν εδώ και τον έκαναν ν' αντιδράει άσχημα. Πιστεύω πως αν μας δώσετε την ευκαιρία, θα τα καταφέρουμε.

- Δεν είναι μόνο αυτό. Το παιδί έχει τάσεις φυγής. Με την παραμικρή δυσκολία θα το βάλει ξανά στα πόδια και δεν ξέρουμε που θα καταλήξει αυτή τη φορά.

- Καταλαβαίνω τους ενδοιασμούς σας, αλλά σας υπόσχομαι να τον προσέχω.

- Αν είναι έτσι, δεν έχω καμία αντίρρηση, είπε ικανοποιημένη από την ευχάριστη εξέλιξη. Φροντίστε τον αρχικά για έξι μήνες και θα επανεξετάσουμε το θέμα του. Αν δεν υπάρξουν προβλήματα θα παραμείνει μαζί σας, για όσο χρειαστεί. Φαίνεται πως έχετε βρει τα κουμπιά του κι είναι η καλύτερη λύση για τον Χρήστο. Μάλιστα θα παρακάμψω κάποιες γραφειοκρατικές διαδικασίες που είναι αρκετά χρονοβόρες, για ν' αναλάβετε αμέσως την προσωρινή επιμέλειά του. Βέβαια να έχετε υπόψη σας πως θα γίνει κάποιος έλεγχος γύρω από το άτομό σας.

- Δεν έχω τίποτα να κρύψω. Θα σας διευκολύνω σε ότι χρειαστείτε.

- Πιστεύω κι εγώ στις καλές σας προθέσεις και θεωρώ πως δε θα υπάρξουν προβλήματα. Η πορεία της αναδοχής θα παρακολουθείται κατά διαστήματα από κοινωνική λειτουργό. Είναι μια τυπική διαδικασία για να βεβαιωθεί η υπηρεσία μας πως όλα βαίνουν καλώς. Εύχομαι αυτό το παιδί να βρει επιτέλους αυτό που λείπει από την ψυχή του και να ξεκλειδώσει τον καλό του εαυτό.

Εκείνη τη στιγμή ακούστηκε μια έντονη αναστάτωση στον προθάλαμο. Κατόπιν, άνοιξε απότομα η πόρτα του γραφείου κι εμφανίστηκε η γραμματέας της σε κατάσταση πανικού.

- Κυρία Συμεωνίδου, ο μικρός το έσκασε, είπε φανερά αναστατωμένη.

Η διευθύντρια και η Δάφνη τινάχτηκαν σχεδόν ταυτόχρονα από τις πολυθρόνες τους.

- Μα πώς έγινε αυτό; Δεν είπα να τον προσέχεις;

- Καθόταν ήσυχος στον καναπέ και μόλις γύρισα την πλάτη μου να κατεβάσω ένα φάκελο απ' το ράφι, πετάχτηκε ξαφνικά κι έφυγε τρέχοντας προτού προλάβω ν' αντιδράσω.

- Ειδοποίησε τηλεφωνικά το φύλακα να βεβαιωθεί ότι η πόρτα είναι κλειστή και να ψάξει αμέσως να τον εντοπίσει.

- Πάω να τον ψάξω κι εγώ, είπε η Δάφνη γεμάτη αγωνία. Ελπίζω ότι δε θα έχει προλάβει ν' απομακρυνθεί.

Έτρεξαν προς όλες τις κατευθύνσεις φωνάζοντας συνεχώς τ' όνομά του. Είχαν απογοητευτεί όταν ξαφνικά άκουσαν φωνές. Τον είδαν από μακριά να τρέχει και τον φύλακα να τον κυνηγά. Τα χέρια του απλώθηκαν να τον αρπάξουν, μα το παιδί ξέφυγε τρέχοντας σαν τρελό. Όμως δεν τα κατάφερε για πολύ ακόμα. Τελικά τον άρπαξε από την μπλούζα και τον έριξε κάτω, χτυπώντας τον. Τον γύρισε ανάσκελα και του έπιασε σφιχτά τα χέρια. Άρχισε να τον ταρακουνά για να σταματήσει να του αντιστέκεται.

- Σταμάτα, φώναξε η Δάφνη που εν τω μεταξύ είχε φτάσει πρώτη κοντά τους. Δε βλέπεις ότι τον πονάς;

- Και πώς να τον συγκρατήσω που τινάζεται σαν άλογο, είπε ο φύλακας λαχανιασμένος από την προσπάθεια να τον ακινητοποιήσει. Αυτό το παιδί το ξέρω

53

καλά. Είναι μεγάλος μπελάς, είπε συνεχίζοντας τα χτυπήματα. Ο μικρός ούρλιαζε από τον πόνο.

- Άφησέ τον αμέσως, πρόσταξε, εκνευρισμένη από την βίαιη συμπεριφορά τού φύλακα απέναντι σ' ένα δεκάχρονο παιδί.

Όταν διαπίστωσε πως οι εκκλήσεις της δεν είχαν αποτέλεσμα, όρμησε καταπάνω του να τον σταματήσει. Ο φύλακας ξαφνιασμένος από την αναπάντεχη επίθεση, έκανε μια απότομη κίνηση και την έσπρωξε με δύναμη. Εκείνη έχασε την ισορροπία της και σωριάστηκε χάμω. Η διευθύντρια με τη γραμματέα της, που είχαν παρακολουθήσει τη σκηνή, έφτασαν κοντά στο μέρος της συμπλοκής. Ο Χρήστος κατάφερε ν' απεγκλωβιστεί από τα χέρια του φύλακα και πλησίασε στο σημείο που έπεσε η Δάφνη.

- Είσαι καλά κυρά; ρώτησε με την αγωνία ζωγραφισμένη στα μάτια του.

- Χτύπησα το χέρι μου, είπε τρίβοντας τον καρπό της.

- Το έχετε γδάρει. Ελάτε στο γραφείο μου να το περιποιηθούμε.

- Θα ήθελα να μιλήσω πρώτα στον Χρήστο.

- Όπως επιθυμείτε, είπε η διευθύντρια συγκαταβατικά.

Εκείνη γονάτισε μπροστά του και του μίλησε με φωνή γεμάτη τρυφερότητα και κατανόηση.

- Γιατί το έκανες αυτό αγόρι μου; Γιατί το έσκασες προτού ακούσεις την απόφαση της κυρίας Συμεωνίδου;

- Συγνώμη κυρά! αλλά ντράπηκα, είπε βουρκωμένος.

- Γιατί ντράπηκες;

- Η κυρία διευθύντρια θα σου τα είπε όλα για μένα,

είπε με το κεφάλι χαμηλωμένο. *Σίγουρα θα είσαι πολύ θυμωμένη μαζί μου, αφού έμαθες ότι έχω κάνει άσχημα πράγματα κι είμαι πολύ κακό παιδί. Ντρέπομαι γιατί ξέρεις πως είμαι ένας κλέφτης και δεν αξίζω τίποτα.*

- *Μα τι είναι αυτά που λες; Γιατί υποτιμάς τόσο τον εαυτό σου; Αξίζεις όσο κάθε παιδί σ' αυτή τη γη,* είπε και του ανασήκωσε ελαφρά το πηγούνι. Το αγόρι κατάπιε τους λυγμούς του και αναγκάστηκε να την κοιτάξει. *Καταλαβαίνω πως αισθάνεσαι. Δε φταις εσύ γι' αυτά που σ' έβαλε να κάνεις ο πατέρας σου! Ποτέ δεν είναι αργά ν' αλλάξεις, αρκεί να το θέλεις. Προσπάθησε να ξεφύγεις από τις κακές συνήθειες που σε δίδαξε αυτός ο άνθρωπος. Πρέπει να μάθεις να σέβεσαι πρώτα απ' όλους τον ίδιο σου τον εαυτό.*

- *Και ποιός θα μου τα μάθει όλα αυτά;* ρώτησε με παράπονο, ενώ τα μάτια του διέσχιζαν ποτάμια δακρύων. *Δε θέλω να ξαναγυρίσω εκεί μέσα.*

- *Δεν είναι απαραίτητο να γυρίσεις στο ίδρυμα. Αν θέλεις μπορούμε να προσπαθήσουμε παρέα για την αλλαγή σου. Η κυρία Συμεωνίδου επέτρεψε ν' αναλάβω εγώ την προσωρινή σου επιμέλεια. Αυτό σημαίνει πως δε θα μείνεις εδώ, αλλά θα έρθεις μαζί μου στο αγρόκτημα.*

Μεμιάς ένα απαλό ρόδινο χρώμα έβαψε τα μάγουλά του, που μέχρι τώρα ήταν ωχρά από το φόβο του. Λάμψη χαράς απλώθηκε στα υγρά του μάτια κι άλλαξε στη στιγμή τη διάθεσή του.

- *Αλήθεια μου λες κυρά;* είπε μ' ένα μείγμα ενθουσιασμού αλλά και δυσπιστίας. *Με θέλεις ακόμα, μετά*

απ' όσα έμαθες για μένα;
- Και βέβαια σε θέλω γιατί πιστεύω πως είσαι το πιο
αξιόλογο παιδί που έχω γνωρίσει. Εγώ έχω δει την
καλή σου πλευρά και ξέρω πως μπορώ να σ' εμπι-
στευτώ. Το μόνο που θα σου ζητήσω είναι να είσαι
ειλικρινής και να μη φοβάσαι να πεις την αλήθεια.
- Στ' ορκίζομαι κυρά πως δε θα σου ξαναπώ ψέματα κι
ούτε θα κλέψω ποτέ πια. Θα κάνω ότι μου πεις εσύ.
- Σου ζητώ να κάνεις αυτό που επιθυμείς, αρκεί οι
πράξεις σου να είναι συνετές και να μην βλάπτουν
κανένα. Και κάτι άλλο ακόμα. Δε μου αρέσει καθό-
λου που δεν ξέρεις να γράφεις και να διαβάζεις.
- Ο πατέρας μου έλεγε πως δε μου χρειάζονται τα
γράμματα. Λέει πως είναι χάσιμο χρόνου κι ότι είναι
πολύ δύσκολα να τα καταλάβω, γιατί δεν είμαι τόσο
έξυπνος.
- Έτσι τον βόλευε να λέει. Μείωνε την αυτοπεποίθησή
σου για να σ' έχει του χεριού του και να μπορεί να σε
ελέγχει. Εγώ βλέπω ένα παιδί που μπορεί να πετύχει
πολλά αν θελήσει να προσπαθήσει. Είναι μεγάλο λά-
θος να μείνεις αναλφάβητος και θα το διαπιστώσεις
πολλές φορές στην πορεία της ζωής σου. Η μόρφω-
ση είναι το διαβατήριο για το μέλλον κι όχι χάσιμο
χρόνου. Αν θέλεις να έχεις ένα καλύτερο αύριο, θα
πρέπει να το προετοιμάσεις από σήμερα. Το πρώτο
βήμα είναι να πας σχολείο. Θα το μετανιώσεις πικρά
αν δεν κάνεις κάτι όσο είναι ακόμα νωρίς.
- Μα είναι ήδη αργά για μένα. Ντρέπομαι να ξεκινήσω
τώρα γιατί είμαι δέκα χρονών. Είμαι πια μεγάλος για
να πάω στην πρώτη τάξη.

- Κάνεις λάθος! Ποτέ δεν είναι αργά. Ίσα- ίσα που είναι λίγα τα διδαχτικά χρόνια που πρέπει να καλύψεις. Μπορώ να γίνω εγώ η δασκάλα σου και να σου μάθω όσα σου χρειάζονται. Πιστεύω πως το φθινόπωρο θα είσαι προετοιμασμένος για να πας στην τάξη που πρέπει.

- Μπορεί να γίνει κάτι τέτοιο μέσα στους δυόμιση μήνες που μένουν μέχρι ν' ανοίξουν τα σχολεία;

- Αν το βάλουμε σκοπό, και βέβαια μπορεί! Θα μπεις σε πρόγραμμα ταχείας εκπαίδευσης και θα καλύψεις τις μαθησιακές σου ελλείψεις.

- Ναι, αλλά θα τα καταφέρω; Μου φαίνεται βουνό αυτό που μου ζητάς.

- Είμαι σίγουρη πως θα βάλεις τα δυνατά σου, γιατί εγώ πιστεύω πως είσαι πανέξυπνος. Πιο πολύ από άλλα παιδιά της ηλικίας σου.

- Τότε αξίζει να προσπαθήσω! είπε γελώντας ευχαριστημένος. Χαίρομαι που τώρα θα είμαι μαζί σου, γιατί σε συμπαθώ. Δεν θυμάμαι καθόλου τη μαμά μου, μα εύχομαι να είναι τόσο καλή όσο κι εσύ.

Δεν μπόρεσε να του πει τίποτα για το θάνατο της μητέρας του. Άνοιξε την αγκαλιά της και τον έκλεισε μέσα. Τα δάκρυα του παιδιού τώρα κυλούσαν από χαρά κι ευγνωμοσύνη. Επιτέλους κάποιος νοιαζόταν πραγματικά για εκείνον και μπορούσε να το νιώσει μέχρι τα βάθη της ψυχής του.

Η Δάφνη έκανε ένα μορφασμό πόνου κι έπιασε μηχανικά το χέρι της.

- Ελάτε να σας το δέσουμε προσωρινά, είπε η γραμματέας, αλλά καλό θα ήταν να πάτε στο κέντρο υγείας *να το εξετάσουν.*

- Θα πάμε μαζί με το Χρήστο πριν επιστρέψουμε στο σπίτι μας, είπε κοιτάζοντας το σπινθηροβόλο βλέμμα του.

Αυτή η χαρά που έλαμπε στα μάτια του, ενίσχυσε ακόμα περισσότερο την απόφαση τής αναδοχής.

ΚΕΦΑΛΑΙΟ ΕΚΤΟ

Κατά την επιστροφή τους στον Ροδώνα έκαναν μια στάση στο κέντρο υγείας. Ο καρπός τής Δάφνης είχε πρηστεί και την πονούσε υπερβολικά. Ο Χρήστος περίμενε έξω από την πόρτα του γιατρού που ανέλαβε να την περιθάλψει. Ήταν τόσο χαρούμενος, όσο ποτέ άλλοτε στη ζωή του. Η ανέλπιστη απόφαση τού ιδρύματος του έδωσε την ευκαιρία να ζήσει εκεί που πραγματικά επιθυμούσε. Ήταν αποφασισμένος ν' αλλάξει για να είναι περήφανη για κείνον και να μην την στενοχωρήσει ποτέ ξανά.

Κοιτούσε τη θέα από το ανοιχτό παράθυρο, όταν την προσοχή του τράβηξαν μερικά περιστέρια, που γουργούριζαν κουρνιασμένα στο πεζούλι της οροφής. Ένα φτεροκόπημα στην άκρη του μπαλκονιού τον έκανε να χαμηλώσει το βλέμμα. Διαπίστωσε πως ήταν ένα λευκό περιστέρι που προσπαθούσε να πετάξει, μα κάτι το εμπόδιζε. Βγήκε στο μπαλκόνι και το πλησίασε.

Είδε πώς το αδύναμο ποδαράκι του είχε πιαστεί στη σχαρίτσα τής αποχέτευσης και προσπαθούσε μάταια να ελευθερωθεί. Πήγε κοντά του αργά για να μην το τρομάξει και με απαλές κινήσεις το απεγκλώβισε από την παγίδα που είχε πιαστεί. Εκείνο παρέμεινε για μερικά δευτερόλεπτα κοντά του, σαν να τον ευχαριστούσε για τη βοήθεια που του έδωσε και μετά πέταξε προς το πεζούλι μαζί με τα υπόλοιπα. Επέστρεψε πάλι στη θέση του και περίμενε υπομονετικά.

Κάποια στιγμή το λευκό περιστέρι φτεροκοπώντας δυνατά, μπήκε μέσα στο χώρο αναμονής από το παράθυρο κι άρχισε να σουλατσάρει στο δάπεδο. Τα μικρά ροζ ποδαράκια του διέσχισαν το δωμάτιο κι ήρθε και στάθηκε στο σημείο που καθόταν ο Χρήστος. Ο μικρός το παρατηρούσε καθώς τσιμπολογούσε τα ψίχουλα που είχαν πέσει, από το κουλούρι που του είχε αγοράσει νωρίτερα η Δάφνη. Ένας κύριος με άσπρη μπλούζα και φορτωμένος με κουτιά από ιατρικό υλικό, πλησίασε κοντά του.

- *Μικρέ, μπορείς να μου κάνεις μια χάρη σε παρακαλώ;*
- *Πέστε μου, τι θέλετε; είπε με ευγένεια.*
- *Περνώντας από το διάδρομο, άκουσα έναν ασθενή από εκείνο το δωμάτιο, είπε δείχνοντας με το βλέμμα του, να ζητάει νερό. Μπορείς να του δώσεις εσύ; γιατί πρέπει να πάω γρήγορα αυτά κάτω, είπε προτάσσοντας το φορτίο που τον εμπόδιζε.*
- *Ναι κύριε! Θα πάω αμέσως τώρα, είπε πρόθυμα.*

Ο Χρήστος έριξε ακόμη μερικά ψίχουλα στο πεινασμένο περιστέρι και κατευθύνθηκε εκεί που του υπέδειξε ο νεαρός νοσοκόμος. Άκουσε μια αδύναμη, ανδρική φωνή να έρχεται από το δωμάτιο.

- *Διψώ! Λίγο νερό σας παρακαλώ!* Η φωνή του αρρώστου ηχούσε πολύ σπαραχτική. *Διψώ!* επανέλαβε. *Δε μ' ακούει κανείς;* φώναζε σχεδόν κλαίγοντας από απελπισία. Έσπρωξε διστακτικά την μισάνοιχτη πόρτα και μπήκε μέσα. Ήταν ένα δωμάτιο με τρία κρεβάτια, μα μόνο το ένα ήταν κατειλημμένο. Ένας άνδρας κείτονταν στο τελευταίο κρεβάτι, δίπλα στο παράθυρο. Δεν ήταν μεγάλος σε ηλικία μα η κατάσταση του δεν φαινόταν καλή. Φαινόταν εξαντλημένος και υπερβολικά αδύνατος. Είχε βγάλει τη διάφανη μάσκα που τον τροφοδοτούσε με οξυγόνο και την είχε κατεβάσει στο λαιμό. Τα μάτια του φάνταζαν τεράστια στο ισχνό πρόσωπό του. Μόλις αντιλήφθηκε την παρουσία του, στράφηκε ικετευτικά προς το μέρος του.

- *Διψώ πολύ! Δώσε μου λίγο νερό σε παρακαλώ,* είπε με φωνή που έβγαινε με δυσκολία.

- *Θα σας φέρω αμέσως,* είπε συμπονετικά ο Χρήστος.

Πήρε την άδεια κανάτα από το κομοδίνο του και βγήκε έξω. Τη γέμισε από τη βρυσούλα του ψύκτη, που υπήρχε ακριβώς έξω από το δωμάτιό του κι επέστρεψε ξανά κοντά του. Γέμισε το ποτήρι του κι ανασήκωσε προσεχτικά το κεφάλι του. Το πλησίασε στα στεγνά του χείλη κι ο διψασμένος ασθενής ήπιε αχόρταγα το δροσερό υγρό, που ζητούσε τόσο επίμονα. Το νερό στάλαξε στο λαιμό του, ώσπου έκανε νόημα πως δεν ήθελε άλλο.

- *Σ' ευχαριστώ αγόρι μου,* ψέλλισε ευχαριστημένος, καθώς ακουμπούσε πάλι το κεφάλι του στο προσκέφαλο. *Φώναζα εδώ και ώρα, μα κανείς δεν ήρθε,* είπε και η έκφραση του προσώπου του έδειχνε ότι πονούσε.

- Δεν έχετε κάποιο δικό σας να σας φροντίσει;
- Δεν υπάρχει κανείς και φταίω εγώ γι' αυτό. Μια επιπόλαιη πράξη στα χρόνια της νιότης μου, με καταδιώκει μέχρι σήμερα που φτάνω στη δύση της ζωής μου. Έκανα πολλά λάθη στο παρελθόν και τώρα που φτάνω στο τέλος, μόνο ένα άγνωστο παιδί είχε την καλοσύνη να βρεθεί δίπλα μου και να μου δώσει ένα ποτήρι νερό.
- Είστε πολύ άρρωστος κύριε;
- Ναι παιδί μου! προσπάθησε να ψελλίσει, μα μια κρίση βήχα τάραξε τα σωθικά του. Οι μέρες μου είναι μετρημένες, είπε μόλις συνήρθε. Βλέπω το χρόνο να τελειώνει και δεν κατάφερα να διορθώσω το μεγαλύτερο σφάλμα της ζωής μου. Θα φύγω από τη ζωή μ' αυτό το αβάσταχτο βάρος, γιατί δεν πρόλαβα να πληρώσω το χρέος μου.
- Κάντε κάτι όσο έχετε ακόμα χρόνο. Ποτέ δεν είναι αργά.
- Μακάρι να γινόταν! Πώς όμως; Δεν έχω κανένα να με βοηθήσει.
- Μπορώ να κάνω κάτι εγώ;
  Τα θολά του μάτια γύρισαν και κοίταξαν εξεταστικά τον μικρό. Μια ιδέα πέρασε από το μυαλό του.
- Ναι, γιατί όχι! σκέφτηκε αποφασιστικά. Θα μπορούσες να το κάνεις εσύ για μένα, είπε με μια ξαφνική ζωηράδα στη φωνή. Πώς σε λένε μικρέ;
- Χρήστο, κύριε.
- Εδώ και είκοσι χρόνια ολοένα το ανέβαλα, μα τώρα που βρήκα το θάρρος ο θάνατος παραμονεύει και δεν έχω πια περιθώρια. Νιώθω σαν ένα αόρατο χέρι

να στύβει τη ζωή από μέσα μου. Το ότι βρίσκεσαι εδώ τις στερνές μου ώρες, δεν είναι τυχαίο, αλλά ένα σημάδι από το Θεό. Είσαι ένα μικρό παιδί, αλλά και η τελευταία μου ελπίδα.

Ο Χρήστος τον παρακολουθούσε απορημένα κι είχε την αίσθηση πως παραληρούσε μέσα στον πόνο του.

- Δεν καταλαβαίνω τι μου λέτε κύριε!

- Κάνε μου τη χάρη σε παρακαλώ κι άνοιξε αυτή τη ντουλάπα, είπε δείχνοντας απέναντί του.

Το παιδί πλησίασε προς τα εκεί κι άνοιξε το σιδερένιο της φύλλο. Μέσα υπήρχε μια βαλίτσα. Την πήρε στα χέρια του και την μετέφερε κοντά στον άρρωστο άνδρα.

- Άνοιξέ την σε παρακαλώ.

Υπάκουσε στην εντολή του και σήκωσε το πάνω μέρος της. Μερικά ρούχα και κάποια μικροαντικείμενα υπήρχαν εκεί.

- Θέλετε να σας φέρω κάτι;

- Στο κάτω μέρος της βαλίτσας θα βρεις κάτι τυλιγμένο σ' ένα μάλλινο ύφασμα.

Ο Χρήστος έψαξε στο σωρό με τα ρούχα και βρήκε αυτό που του ζητούσε. Το πήρε στα χέρια του. Ήταν ένα αντικείμενο με λεπτό ορθογώνιο σχήμα.

- Τι είναι αυτό; ρώτησε με απορία το παιδί.

- Ξεδίπλωσέ το και θα δεις, είπε με φωνή που έβγαινε με δυσκολία.

Ο Χρήστος υπάκουσε στην προτροπή του κι ελευθέρωσε το μυστηριώδες αντικείμενο από το ύφασμα που το έκρυβε. Μόλις το αποκάλυψε, μια απορία καταγράφηκε στο πρόσωπό του. Τα μάτια του ατένιζαν μια εικόνα του Αγίου Γεωργίου. Φαινόταν πολύ παλιά και τα χρώματά της ήταν κάπως σκοτεινά. Η κορνίζα του ήταν σκαλισμένη μ' ένα ελικοειδές σχήμα.

- Γιατί κουβαλάς στη βαλίτσα σου μια εικόνα; Δε νομίζω πως είναι σωστό να βρίσκεται κλεισμένη σε μια ντουλάπα νοσοκομείου!

- Έχεις δίκιο μικρέ. Δεν πρέπει να μείνει άλλο εδώ. Κανείς δεν ξέρει πόσο σημαντική είναι κι αν δεν κάνω κάτι δεν ξέρω που θα καταλήξει. Είναι ένα ιερό κειμήλιο και πρέπει να επιστραφεί εκεί που ανήκει. Αυτή η εικόνα είναι ο λόγος που δεν μπορώ να φύγω από τη ζωή ήρεμος. Με κυνηγάει το έγκλημα που διέπραξα στο παρελθόν.

- Έγκλημα; επανέλαβε τρομοκρατημένος ο Χρήστος.

- Ναι! Είμαι πολύ αμαρτωλός άνθρωπος και γι' αυτό ζω σαν κυνηγημένος από τότε που την έκλεψα.

- Την κλέψατε! είπε με τόνο αποστροφής στη φωνή του. *Δε θέλω να μπλέξω με κάτι παράνομο,* είπε καθώς θυμήθηκε την υπόσχεση που είχε δώσει στην Δάφνη.

- Μη διστάζεις σε παρακαλώ! είπε ικετευτικά σαν να κρεμόταν από αυτή την παράκληση κάτι πολύ σημαντικό. *Μόνο εσύ μπορείς να με βοηθήσεις τούτη τη δύσκολη ώρα μου.*

- Δεν πρέπει ν' ανακατευτώ γιατί φοβάμαι πως θα μπλέξω άσχημα.

- Άσε με να σου εξηγήσω και θα καταλάβεις πόσο απαραίτητη είναι η βοήθειά σου, είπε επιτακτικά.

- Εντάξει σας ακούω, είπε υποχωρώντας στην επιμονή του, χωρίς όμως να είναι πεπεισμένος για την ενδεχόμενη ανάμειξή του.

- Έγινε πριν είκοσι χρόνια, άρχισε την αφήγησή του. Εγώ μαζί μ' ένα φίλο μου την πήραμε από το μέρος που κανονικά θα έπρεπε να βρίσκεται σήμερα. Μη με ρωτήσεις το γιατί. Είναι τόσο περίπλοκο όλο αυτό που έγινε!

- Μα είναι κάτι τόσο ιερό! Δεν είναι σωστό να κλέβονται ιερά αντικείμενα. Είναι μεγάλη αμαρτία και τιμωρούνται αυτοί που το κάνουν.

- Τώρα το ξέρω, αλλά τότε με θάμπωσε το χρυσάφι που είχε πάνω της. Μέσα στη βαλίτσα θα βρεις κι ένα κουτί.

Το παιδί το αναζήτησε και δεν άργησε να το εντοπίσει. Όταν το άνοιξε βρήκε μέσα ένα μικρό θησαυρό.

- Είναι γεμάτο κοσμήματα.

- Ανήκουν κι αυτά σ' εκείνη τη σπηλιά. Δεν μου πήγαινε η καρδιά να τα πουλήσω, παρόλο που αυτά ήταν η αιτία της κλοπής. Φαίνεται πως η εικόνα ήταν πολύ θαυματουργή κι οι πιστοί την είχαν πνίξει στα τάματα. Και σ' εμάς έδειξε τη δύναμή της σχεδόν αμέσως. Όταν τη βρήκαμε στη σπηλιά, τα χρώματά της ήταν πολύ ζωντανά και η φιγούρα του Αγίου γεμάτη φως. Όταν όμως απομακρυνθήκαμε, όλη η εικόνα σκοτείνιασε σαν να μας έδειχνε το μέγεθος τής αμαρτίας που διαπράξαμε εκείνη τη μέρα. Δε θα έπρεπε ποτέ να απλώσουμε τα χέρια μας πάνω της. Το κακό όμως έγινε και...

Ο βήχας επανήλθε πιο έντονος κι έκοψε τη φράση του. Ο Χρήστος τρομοκρατήθηκε. Τον έβλεπε να πνίγεται και δεν ήξερε τι να κάνει για να τον βοηθήσει. Άφησε την εικόνα και το κουτί πάνω στη βαλίτσα και προσπάθησε να του δώσει λίγο νερό ακόμη. Όταν συνήρθε, άρπαξε το χέρι του αγοριού και τα δάχτυλά του έκλεισαν σαν μέγγενη γύρω από τον καρπό του, παρά την εμφανή αδυναμία του. Μάζεψε όσο κουράγιο του είχε απομείνει και προσπάθησε να του μιλήσει.

- Θέλω να την επιστρέψεις εκεί που ανήκει. Είναι η τελευταία επιθυμία ενός αμαρτωλού, που θέλει να κάνει το σωστό, έστω και τις τελευταίες του στιγμές. Ο Άγιος Γεώργιος πρέπει να επιστρέψει στο σπίτι του, είπε με φωνή παραμορφωμένη από το βήχα.

- Και πού είναι το σπίτι του; Πού πρέπει να πάει;

- Στο εκκλησάκι που ήταν φτιαγμένο μέσα σε μια σπηλιά, είπε ασθμαίνοντας και χαλάρωσε το σφίξιμο στον καρπό του παιδιού. Καταμεσής ενός καταπράσινου νησιού. Μακάρι να είχα πάρει την απόφαση να την επιστρέψω νωρίτερα, πριν οι δυνάμεις μου μ' εγκαταλείψουν. Δεν ξέρω ποιο είναι τ' όνομά του. Μια καταιγίδα ξέβρασε τη βάρκα μας κατά τύχη στις ακτές του.

Έψαξα να το βρω στον χάρτη, μα δεν το έχει. Εγώ ξέρω πώς να πάω, μα είναι αδύνατον να σου δείξω το δρόμο. Όμως υπάρχει κάποιος που μπορεί. Το άτομο που ήμασταν μαζί εκείνη τη μέρα. Ονομάζετε Χαρίλαος Χατζηπάνου. Αν ρωτήσεις στην αστυνομία, θα σου πουν που μένει.

- Μα εγώ είμαι μικρός. Δεν ξέρω απ' αυτά!

- Ζήτα από τους γονείς σου να σε βοηθήσουν.

«Λίγο δύσκολο», σκέφτηκε μα δεν τόλμησε να το πει, γιατί δε θα είχε κανένα νόημα.

- Είναι για ιερό σκοπό! Δεν θέλω να χαθεί μαζί με τη

ζωή μου και η δυνατότητα να επιστρέψει εκεί που ανήκει. Ερχόμουν να βρω τον Χαρίλαο, συνέχισε ο άρρωστος άνδρας. Ήθελα να τον πείσω να την επιστρέψουμε μαζί, αλλά η αρρώστια μου με νίκησε και δεν κατάφερα να τον συναντήσω. Κατέληξα σ' αυτό το νοσοκομείο και δεν υπάρχει καμία ελπίδα να γίνω καλά. Ζήτησε τη βοήθεια κάποιου μεγαλύτερου. Ψάξτε να τον βρείτε και θα σας πει όσα πρέπει να ξέρετε.

- Δε νομίζω πως μπορώ να το κάνω! Είναι δύσκολο για μένα.

- Ξέρω πως είσαι πολύ μικρός για ν' αναλάβεις τέτοια ευθύνη, αλλά πιστεύω πως ο Θεός θα σε βοηθήσει. Πρέπει να είσαι ένα ξεχωριστό παιδί και γι' αυτό σ' έστειλε κοντά μου τούτη τη στιγμή που σε χρειάζομαι. Μην ξεχάσεις πως τ' όνομα τού μοναδικού ανθρώπου που ξέρει, είναι Χαρίλαος Χατζηπάνου. Εκείνος από την αρχή δεν ήθελε να την πάρουμε από τη σπηλιά, αλλά εγώ δεν τον άκουσα. Πού να φανταστώ το κακό που θα γινόταν μετά!

- Τι έγινε μετά;

- Είναι μεγάλη ιστορία και δεν έχω τη δύναμη να την πω. Ίσως εκείνος σου λύσει τις απορίες. Βρες τον και θα σου δείξει το μέρος που πρέπει να πάει. Πες του πως σε στέλνει ο Φώτης Παναγιώτου. Αν τελικά δεν τα καταφέρεις κράτησέ την εσύ. Η αθωότητα της παιδικής σου ψυχής, ίσως εξαγνίσει το δικό μας αμάρτημα. Υποσχέσου μου πως θα προσπαθήσεις τουλάχιστον.

- Εντάξει κύριε. Θα κάνω ότι μπορώ.

- Χαίρομαι γι' αυτό. Τώρα νιώθω πιο ήρεμος, είπε καθώς σωριαζόταν στο προσκέφαλο, αποκαμωμένος από την τεράστια προσπάθεια που είχε καταβάλει. Φέρε κοντά μου τον Άγιο σε παρακαλώ. Θέλω να τον προσκυνήσω για τελευταία φορά και να του ζητήσω να με συγχωρέσει.

Ο Χρήστος έκανε αυτό που του ζήτησε. Βοήθησε τον άρρωστο ν' ανασηκώσει το κεφάλι του κι εκείνος προσπάθησε να κρατήσει την εικόνα γερά, μέσα στ' αδύναμα χέρια του. Το ύφος του μαρτυρούσε πως έκανε κάποια σιωπηλή προσευχή. Μετά έκανε κάπως άτσαλα το σημείο του σταυρού και την ασπάστηκε.

- Πάρτη και κάνε αυτό που πρέπει. Ο μικρός την τύλιξε όπως ήταν πριν και την έσφιξε στην αγκαλιά του.

Ο άρρωστος άνδρας έγειρε το κεφάλι με ανακούφιση στο προσκέφαλο και δεν έκανε καμιά προσπάθεια να μιλήσει άλλο. Το μόνο που ακουγόταν ήταν η βαριά ανάσα του πίσω από τη διάφανη μάσκα οξυγόνου. Ο Χρήστος βγήκε από το δωμάτιο και κατευθύνθηκε στην αίθουσα αναμονής με το πολύτιμο φορτίο στα χέρια του. Ήταν προβληματισμένος με όσα άκουσε, μα πιο πολύ ανησυχούσε για τις εξηγήσεις που θα έπρεπε να δώσει στην Δάφνη.

Εκείνη είχε βγει από το ιατρείο, με το αριστερό της χέρι δεμένο. Ένας επίδεσμος γύρω από το λαιμό της, κρατούσε τον βραχίονά της σε οριζόντια θέση. Ανησύχησε όταν αντιλήφθηκε την απουσία του.

- Πού ήσουν παιδί μου; είπε μόλις τον είδε να έρχεται. *Δεν σε βρήκα εδώ και για μια στιγμή νόμισα πως*

έφυγες πάλι.

- Δεν πρόκειται να το σκάσω ποτέ από σένα. Εσύ τραυματίστηκες για να με υπερασπιστείς! Πώς είναι το χέρι σου;
- Το έχω στραμπουλίξει και θα πρέπει να είναι δεμένο για λίγες μέρες.
- Τώρα δε θα μπορείς να δουλέψεις στο αγρόκτημα. Έχω τύψεις γιατί εγώ είμαι η αιτία. Σου υπόσχομαι όμως πως θα δουλέψω διπλά για να σε ξεπληρώσω.
- Τι είναι αυτό που κρατάς; ρώτησε με περιέργεια, όταν εντόπισε το φορτίο του. Μέσα στον πανικό της δεν αντιλήφθηκε αμέσως ότι κρατούσε κάτι που δεν το είχε πριν.
- Είναι μια εικόνα, είπε και ξεδίπλωσε το ιερό κειμήλιο, που είχε έρθει στην κατοχή του μ' αυτό τον παράξενο τρόπο. Κι εδώ είναι κάποια τάματα που πρέπει να παραδώσω σε μια εκκλησία.
- Ο Άγιος Γεώργιος μεγάλη χάρη του, είπε η Δάφνη και σταυροκοπήθηκε. Απ' ότι φαίνεται είναι μια πολύ παλιά εικόνα. Πώς βρέθηκαν όλα αυτά στα χέρια σου; είπε μ' ένα αμυδρό τόνο καχυποψίας στη φωνή.
- Μη φοβάσai κυρά. Ξέρω πως φαίνεται ύποπτο μα σε διαβεβαιώνω πως δεν είναι. Ορκίστηκα πως δε θα ξανακλέψω και σκοπεύω να τηρήσω τον όρκο που σου έδωσα. Μπορεί να το έχω κάνει στο παρελθόν, αλλά ποτέ δε θα τολμούσα ν' απλώσω το χέρι μου σε κάτι τόσο ιερό. Μου τα έδωσε ένας κύριος που είναι πολύ άρρωστος και με παρακάλεσε να τα πάω στη θέση τους, γιατί εκείνος δεν μπορεί.

- Μην προσπαθείς να με πείσεις για την αθωότητά σου, γιατί μπορώ να τη διαβάσω μέσα στα μάτια σου.

- Χαίρομαι που με πιστεύεις γιατί δεν ήξερα πώς να σε πείσω ότι λέω αλήθεια.

- Μη νιώθεις έτσι. Δεν προσπαθώ να σε κατηγορήσω Απλά είμαι περίεργη να μάθω με ποιο τρόπο ήρθαν στην κατοχή σου.

Ο Χρήστος εξήγησε με κάθε λεπτομέρεια όσα είχαν προηγηθεί και την επίμονη προσπάθεια εκείνου του ανήμπορου άντρα, να τον πείσει ν' αναλάβει εκείνος την επιστροφή της στη σπηλιά, απ' όπου την είχε αφαιρέσει. Η Δάφνη παρακολουθούσε την αφήγησή του με μεγάλη προσοχή. Όσο της εξηγούσε, πολλές απορίες σχηματίστηκαν στο μυαλό της.

- Αυτά είναι όλα όσα μου είπε. Η αλήθεια είναι πως δεν ξέρω τι πρέπει να κάνω, αλλά δεν μπορούσα να του αρνηθώ. Θα με βοηθήσεις κυρά;

- Μα το μόνο στοιχείο που έχουμε είναι το όνομα Χαρίλαος Χατζηπάνου! Φοβάμαι πως δεν είναι αρκετό. Αν δεν τον βρούμε δε θα μάθουμε ποτέ ποιο είναι αυτό το νησάκι. Δεν ξέρουμε ούτε πως το λένε. Κάπως πρέπει να ονομάζεται εκείνο το μέρος.

- Μου είπε πως δεν ξέρει κι αυτό το νησάκι δεν το έχει ούτε ο χάρτης.

- Χρειαζόμαστε περισσότερες διευκρινήσεις. Θέλω να τον ρωτήσω κι εγώ κάποια πράγματα.

- Τότε πάμε μαζί στο δωμάτιό του. Αναπνέει δύσκολα, αλλά ίσως καταφέρει να σου μιλήσει.

Εκείνη τον ακολούθησε, αλλά λίγο πριν φτάσουν είδαν ένα γιατρό και μια νοσοκόμα να βγαίνουν από το δωμάτιο που είχε επισκεφτεί πριν λίγο ο Χρήστος.

- *Θα μπορούσαμε να δούμε για λίγο τον ασθενή αυτού του δωματίου, γιατρέ; ρώτησε η Δάφνη.*

- *Δυστυχώς δεν τον προλάβατε. Ο κύριος Παναγιώτου απεβίωσε πριν από λίγα λεπτά*

- *Πέθανε!* ψέλλισε απογοητευμένη.

- *Ήταν αναμενόμενο. Η κατάσταση της υγείας του ήταν πολύ άσχημη. Το ότι κατάφερε να ζήσει μέχρι και σήμερα ήταν ένα θαύμα. Μήπως είστε συγγενείς του;*

- *Όχι!* Απάντησε σοκαρισμένη από την άσχημη εξέλιξη. *Ήθελα να τον ρωτήσω κάτι πολύ σημαντικό, μα τώρα είναι πια αργά.*

- *Λυπάμαι γι' αυτό,* είπε ο γιατρός κι απομακρύνθηκε.

71

ΚΕΦΑΛΑΙΟ ΕΒΔΟΜΟ

Η Δάφνη και ο Χρήστος έφτασαν το απόγευμα στο σπίτι τους κι έκατσαν στις πολυθρόνες της αυλής. Ο μικρός κρατούσε ακόμα στην αγκαλιά του την εικόνα, που είχε έρθει στα χέρια του μ' αυτόν τον παράξενο τρόπο.

- *Πέθανε μόλις μου έδωσε την εικόνα και τα τάματα. Σχεδόν το επόμενο λεπτό,* είπε ο Χρήστος, αναλύοντας τα γεγονότα.

- *Ίσα που πρόλαβε. Ήξερε ότι ζούσε τις τελευταίες του στιγμές και φρόντισε να μεταθέσει σε κάποιον την υποχρέωση του. Έτυχε να είσαι κοντά του και μοιραία είσαι κι αυτός που την ανέλαβε. Κρίμα μικρέ μου! Τα ερωτήματά μας θα μείνουν αναπάντητα.*

- *Οι ελπίδες να βρούμε εκείνο το νησάκι είναι ελάχιστες.*

- *Αν το θέλει ο Άγιος, θα βρεθεί τρόπος να επιστρέψει. Θα ψάξουμε γι' αυτόν τον Χαρίλαο Χατζηπάνου. Προς το παρόν ας την βάλουμε σε μια πιο κατάλληλη θέση. Ώσπου να μάθουμε κάτι, θα την τοποθετήσουμε στον τοίχο του σαλονιού μας και τα τάματα*

73

σ' ένα ασφαλές σημείο. Μόλις λασκάρουμε από τις εργασίες στο αγρόκτημα, θα το ερευνήσουμε.

- Είναι μια καλή ευκαιρία να βρούμε και τη μητέρα μου! Θα ψάξουμε και για τους δυο τους.

Η Δάφνη γύρισε και τον κοίταξε. Ήταν ανώφελο να συνεχίσει να του κρύβει αυτό που έμαθε.

- Χρήστο, είναι αλήθεια όσα μου είπες για τη μητέρα σου;

- Ναι κυρά! Την λένε Κωνσταντία Παπαγιάννη και ζει εδώ στον Ροδώνα. Ο πατέρας μου με είχε αφήσει για λίγες μέρες στην αδερφή του κι εκείνη μού έδωσε ένα χαρτί, που είχε βρει τυχαία στα πράγματά του. Ήταν το πιστοποιητικό γεννήσεώς μου. Άνοιξε το σακίδιο που κουβαλούσε πάντα στην πλάτη του, πήρε από μέσα ένα διπλωμένο χαρτί και της το έδωσε. Μου διάβασε τα στοιχεία της και μου είπε να την βρω. Αλήθεια σου λέω κυρά.

- Ξέρω πως μου λες αλήθεια, αλλά...., είπε κομπιάζοντας κοιτώντας το χαρτί. Στο ίδρυμα είπαν πως η μητέρα σου δε ζει. Πέθανε όταν ήσουν ακόμα μωρό. Τα μάτια του παιδιού έγιναν τεράστια από το αναπάντεχο νέο.

- Έτσι εξηγείτε που δεν έψαξε να με βρει, είπε θλιμμένα. Ο πατέρας μου, είπε πως μας είχε εγκαταλείψει. Έβαλε πάλι το χέρι του μέσα στο σακίδιο κι έβγαλε ένα λούτρινο παιχνίδι. Ήταν ένα αρκουδάκι που φορούσε ένα γαλάζιο ζακετάκι. Αυτός είναι ο Μπόμπυ. Είναι το μοναδικό πράγμα που έχω από τη μητέρα μου και δεν το αποχωρίζομαι ποτέ. Αυτό που φοράει το έχει πλέξει εκείνη. Ήθελα να της το δείξω όταν θα τη συναντούσα, για να καταλάβει ότι είμαι ο γιος της.

- Σε καταλαβαίνω μικρό μου, του είπε τρυφερά. Είναι άσχημο να μεγαλώνεις μακριά από τη μητέρα σου και το χειρότερο είναι να μαθαίνεις πως δε θα τη γνωρίσεις ποτέ. Πέρασες δύσκολα κι είχες ανάγκη να ελπίζεις πως κάποτε θα τη συναντήσεις. Λυπάμαι που τα πράγματα δεν ήρθαν όπως τα ήθελες.

- Τουλάχιστον τώρα έχω εσένα. Έτσι η απογοήτευσή μου είναι μικρότερη. Όμως παρόλο που το θέλω πολύ, φοβάμαι ν' αρχίσω να σε φωνάζω μαμά, πριν βεβαιωθούμε πως θα πάρεις τη μόνιμη κηδεμονία μου. Δε θα το αντέξω αν χρειαστεί να σε αποχωριστώ.

- Δικαιολογημένα αισθάνεσαι έτσι. Πιστεύω πως όλα θα πάνε καλά, και σύντομα θα λυθεί κι αυτό το ζήτημα.

- Σου υπόσχομαι πως θα βάλω τα δυνατά μου για να είσαι περήφανη για μένα.

- Μου αρκεί να είσαι εσύ περήφανος για τον εαυτό σου.

Εκείνη τη στιγμή ένα περιστέρι προσγειώθηκε πάνω στο τραπέζι και στάθηκε δίπλα στον Χρήστο.

- Πολύ περίεργο! είπε καθώς το παρατηρούσε από κοντά. Αυτό το λευκό περιστέρι είναι ολόιδιο μ' αυτό που είδα στο νοσοκομείο. Το ποδαράκι του είχε μαγκωθεί στη σχάρα του μπαλκονιού και το ελευθέρωσα.

Μετά άρχισε να τριγυρνά στην αίθουσα και το τάισα ψιχουλάκια από το κουλούρι μου. Είμαι σίγουρος πως είναι αυτό! Πώς όμως με ακολούθησε μέχρι εδώ;

- Τα πτηνά έχουν διαίσθηση και καλό προσανατολισμό. Είναι καλός οιωνός που σε βρήκε. Το περιστέρι φτεροκόπησε κι ανέβηκε πάνω στον ώμο του. Νομίζω πως σε συμπάθησε. Απέχτησες ένα μικρό φίλο, είπε γελώντας η Δάφνη.

Ο Θωμάς, ο επιστάτης, φάνηκε να τρέχει προς το μέρος τους αλαφιασμένος.

- Τι έπαθες αφεντικό; ρώτησε όταν ανακάλυψε το δεμένο της χέρι.

- Είχα ένα μικρό ατύχημα. Ευτυχώς δεν είναι κάτι σοβαρό. Πες μου τι συμβαίνει; Γιατί είσαι τόσο αναστατωμένος;

- Πολλά άσχημα σου έτυχαν μαζεμένα αφεντικό. Δυστυχώς σου φέρνω κι άλλα κακά μαντάτα. Αυτός ο στριμμένος ο γείτονάς σου, έδωσε εντολή στον Σίμο να σου κόψει την παροχή νερού. Άλλαξε την πορεία του και δεν τρέχει πια προς τη δική σου πλευρά.

- Τι έκανε λέει; Μεμιάς αναπήδησε από την καρέκλα της, ξαφνιασμένη με την απροσδόκητη εξέλιξη. Το ροδαλό χρώμα του προσώπου της κρύφτηκε πίσω από τη χλομάδα του πανικού. Είσαι σίγουρος ότι το έκοψε αυτός, ή μήπως συμβαίνει κάτι άλλο!

- Οι στέρνες είναι όλες άδειες. Δεν υπάρχει καθόλου νερό για πότισμα.

- Πάμε αμέσως στο αγρόκτημα. Θέλω να το δω με τα μάτια μου. Έφυγε ταραγμένη από τα νέα που της έφερε ο Θωμάς κι όλοι έτρεξαν ξοπίσω της.

Η Δάφνη έφτασε στο σημείο που έτρεχε ο μικρός καταρράκτης και γέμιζε τις στέρνες της. Κανένα ίχνος νερού δεν υπήρχε πια. Μόνο οι πράσινες γλιστερές πέτρες μαρτυρούσαν ότι κάποτε υπήρχε πηγή εκεί.

- *Δεν είναι δυνατόν να μου έκανε κάτι τέτοιο. Μου έκοψε την παροχή για να με πιέσει! Δεν με ξέρει όμως καλά. Αν νομίζει πως θα τα παρατήσω, είναι γελασμένος. Πάω αμέσως να τον βρω. Θ' απαιτήσω εξηγήσεις για την πράξη του.*
- *Θα έρθω κι εγώ μαζί σου,* είπε ο Χρήστος.

Έφτασε στο σπίτι του αποφασισμένη να τον αντιμετωπίσει. Ήταν η πρώτη φορά που αναγκαζόταν να τον επισκεφτεί. Απέφευγε συστηματικά τις συναντήσεις μαζί του. Όμως αυτή τη φορά δεν θα το άφηνε να περάσει έτσι. Η αντιπαράθεση μαζί του ήταν αναπόφευκτη.

Χτύπησε την πόρτα του με μανία, δείχνοντας τον εκνευρισμό της. Άνοιξε μια κοπέλα και στα χέρια της κρατούσε ένα μωρό τυλιγμένο μέσα σ' ένα λευκό κουβερτάκι.

- *Πού είναι αυτός;* φώναξε εξαγριωμένη μόλις μπήκε.
- *Γιατί κάνετε τόση φασαρία κυρία μου;* είπε με αυστηρό και συνάμα χαμηλόφωνο τόνο. *Θα ξυπνήσεις το γιο μου.*
- *Με συγχωρείτε δεν ήξερα πως υπήρχε μωρό στο σπίτι!,* είπε απολογητικά, κατεβάζοντας αισθητά την ένταση της φωνής της. *Θα ήθελα να μιλήσω στον κύριο Δήμου. Είστε η σύζυγός του;*
- *Αδερφή του είμαι,* είπε λικνίζοντας ελαφρά το μωρό της.

77

- *Περάστε μέσα και θα τον ειδοποιήσω.*

Μπήκαν σ' ένα τεράστιο ενιαίο χώρο με ψηλό ταβάνι, ενώ στη διακόσμηση είχαν έντονη παρουσία το ξύλο και το μάρμαρο. Την ώρα της αναμονής η Δάφνη παρατήρησε γύρω της την κομψή πολυτέλεια. Μια ογκώδης γυριστή σκάλα κυριαρχούσε στην άκρη του σαλονιού. Το πάτωμα ήταν καλογυαλισμένο κι ένα ανατολίτικο χαλί δέσποζε στο κέντρο του. Οι κουρτίνες και τα καλύμματα είχαν έντονα χρώματα και παντού υπήρχαν βάζα με φρεσκοκομμένα τριαντάφυλλα που μοσχοβολούσαν. Δύο μεγάλες τζαμαρίες έβλεπαν στον κήπο κι αποκάλυπταν ένα καλοφροντισμένο συνονθύλευμα από πολύχρωμα είδη λουλουδιών.

Η ατμόσφαιρα ήταν ζεστή και φιλόξενη. Ερχόταν σε πλήρη αντίθεση με τον εχθρικό χαραχτήρα του ιδιοκτήτη του. Βέβαια η παρουσία της αδερφής του και η ύπαρξη του μωρού, εξηγούσε τη χαρούμενη νότα του σπιτιού.

Τα ξύλινα σκαλοπάτια άρχισαν το χαρακτηριστικό τους τρίξιμο, δηλώνοντας την άφιξη του προσώπου που ανέμενε.

- *Η αδερφή μου μ' ενημέρωσε για την επίσκεψή σου,* ακούστηκε η φωνή του καθώς κατέβαινε τα τελευταία σκαλιά. *Η αλήθεια είναι πως ήμουν σίγουρος πως θα έρθεις,* είπε πλησιάζοντας προς το μέρος τους. *Βλέπω πως έχεις μαζί σου κι ενισχύσεις. Ποιος είναι αυτός ο μικρός;*
- *Αν και δεν είμαι υποχρεωμένη να σου πω, θα σου λύσω την απορία γιατί δεν έχω τίποτα να κρύψω. Είναι ο Χρήστος κι έχω αναλάβει την προσωρινή επιμέλεια του, ως ανάδοχη μητέρα.*

- Μπράβο! Πολύ καλή πράξη. Σου αξίζουν συγχαρητή-
ρια. Φαντάζομαι πως είναι δύσκολο να επωμίζεσαι
μια τέτοια ευθύνη!
- Δεν βλέπω έτσι την αναδοχή του. Είναι ένα πολύ αξι-
όλογο παιδί και χαίρομαι που τον έχω κοντά μου.
- Το έμαθα πως είχες ένα μικρό βοηθό στο κτήμα. Χαί-
ρομαι που σε γνωρίζω Χρήστο!
- Εγώ δε χαίρομαι καθόλου γιατί είσαι κακός και στε-
ναχωρείς την κυρά μου.
- Πρόλαβες κιόλας να τον ποτίσεις μίσος εναντίον μου;
είπε απευθυνόμενος στην Δάφνη.
- Δε χρειαζόταν να μου πει τίποτα εκείνη. Οι πράξεις
σου μού το είπαν, συμπλήρωσε το αγόρι.
- Βλέπω πως έχετε έρθει κι οι δυο με άγριες διαθέσεις.
Δε νομίζω μικρέ πως είναι σωστό ν' ανακατεύεσαι
στις διαμάχες των μεγάλων. Τούλα, απευθύνθηκε
στην αδερφή του που στεκόταν παράμερα. Πάρε το
παιδί και πηγαίνετε για λίγο μέσα, είπε με προστα-
τευτικό τόνο. Θέλω να μιλήσω μόνος με την κυρία
Πετρίδου.
- Μα θέλω να μείνω εδώ! παρακάλεσε ο Χρήστος
- Νομίζω πως έτσι είναι καλύτερα, τον καθησύχασε η
Δάφνη. Είναι το μοναδικό πράγμα που θα συμφω-
νήσω μαζί του.
Ο μικρός έριξε μια εχθρική ματιά στον Άρη κι ακολού-
θησε την αδερφή του στο άλλο δωμάτιο του σπιτιού.
- Τι έπαθε το χέρι σου; ρώτησε με ενδιαφέρον.
- Είχα ένα μικρό ατύχημα.
- Λυπάμαι! είπε μονολεκτικά.
- Δε χρειάζομαι το υποκριτικό ενδιαφέρον και τα συ-

μπονετικά σου λόγια γιατί ξέρω πως δεν τα εννοείς.

- Ξέρω γιατί ήρθες. Βλέπω το θυμό να ξεχειλίζει από πάνω σου.

Ο ειρωνικός του τόνος και το σαρκαστικό χαμόγελο, την έκαναν να εξοργιστεί ακόμα περισσότερο.

- Πώς τόλμησες να μου κόψεις το νερό;
- Είχα κάθε δικαίωμα. Πηγάζει στη δική μου περιοχή. Το δικό σου μέρος είναι άνυδρο. Χάρη στην πηγή μου είναι γόνιμο και καρπερό. Δεν είμαι υποχρεωμένος να συνεχίσω να σε διευκολύνω
- Ξεχνάς μια πολύ σημαντική λεπτομέρεια. Παραβιάζεις τους όρους μιας συμφωνίας που τηρείται πιστά εδώ και δεκαετίες. Δε μου έδινες νερό από καλοσύνη, όπως θέλεις να το παρουσιάζεις. Μήπως χρειάζεται να σου υπενθυμίσω πως είναι το αντίτιμο για το δρόμο που προσφέρω στο αδιέξοδο κτήμα σου; Αυτοί ήταν οι όροι της συμφωνίας, που υπήρχε πολύ πριν το αναλάβω εγώ. Για το καλό και των δυο, θα πρέπει να τους τηρήσουμε. Αν επιμείνεις στην άδικη απόφασή σου, θα κλείσω το πέρασμα και θα πρέπει να κάνεις το γύρο του βουνού για να βγεις από το κτήμα σου.

Εκείνος είχε ένα αυτάρεσκο ύφος, σαν να διασκέδαζε με τον θυμό που την έκαιγε.

- Μιλάς έτσι γιατί δεν έχεις ενημερωθεί για τις τελευταίες εξελίξεις. Μπορείς να κλείσεις το πέρασμά σου όποτε θέλεις, γιατί δεν το έχω πια καμία ανάγκη. Μάθε λοιπόν πως χτες αγόρασα το διπλανό κτήμα κι έχω όσο χώρο θέλω για να περνάω. Το νερό θα διοχετεύετε στην καινούργια μου ιδιοκτησία κι εσύ κράτα το δρομάκι σου και κάντο ότι θες. Η Δάφνη ένιωσε το πόδια τους να λυγίζουν και νόμιζε πως θα λιποθυμήσει. Ακούμπησε στην άκρη του καναπέ για να σταθεροποιηθεί. Ξαφνιάστηκε τόσο που σχεδόν ένιωσε πως της πέταξε κατάμουτρα ένα κουβά παγωμένο νερό. Μια σκιά σκέπασε τα όνειρά της. Ο άνθρωπος με το ψηλομύτικο ύφος και την τόση αλαζονεία, την σκότωνε με τα λόγια του. Η φωνή του ήταν γεμάτο ειρωνεία και το σαρκαστικό του χαμόγελο, φανέρωνε την χαρά για την επιτυχία του, ενώ εκείνη καταστρεφόταν. Είχε σκοπό να του μιλήσει αυστηρά, μα η φωνή της ακούστηκε σχεδόν παρακλητική.

- *Με καταστρέφεις μ' αυτό που κάνεις. Μου πήρες τους εργάτες τώρα μη μου πάρεις και το νερό!* είπε ικετευτικά. *Έχω υποθηκεύσει το σπίτι μου κι αυτό το κτήμα είναι η μόνη μου ελπίδα. Δεν μπορεί να είσαι τόσο σκληρός!*

- *Εσύ επέλεξες να με κάνεις εχθρό. Σε είχα προειδοποιήσει να μην τα βάλεις μαζί μου, αλλά εσύ ήθελες να δείξεις ότι είσαι πιο δυνατή. Ελπίζω τώρα να συνειδητοποιείς τη δεινότητα της θέσης σου και να σκεφτείς καλύτερα την πρότασή μου. Αν θέλεις να σώσεις το υποθηκευμένο σπίτι σου, δώσε μου το κτήμα. Θα το αγοράσω σε πολύ καλή τιμή. Καλά θα κάνεις να βιαστείς, γιατί σε λίγο δε θ' αξίζει ούτε ένα κομμάτι ψωμί,* είπε αφήνοντας απειλές να αιωρούνται στον αέρα.

- *Όχι! Δε θα το επιτρέψω,* ξέσπασε βουρκωμένη. *Εδώ είναι πια ο τόπος μου, το σπίτι μου και όλη η ζωή μου. Δε θα με αναγκάσεις με τις μικροπρέπειες σου*

να τα εγκαταλείψω όλα και να το βάλω στα πόδια.
- Όλοι ζούμε με το βάρος των επιλογών μας. Θα κάνεις
κι εσύ το ίδιο. Αν αποφασίσεις να χάσεις τα πάντα,
δεν μπορώ να σ' εμποδίσω.
- Εγώ θα παλέψω για το κτήμα μου. Θα βρω κάποιο
τρόπο να το σώσω. Αν νομίζεις πως θα υποχωρήσω,
είσαι γελασμένος. Σου δηλώνω πως δεν πρόκειται
να σου το πουλήσω ποτέ.
- Το ποτέ είναι μεγάλη κουβέντα και στη θέση που
βρίσκεσαι δεν πρέπει να τη λες τόσο εύκολα.

Η Δάφνη είδε τον θρίαμβο ζωγραφισμένο στην έκ-
φρασή του και στα σκοτεινά πράσινα μάτια του, υπήρχε
κάτι βαθύτερο από τα λόγια που είχε προφέρει. Συνειδη-
τοποίησε την πλήρη αδυναμία της να τον αντιμετωπίσει.
Ήθελε να αμυνθεί μα αδυνατούσε ν' αρθρώσει την παρα-
μικρή λέξη για να αντικρούσει τις απειλές του. Η περηφά-
νια της δεν της επέτρεπε να μιλήσει. Ένιωσε τον πανικό
του παγιδευμένου ζώου να την καταλαμβάνει. Το μόνο
που ήθελε ήταν να το βάλει στα πόδια για να ξεφύγει.

ΚΕΦΑΛΑΙΟ ΟΓΔΟΟ

- *Τι θα κάνουμε τώρα; ρώτησε τον Θωμά μόλις τον ενημέρωσε, για τις νεότερες εξελίξεις. Χωρίς νερό το αγρόκτημα είναι άχρηστο. Και το χειρότερο είναι πως θα πρέπει να υποκύψω στον εκβιασμό του και δεν το αντέχω. Καυχιόταν ότι θα με καταστρέψει και απ' ότι φαίνεται θα τα καταφέρει. Σε λίγες μέρες όλα θα ξεραθούν. Ειδικά το περιβόλι δε θ' αντέξει απότιστο ούτε μια μέρα με τόση ζέστη.*
- *Είναι πολύ κακός άνθρωπος, ενώ η αδερφή του, η κυρία Τούλα, είναι τόσο καλή! είπε ο Χρήστος. Μου έδωσε κουλουράκια και μου φέρθηκε στοργικά. Με κάλεσε μάλιστα να ξαναπάω εκεί, γιατί με συμπάθησε.*
- *Λίγο δύσκολο με τον στριμμένο αδερφό που έχει. Πρέπει να βρούμε κάποια λύση και μάλιστα σύντομα. Θωμά, εσύ που γνωρίζεις καλύτερα την περιοχή, υπάρχει περίπτωση να υπάρχει κάποια φλέβα νερού στη δική μου μεριά;*
- *Δεν είμαι σίγουρος, αλλά γιατί όχι. Αφού τρέχει*

άφθονο νερό τόσο κοντά, κάτι θα περνάει και από σένα.

Αυτή η καινούργια προοπτική αναπτέρωσε το ηθικό της. Άντλησε δύναμη από αυτή τη σκέψη.

- Θα μπορούσα να φέρω κάποιον ειδικό και να κάνουμε γεώτρηση.

- Είναι πολύ ακριβές αυτές οι διαδικασίες και δεν ξέρουμε αν θα έχουν κι αποτέλεσμα.

- Θα είναι δαπανηρό το ξέρω, αλλά κάτι πρέπει να κάνω. Θ' αναγκαστώ να βάλω ενέχυρο το σταυρό της γιαγιάς μου, είπε αγγίζοντας το κόσμημα με το περίτεχνο σκάλισμα που φορούσε πάντα στο λαιμό της. Είναι δύσκολο να τον αποχωριστώ, μα θα το κάνω για καλό σκοπό. Είναι πολύτιμος κι ελπίζω να καλύψω τα έξοδα για τη δαπάνη που θα χρειαστεί. Θα τον ξαναπάρω πίσω μόλις μπορέσω.

- Τι να σου πω εσύ ξέρεις καλύτερα! Πάντως αυτά τα πράγματα έχουν ρίσκο.

- Σκέψου όμως τι θα συμβεί όταν θα έχω δικό μου νερό! Αν βρεθεί έστω και μια μικρή πηγή θ' απαλλαγώ από τον εκβιασμό αυτού του ανθρώπου, γιατί δε θα τον έχω πια καμιά ανάγκη. Ίσως να υπάρχει ελπίδα για το κτήμα μου, όμως όλα αυτά χρειάζονται χρόνο. Πώς θα σώσω τις καλλιέργειες από την ξηρασία;

- Έχω κάτι στο μυαλό μου, αλλά δεν ξέρω κατά πόσο θα λειτουργήσει.

- Αυτή τη στιγμή είμαι έτοιμη να δεχτώ ακόμη και το πιο ανέφικτο σενάριο.

- Θα μπορούσα να μεταφέρω μερικά βαρέλια από το

ποτάμι με το αγροτικό φορτηγάκι μου και να γεμίσω τουλάχιστον τη μια στέρνα. Όμως η ποσότητα θα είναι μικρή και δε θα είναι αρκετό για να ποτιστούν όλα. Θα ψευτοσυντηρήσουμε μερικά, αλλά θα πρέπει να θυσιάσουμε κάποιες καλλιέργειες. Προτείνω να σώσουμε τ' αμπέλια και ότι μπορούμε από το περιβόλι. Είναι αδύνατο να φτάσει για τα δέντρα, αλλά είναι πιο ανθεκτικά και μπορούμε να ξεκινήσουμε λίγο νωρίτερα τη συγκομιδή τους.

- Είναι πολύ καλή η ιδέα σου Θωμά! είπε χαμογελώντας, καθώς η ελπίδα αναγεννιόταν μέσα της. Θα βάλουμε αμέσως σ' εφαρμογή το σχέδιό σου. Δεν έχουμε καιρό για χάσιμο. Χωρίς εργάτες και τρεχούμενο νερό, τα πράγματα δυσκολεύουν περισσότερο. Πρέπει να δουλέψουμε ακόμα πιο σκληρά.

- Μα το χέρι σου χρειάζεται ξεκούραση, είπε ο Χρήστος.

- Το πείσμα μου έγινε μεγαλύτερο από τον πόνο, σε σημείο που δεν τον νιώθω πια. Είμαι αποφασισμένη να μην αφήσω να περάσει το δικό του.

Οι μέρες που ακολούθησαν ήταν γεμάτες δυσκολίες. Η μεταφορά νερού, σπαταλούσε πολύ από τον πολύτιμο χρόνο τους και το βάρος των εργασιών ήταν δυσβάστα-χτο. Προσπαθούσαν να σώσουν ότι ήταν δυνατό, για να μην καταστραφούν τα πάντα. Η Δάφνη επικοινώνησε μ' έναν ειδικό στις γεωτρήσεις και σύντομα θα είχε μια πλήρη μελέτη με τις ανεκμετάλλευτες υδάτινες πηγές και τα σημεία που θα ήταν τα πιο κατάλληλα για γεώτρηση.

Στη μεσημεριανή παύση, η Δάφνη φρόντιζε να μαθαίνει γράμματα στον Χρήστο. Αισθανόταν μεγάλη ικανοποίηση όταν έβλεπε το δεκάχρονο αγόρι να πασχίζει να γράψει ομοιόμορφα γράμματα, που να στέκουν ίσια πάνω στη γραμμή. Το λευκό περιστέρι κι εκείνος είχαν γίνει αχώριστοι. Καθόταν συνεχώς στον ώμο του και τον ακολουθούσε παντού.

- Το νερό δεν είναι αρκετό Θωμά. Τα φύλλα ζαρώνουν και κιτρινίζουν. Η ζέστη είναι αφόρητη αυτές τις μέρες κι όλα αρχίζουν να μαραίνονται.

- Είναι αδύνατον να φέρω μεγαλύτερη ποσότητα! Μεταφέρω βαρέλια από το ποτάμι, σχεδόν όλη τη μέρα πια.

- Το ξέρω και φοβάμαι ότι είναι μάταιη η προσπάθειά σου. Το αμπέλι δεν είναι έτοιμο ακόμα. Χρειάζεται χρόνος να ωριμάσει όπως πρέπει, αλλά μέχρι τότε θα έχει ξεραθεί τελείως και η σοδειά θα είναι άχρηστη. Μόνο ένα θαύμα μπορεί να μας σώσει πια.

- Μη στενοχωριέσαι, είπε το αγόρι, κάτι θα γίνει.

Ξαφνικά άκουσαν ένα μπουμπουνητό ν' αντηχεί στον ορίζοντα και ένιωσαν δροσερές σταγόνες να ραντίζουν το πρόσωπό τους. Όλοι σήκωσαν τα μάτια τους ψηλά στον ουρανό. Μέσα στον πανικό της δουλειάς και στην αγωνία τους να βρουν λύσεις, δεν πρόσεξαν πως ο ουρανός ήταν σκοτεινός, όχι γιατί νύχτωνε, αλλά γιατί τον είχαν σκεπάσει γκρίζα σύννεφα. Σχεδόν αμέσως ξέσπασε καταιγίδα και κύματα βροχής ελευθερώθηκαν. Σύντομα οι ρίζες των δέντρων κυκλώθηκαν από λασπωμένες λακκούβες και τα φυτεμένα διαζώματα γέμισαν νερό.

- Σ' αγαπάει ο Θεός αφεντικό.

- Μας έστειλε το μήνυμά του την πιο κατάλληλη στιγμή.

- Είδες που δεν πρέπει ν' απελπίζεσαι; Είναι κι εκείνος μαζί σου, ξεφώνισε χοροπηδώντας από χαρά ο Χρήστος. Όλοι ύψωσαν τα χέρια, απολαμβάνοντας το θεόσταλτο δώρο. Η ευεργετική βροχή τούς είχε κάνει μούσκεμα κι όμως συνέχισαν να παραμένουν εκτεθειμένοι. Μετά από πολύ καιρό, το κτήμα ποτίστηκε καλά. Οι διάφανες δροσοσταλίδες στάθηκαν πάνω στα ζαρωμένα φύλλα και τ' αναζωογόνησαν, δίνοντας τους παράταση ζωής, έστω και προσωρινή. Οι ελπίδες τους αναπτερώθηκαν, μα τα δεινά που θ' ακολουθούσαν δεν τα φαντάζόταν κανείς.

ΚΕΦΑΛΑΙΟ ΕΝΑΤΟ

Ο Αρης βημάτιζε νευρικά στο σαλόνι του σπιτιού του, σαν λιοντάρι στο κλουβί. Όπως γινόταν συχνά το τελευταίο διάστημα, δεν μπόρεσε να κοιμηθεί. Ήρθε πάλι να στοιχειώσει τον ύπνο του εκείνη η μορφή. Ήταν ένα ακόμα δύσκολο βράδυ πλημμυρισμένο από εφιάλτες. Είχε φτάσει στο σημείο να φοβάται να κοιμηθεί. Οι εφιάλτες παραμόνευαν τη στιγμή που θα έκλεινε τα μάτια του για να εισχωρήσουν στο υποσυνείδητο του και να τον βασανίσουν όταν η βούλησή του θα εξασθενούσε. Τότε εμφανιζόταν ένα πρόσωπο που προσπαθούσε χρόνια να απωθήσει. Ο ίδιος ήξερε πολύ καλά το γιατί.

Έτριψε τα κουρασμένα του μάτια, που έτσουζαν από την αϋπνία. «Δεν έπρεπε να έχουν γίνει έτσι τα πράγματα», σκέφτηκε. «Δε θ' απαλλαγώ ποτέ απ' τις σκιές που με κυνηγούν». Έσφιξε τα βλέφαρα, προσπαθώντας ν' αποδιώξει την οδυνηρή ανάμνηση που ξαναζωντάνεψε στη σκέψη του.

Ο Σίμος φάνηκε να βγαίνει από την πόρτα της κουζίνας, κρατώντας στα χέρια ένα δίσκο με δύο φλιτζάνια καφέ. Τον ακούμπησε στο τραπέζι και του πρόσφερε το ένα.

- *Τι έγινε Σίμο! Έκανες αυτό που σου είπα;*
- *Ναι, αν και μου έφερε αντιρρήσεις. Αρνιόταν κάθε συνάντηση μαζί σου, μα στο τέλος είπε πως θα έρθει. Είσαι σίγουρος πως θα τον πείσεις;*
- *Σιγουρότατος! Έχω ακόμα πολλούς κρυμμένους άσσους στο μανίκι μου. Η αισιοδοξία και το πείσμα αυτής της κοπέλας, μ' ενοχλούν αφάνταστα και πρέπει να πάρω πιο δραστικά μέτρα. Δε θα επιτρέψω να μπει εμπόδιο στις φιλοδοξίες μου. Αυτός είναι το άτομο που θα με βοηθήσει στο σχέδιό μου.*

Το κουδούνι της εξώπορτας χτύπησε και ο Σίμος πήγε ν' ανοίξει. Το κατώφλι πέρασε ο Θωμάς, ο επιστάτης της Δάφνης. Προχώρησε προς το μέρος του κι έκλινε ελαφρά το κεφάλι, κάνοντας μια κίνηση χαιρετισμού χωρίς λόγια.

- *Αποφάσισες τελικά να έρθεις;*
- *Ο επιστάτης σου μού μήνυσε πως ήθελες να μου μιλήσεις.*
- *Ναι αλλά άργησες πολύ, είπε με ειρωνικό τόνο στη χροιά της φωνής του.*
- *Δεν ήμουν σίγουρος για το αν έπρεπε να έρθω εδώ. Έχεις φερθεί πολύ άσχημα στην αφεντικίνα μου και η κατάσταση μεταξύ σας είναι εχθρική. Δε θέλω να πάρω μέρος στη διαμάχη σας και δε νομίζω πως έχουμε κάτι να συζητήσουμε εμείς οι δυο.*
- *Κι όμως έχουμε πολλά να πούμε Θωμά. Θέλω να σου προσφέρω μια σημαντική θέση στη βιοτεχνία μου.*
- *Μα δεν ψάχνω για δουλειά! Είμαι πολύ ευχαριστημένος εκεί που είμαι τώρα.*

- Ναι, μα δεν θα είσαι για πολύ ακόμα. Σύντομα δε θα υπάρχει τίποτα να κάνεις, αφού όλα θα έχουν ξεραθεί. Όσο κι αν δε θέλει να το παραδεχτεί, ξέρει καλά πως χωρίς νερό δεν γίνετε να υπάρχουν καλλιέργειες ούτε τώρα, ούτε στο μέλλον.

- Υπάρχουν βέβαια κάποιες δυσκολίες, αλλά θα τις ξεπεράσουμε. Η κυρία Δάφνη έχει κανονίσει να κάνει γεώτρηση. Μάλιστα έχει καλέσει έναν ειδικό στη μελέτη των υδάτινων πόρων. Τον περιμένουμε από μέρα σε μέρα να κάνει μελέτη και είναι σίγουρη πως θα βρει κάποια δική της πηγή.

- Πες της πως άδικα θα κάνει τον κόπο. Το ίδιο προσπάθησε να κάνει και ο προηγούμενος ιδιοκτήτης, αλλά απέτυχε παταγωδώς. Έγιναν εκτενείς μελέτες στο κτήμα και όλες κατέληξαν στο ίδιο αποτέλεσμα. Όλο το νερό πηγάζει στη δική μου πλευρά. Στη γη της δεν υπάρχει καμία φλέβα, γιατί το υπέδαφος των κτημάτων μας χωρίζετε από μια συμπαγή, βραχώδη περιοχή. Οι γεωλογικοί χάρτες δείχνουν ότι το βάθος της είναι μεγάλο και δεν επιτρέπει τη δίοδο στην άλλη πλευρά. Όσο κι αν ψάξει δεν πρόκειται να βρει ούτε σταγόνα νερού. Το κτήμα της είναι καταδικασμένο αν δε μου το πουλήσει κι αν επιμένεις να παραμείνεις στη δούλεψή της, σύντομα θα μείνεις άνεργος.

- Μου είναι αδύνατο να την εγκαταλείψω, είπε ο Θωμάς, εμφανώς προβληματισμένος από αυτά που έμαθε. Ακόμα κι αν είναι έτσι όπως τα λες, θα μείνω κοντά της όσο εκείνη θα με χρειάζεται.

- Μην είσαι ανόητος και κοίταξε το συμφέρον σου,

είπε αυστηρά. Αν δεχτείς να δουλέψεις για μένα, από αύριο θα είσαι προϊστάμενος στο υφαντουργείο μου. Αν συνεχίσεις να στηρίζεις μια αποτυχημένη που αρνείται να δεχτεί την ήττα της, τότε θα υποστείς κι εσύ τις συνέπειες. Κι όχι μόνο εσύ, μα κι άλλα άτομα της οικογένειάς σου.

- Τι εννοείς μ' αυτό; είπε ξαφνιασμένος από την προειδοποίηση του.

Στη βιοτεχνία μου δουλεύουν δύο από τους γιους σου.Ξέρω πως έχουν πολυμελείς οικογένειες κι έχουν απόλυτη ανάγκη τη θέση τους. Το αν θα παραμείνουν εκεί, θα εξαρτηθεί από την απάντηση που θα μου δώσεις. Δέξου την πρότασή μου πριν μετανιώσω. Η θέση που σου δίνω είναι καλοπληρωμένη και σαφώς ανώτερη από αυτή που έχεις. Αν και είναι σίγουρο πως δεν θα την έχεις για πολύ.

Ο ηλικιωμένος άνδρας έσφιγγε και ξέσφιγγε, από νευρικότητα το πλατύγυρο καπέλο, μέσα στα ροζιασμένα δάχτυλά του. Η αμηχανία του ήταν εμφανής και παρέμεινε σιωπηλός, προσπαθώντας να βρει τα κατάλληλα λόγια.

- Υποσχέθηκα πως θα παραμείνω δίπλα της, ότι κι αν γίνει, ψέλλισε. Πώς να την εγκαταλείψω τώρα; Σε παρακαλώ μη με βάζεις σε μια τόσο δύσκολη θέση!

- Μου φαίνεται πως δεν κατάλαβες καλά αυτά που είπα. Δύσκολη θέση είναι αυτή που βρίσκεσαι ήδη κι εγώ σε βγάζω από αυτή, δίνοντάς σου το πόστο του προϊσταμένου στην επιχείρησή μου. Μια δουλειά που πολλοί εποφθαλμιούν και θα έκαναν τα πάντα για να την αποκτήσουν. Με προσβάλει και μόνο που

το σκέφτεσαι αν θα τη δεχτείς, ενώ εγώ σου την προσφέρω τόσο γενναιόδωρα.

Διάλεξε λοιπόν τι προτιμάς. Ή αναλαμβάνεις από αύριο χρέη προϊσταμένου, ή τα παιδιά σου θα μείνουν άνεργα. Σε συμβουλεύω να δεχτείς την πρότασή μου και να μην τα πάρεις στο λαιμό σου. Έτσι κι αλλιώς, αν επιλέξεις να παραμείνεις δίπλα σ' αυτή την αποτυχημένη, σύντομα θα ψάχνεις κι εσύ μαζί τους για δουλειά. Σου εγγυώμαι πως δεν έχει καμιά ελπίδα και θα το διαπιστώσεις σύντομα. Μη χαραμίσεις την ευκαιρία που σου δίνω. Πώς θα κοιτάζεις τα παιδιά σου στα μάτια, όταν θα ξέρεις πως κατέστρεψες τις ζωές τους;

Ο Θωμάς φαινόταν σκεφτικός. Το κεφάλι του ήταν χαμηλωμένο και τα λόγια που ήταν έτοιμος να ξεστομίσει, δεν τολμούσαν να βγουν από το στόμα του.

- *Θα ήθελα να σου δώσω την απάντησή μου αύριο*, είπε με πεσμένα τα φτερά του. *Αυτή τη στιγμή δεν αισθάνομαι καλά και δεν μπορώ ν' αποφασίσω.*

- *Έστω! Θα σου δώσω το χρονικό περιθώριο που μου ζητάς, μα δε θ' ανεχτώ άλλη αναβολή. Η θέση δε θα περιμένει για πολύ ακόμα και πρέπει να καλυφθεί αμέσως. Αν δε τη δεχτείς σύντομα, θα την πάρει κάποιος άλλος.*

- *Υπόσχομαι πως αύριο νωρίς το πρωί θα σου δώσω την απάντησή μου.*

- *Καλώς! Θα σε περιμένω στο υφαντουργείο. Σκέψου όσα σου είπα. Θα δεις πως έχω δίκιο.*

Ο Σίμος τον συνόδευσε ως την εξώπορτα και αμέσως

μετά πλησίασε τον Άρη.

- *Σε παραδέχομαι!* του είπε χαμογελώντας. *Ξέρεις να χειρίζεσαι τους άλλους. Τον έκανες κομμάτια. Αποκλείεται να μη δεχτεί.*

- *Η δεσποινίς Πετρίδου τόλμησε να τα βάλει μαζί μου και θα το πληρώσει ακριβά.*

Ο Αρης ήξερε πως πέτυχε το στόχο τους και τώρα ένα σαρδόνιο χαμόγελο είχε φανεί στο άυπνο πρόσωπό του. Η σιγουριά της νίκης είχε σβήσει τους εφιάλτες απ' τη σκέψη του.

ΚΕΦΑΛΑΙΟ ΔΕΚΑΤΟ

- Χαίρομαι πολύ που ήρθες να μ' επισκεφτείς Χρηστάκο μου, είπε η Τούλα γεμάτη τρυφερότητα στο μικρό αγόρι. Έφτιαχνα κουλουράκια κάθε μέρα και σε περίμενα. Νόμιζα πως είχες ξεχάσει την πρόσκλησή μου.

- Δε σας ξέχασα κυρία Τούλα. Ίσα- ίσα που ήθελα πολύ να σας ξαναδώ γιατί είστε πολύ καλή. Αλλά..., είπε κομπιάζοντας, δυσκολευόμουν να έρθω σπίτι σας. Ο αδερφός σας δε με συμπαθεί, γιατί έχουν διαμάχη με την κυρία Δάφνη. Περίμενα να φύγει για να σας χτυπήσω την πόρτα.

- Εγώ δεν ασχολούμαι καθόλου με το κτήμα και δεν τα καταλαβαίνω όλα αυτά. Όμως ότι διαφορές κι αν έχει μαζί της, εσύ δεν έχεις καμιά ευθύνη. Είσαι ακόμα μικρός και δεν νομίζω πως ο αδερφός μου είναι ικανός ν' αντιπαθεί ένα παιδί! Ξέρω πως τα λατρεύει, γιατί το δικό μου το μωρό το αγαπά πάρα πολύ, είπε χαμογελώντας καθώς το κουνούσε απαλά στην αγκαλιά της. Αλλά κι ο γιος μου είναι πολύ ήσυχο

95

μωράκι και δεν τον ενοχλεί καθόλου. Όταν θα με-
γαλώσει λίγο, πιστεύω πως θα γίνετε φίλοι και θα
παίζετε μαζί.
- Θα το ήθελα κι εγώ κυρία. Είστε καλή γυναίκα και το
μωράκι σας είναι πολύ τυχερό που θα μεγαλώνει με
μια τόσο στοργική μητέρα.
- Κι εσύ είσαι πολύ καλό παιδί και εύχομαι ο γιος μου
να γίνει τόσο ευγενικός κι έξυπνος σαν κι εσένα.
- Πώς το λένε το μωρό σας;
- Δεν το έχουμε βαφτίσει ακόμα. Είναι πολύ μικρός και
πολύ χαριτωμένος. Μερικές φορές νομίζω πως είναι
το πιο όμορφο μωρό του κόσμου. Θέλεις να το δεις
κι εσύ;
- Ναι, θα το ήθελα, είπε γεμάτος χαρά.
- Έλα κοντά μου. Μόνο πρόσεξε να μη μου τον ξυπνή-
σεις.

Ο Χρήστος πλησίασε αθόρυβα και η Τούλα τράβηξε
απαλά το κουβερτάκι που ήταν τυλιγμένο, για να φανεί
το προσωπάκι του. Όμως ήταν εντελώς απροετοίμαστος
γι' αυτό που θ' αντίκριζε. Τα μάτια του έμειναν ορθάνοι-
χτα από την έκπληξη κι ήταν μπερδεμένος από αυτό που
έβλεπε. Το πρόσωπο που αποκαλύφθηκε, σίγουρα δεν
ανήκε σ' ένα μωρό. Μέσα στο κουβερτάκι δεν ήταν τίπο-
τε άλλο, από μια πλαστική κούκλα. Κοίταξε την Τούλα γε-
μάτος απορία. Είχε την εντύπωση πως του έκανε κάποια
φάρσα για να τον κάνει να γελάσει.
- Λοιπόν, δεν έχω δίκιο; Δεν έχω το πιο όμορφο και το
πιο ήσυχο μωρό που έχεις δει; είπε γεμάτη καμάρι
για το ανύπαρκτο παιδί της.

Ο Χρήστος δεν ήξερε τι να τής απαντήσει. Ήταν φανερό πως κάτι δεν πήγαινε καλά μ' εκείνη. Παρόλο που φερόταν απολύτως φυσιολογικά, στο θέμα του μωρού φαινόταν μια ανεξήγητη διαταραχή στη λογική της. Χαμογελούσε με τρυφερότητα κι ήταν τόσο περήφανη για αυτό που κρατούσε, που δεν τολμούσε να την αμφισβητήσει και να της πει πως ήταν μια άψυχη κούκλα. Προσπάθησε να διατηρήσει την ψυχραιμία του και να μην της χαλάσει την ψευδαίσθηση που της έδινε τόσο μεγάλη χαρά.

- *Ναι κυρία!* είπε διστακτικά. *Είναι πράγματι το πιο όμορφο μωρό που έχω δει.*

- *Δεν αφήνω να το κρατήσει κανείς άλλος εκτός από τον αδερφό μου, αλλά εσένα σε συμπαθώ κι αν θέλεις σου επιτρέπω να το πάρεις αγκαλιά.*

- *Χαίρομαι που μου δείχνετε τόση εμπιστοσύνη. Θέλω πολύ να το κρατήσω.*

Η Τούλα άπλωσε τα χέρια της στην αγκαλιά του και εναπόθεσε απαλά την πλαστική κούκλα, με άπειρη προσοχή, όπως θα έκανε αν ήταν ένα πραγματικό μωρό.

- *Είναι ότι πιο πολύτιμο έχω στη ζωή μου,* είπε κοιτάζοντάς το με λατρεία. *Δε θ' αφήσω κανένα να του κάνει κακό. Αχ είμαι τόσο ευτυχισμένη που το έχω,* είπε ξεφυσώντας από χαρά. *Είναι ο θησαυρός τής ζωής μου.*

ΚΕΦΑΛΑΙΟ ΕΝΔΕΚΑΤΟ

Μετά την καλοκαιρινή μπόρα, η ατμόσφαιρα ήταν δροσερή και καθαρή. Το κτήμα είχε αναζωογονηθεί σε ικανοποιητικό βαθμό. Ο Θωμάς διέσχιζε τα φυτεμένα διαζώματα με αργά διστακτικά βήματα. Η καρδιά του σφίχτηκε όταν εντόπισε με το άυπνο βλέμμα του την Δάφνη. Την πλησίασε δειλά, την ώρα που επιθεωρούσε τ' αμπέλια.

- *Καλημέρα αφεντικό, είπε μουδιασμένα.*

Εκείνη ξαφνιάστηκε μόλις τον άκουσε. Απορροφημένη όπως ήταν, δεν είχε αντιληφθεί την παρουσία του.

- *Καλημέρα και σε σένα Θωμά!*
- *Βλέπω πως έλυσες το χέρι σου. Δεν είναι κάπως νωρίς;*
- *Δε με πονάει πια και το δέσιμο μ' εμπόδιζε στις κινήσεις μου. Σήμερα νιώθω πιο αισιόδοξη γιατί η χθεσινή βροχή πότισε καλά το διψασμένο χώμα. Κοίτα τα φύλλα ξαναζωντάνεψαν! είπε γεμάτη χαρά. Η υγρασία που έχουν απορροφήσει οι ρίζες θα βοηθήσει τ' αμπέλια να διατηρηθούν. Δε θα χρειαστεί να με-*

99

ταφέρεις νερό για κάνα δυο μέρες και θα προχωρήσουμε περισσότερο τις εργασίες που έχουν μαζευτεί. Μερικά κλήματα μάλιστα είναι σχεδόν έτοιμα. Όπου να 'ναι θ' αρχίσουμε να μαζεύουμε. Φαίνεται πως θα τα καταφέρουμε τελικά.

- Μέχρι πότε όμως, είπε άκεφα, χωρίς να συμμερίζεται την καλή της διάθεση.

Εκείνη παραξενεύτηκε από την απαισιοδοξία που διέκρινε στη φωνή του.

- Θα συνεχίσουμε να ποτίζουμε με βαρέλια μόνο εκεί που είναι απαραίτητο και θα ξεκινήσουμε την συγκομιδή. Του χρόνου θα φροντίσω να φέρω εργάτες από άλλες περιοχές. Μέχρι τότε είμαι σίγουρη πως θα έχουμε βρει κάποιο δικό μας υδάτινο πόρο. Οι μελλοντικές καλλιέργειες θα είναι καλύτερες και δε θα έχουν τα φετινά προβλήματα.

- Μακάρι να γίνονταν όλα όπως τα λες, μα φοβάμαι πως είναι χάσιμο χρόνου.

Η Δάφνη εντόπισε την παραίτηση στη διάθεσή του και δεν της άρεσε καθόλου.

- Μα τι έπαθες σήμερα; Εσύ ήσουν πάντα αυτός που μου έδινε δύναμη όταν απελπιζόμουν. Γιατί είσαι τόσο κακόκεφος; Ο Θωμάς παρέμεινε σιωπηλός, αφού δεν μπορούσε να βρει τα κατάλληλα λόγια. Παρά τις δυσκολίες καταφέραμε να φτάσουμε κοντά στο σκοπό μας. Έχω και νεότερα από τον ειδικό στις γεωτρήσεις. Μου τηλεφώνησε πως θα έρθει αύριο με τους γεωλογικούς χάρτες του υπεδάφους και θα κάνει αυτοψία. Ελπίζω να μας έχει καλά νέα και να βρούμε νερό σύντομα.

- Λυπάμαι που θα στο πω αυτό αφεντικό, αλλά άσκοπα θα ξοδέψεις τα λεφτά σου κι είναι κρίμα γιατί τα έχεις μεγάλη ανάγκη.

- Γιατί το λες αυτό Θωμά;

- Δε θέλω να σε στενοχωρήσω, μα δεν έχω άλλη επιλογή. Πρέπει να μάθεις πως χτες μίλησα με τον κύριο Άρη. Με καλούσε εδώ και μέρες μέσω του Σίμου του επιστάτη του. Ήθελε να μου μιλήσει, μα τον απέφευγα. Με πίεσε όμως πολύ κι ήμουν περίεργος να μάθω τι θέλει από μένα.

- Και τι σε ήθελε; είπε με επιφύλαξη.

- Μου είπε πως το αγρόκτημα είναι καταδικασμένο γιατί δεν υπάρχει περίπτωση να βρεις νερό.

- Πώς είναι τόσο σίγουρος;

- Γιατί το ίδιο προσπάθησε να κάνει κι αυτός που το είχε πριν τον πατριό σου. Ο Θωμάς της εξήγησε λεπτομερώς όσα είχε μάθει για τ' αποτελέσματα των προηγούμενων μελετών, που καθιστούσαν αδύνατη κάθε προσπάθεια γεώτρησης. Όταν ο πατριός σου το αγόρασε από εκείνον, σίγουρα θα τον ενημέρωσε και γι' αυτό αρκέστηκε στο να συνεχίσει την άτυπη συμφωνία που ίσχυε μεταξύ τους.

- Ναι αλλά τώρα τα πράγματα άλλαξαν. Τότε είχε ανάγκη από το πέρασμα και αναγκαζόταν να τηρεί τη συμφωνία. Τώρα η εύρεση νερού είναι απαραίτητη για να συνεχίσει να υπάρχει το κτήμα μου. Εξάλλου δεν είμαστε σίγουροι πως είναι αλήθεια όσα σου είπε! Μπορεί να λέει ψέματα για να μας αποθαρρύνει. Την μελέτη θα την κάνω όσο κι αν κοστίσει, είπε πεισματάρικα. Έβαλα ήδη ενέχυρο το σταυρό μου κι έχω τα χρήματα. Του χρόνου ελπίζω να μην τον έχω ανάγκη και να σταματήσει τις απειλές.

- Εύχομαι ολόψυχα να έχεις δίκιο.

- Πρώτη φορά σε βλέπω τόσο απογοητευμένο! Τι σου συμβαίνει;

- Αφεντικό υπάρχει και κάτι άλλο που πρέπει να μάθεις, μα δυσκολεύομαι πολύ να στο πω. Δυστυχώς δε θα μπορέσω να εργαστώ άλλο δίπλα σου, είπε με το αίσθημα της ενοχής να χρωματίζει τη φωνή του.

Η Δάφνη ένιωσε μια αόρατη θηλιά να σφίγγει το λαιμό της ακούγοντας τα λόγια του.

- Μη μου το κάνεις αυτό Θωμά! Είσαι το δεξί μου χέρι και χωρίς εσένα θα είμαι σαν ανάπηρη. Μη μ' αφήνεις τώρα που σ' έχω ανάγκη περισσότερο από ποτέ! Μου είχες υποσχεθεί πως δε θα μ' εγκαταλείψεις ότι κι αν γίνει.

- Με πονάει πολύ που δε θα μπορέσω να τηρήσω την υπόσχεσή μου και πίστεψε με είναι η πρώτη φορά στη ζωή μου που το κάνω, είπε με ειλικρίνεια.

- Είμαι σίγουρη πως δε φεύγεις με τη θέλησή σου. Μάλλον κάποιον εκβιασμό θα σου έκανε, όπως και σε όλους τους άλλους. Πες μου, με ποιο τρόπο σε πίεσε;

- Είπε πως το κτήμα σου δεν έχει πια μέλλον και μ' έβαλε να διαλέξω ανάμεσα στη θέση του προϊσταμένου στο υφαντουργείου του, ή στην απόλυση των δυο γιων μου, που δουλεύουν για κείνον. Έχουν από τρία παιδιά ο καθένας κι αυτή η δουλειά είναι απαραίτητη. Πώς θα τα βγάλουν πέρα χωρίς αυτή. Δεν αντέχω να είμαι ο υπεύθυνος της απόλυσης τους.

*Προτιμώ να πεθάνω παρά να γίνω η αιτία της κατα-
στροφής των παιδιών μου.*
Η Δάφνη συνειδητοποιούσε πως ο Θωμάς ήταν το
αθώο θύμα ενός παιχνιδιού ισχύος. Τον έβαζε στη μέση,
επιδεικνύοντας γι' ακόμη μια φορά τη δύναμη του.

- *Έχει βάλει σκοπό της ζωής του να με καταστρέψει,
για να μ' αναγκάσει να του πουλήσω το κτήμα μου.
Ξέρει να χειρίζεται τις αδυναμίες των άλλων και να
τις χρησιμοποιεί ανάλογα με το συμφέρον του. Θέ-
λει να με τσακίσει και να με κάνει να γονατίσω μπρο-
στά του.
Γι' αυτό φροντίζει μεθοδικά να ξεριζώσει ένα- ένα τα
φτερά μου. Μου στερεί κάθε όπλο που διαθέτω, για
να είμαι ανίσχυρη απέναντι στο θέλημά του.*
- *Κι εγώ και η γυναίκα μου δεν κοιμηθήκαμε όλο το
βράδυ. Βασανιστήκαμε να πάρουμε την απόφαση,
γιατί σ' αγαπάμε κι οι δυο πολύ. Συγχώρα με αφε-
ντικό, μα δεν είχαμε άλλη επιλογή. Έχεις κάθε δικαί-
ωμα να με μισείς γι' αυτό που σου κάνω, αλλά δεν
μπορώ να πάρω δυο αθώες οικογένειες στο λαιμό
μου. Έσκυψε το κεφάλι προσπαθώντας να κρύψει
την ντροπή του. Νιώθω πως σε προδίδω και δε σου
αξίζει αφεντικό.*
- *Δε φταις εσύ γι' αυτό. Εκμεταλλεύεται την πλεονε-
κτική του θέση, για ν' ασκεί εξουσία. Για κείνον είσαι
ένα μέσο που εκβιάζει για να με πιέσει.*
- *Έχει τα πάντα κι όμως συνεχίζει να είναι άπληστος,*
είπε περίλυπος ο Θωμάς.
- *Κι όταν η απληστία συνδυάζεται με δύναμη, το μείγ-
μα είναι άκρως εκρηκτικό,* συμπέρανε εκείνη με

103

απογοήτευση. Τέλος πάντων, είπε με πίκρα. Σου εύχομαι καλή τύχη Θωμά. Ήσουν σαν πατέρας για μένα και με πονάει που σε χάνω. Με στήριξες πολύ και δε θα το ξεχάσω ποτέ. Θα μου λείψεις πολύ.

- Κι εμένα αφεντικό. Λυπάμαι που δεν μπορώ να βοηθήσω και σ' εγκαταλείπω στην πιο κρίσιμη στιγμή για το κτήμα. Τι σκέφτεσαι να κάνεις τώρα;

- Ευτυχώς ο αγώνας που δώσαμε δεν έχει πάει ολότελα χαμένος. Έχουμε στην αποθήκη το στάρι και το μαλλί από τα πρόβατα. Θα προσπαθήσω να τρυγήσω κι ένα μέρος απ' τ' αμπέλια. Ούτε τα μισά δε θα καταφέρω να σώσω, είπε χαμογελώντας πικρά. Χωρίς βοήθεια δεν μπορώ να κάνω τίποτα περισσότερο. Η υπόλοιπη σοδειά και τα ροδάκινα προβλέπω πως θα σαπίσουν πάνω στα δέντρα αμάζευτα.

Το εισόδημα μου θα είναι πολύ μικρότερο απ' όσο υπολόγιζα να συγκεντρώσω, αλλά τουλάχιστον θα πληρώσω ένα μέρος του χρέους μου. Μάλλον θ' αναγκαστώ να πουλήσω και το κοπάδι, αφού δε θα έχω εσένα και τον σκύλο σου, τον Αράπη, να το φροντίζει. Αργότερα θα δω τι θα κάνω. Μη στενοχωριέσαι και θα βρω κάποια λύση. Πιστεύω πως υπάρχει κάπου λίγο νερό κρυμμένο στο υπέδαφος της γης μου. Θα κάνω τα πάντα για να σώσω το κτήμα μου από τα νύχια αυτού του αρπαχτικού με την ανθρώπινη όψη.

- Εύχομαι με όλη μου την καρδιά να τα καταφέρεις. Ξέρω πόσο δίκαια έχεις παλέψει απέναντι στα βρώμικα εμπόδια που σου έβαλε. Θα προσεύχομαι για σένα αφεντικό, είπε φεύγοντας.

Η Δάφνη προχώρησε προς τη σκιά του δέντρου που καθόταν ο Χρήστος. Ο μικρός είχε πέσει με τα μούτρα στο διάβασμα και σ' ένα τετράδιο έγραφε την εργασία που του είχε βάλει εκείνη νωρίτερα. Το λευκό περιστέρι καθόταν ήρεμα, γαντζωμένο στον ώμο του.

- Ποτέ δεν περίμενα πως θα δενόταν τόσο πολύ μαζί σου, είπε και κάθισε δίπλα του.

- Έχουμε γίνει φίλοι και μ' ακολουθεί παντού. Δεν ξέρω τι είναι αυτό που το οδήγησε σ' εμένα, αλλά είναι η καλύτερη παρέα που είχα ποτέ, είπε αγγίζοντας τρυφερά με το ακροδάχτυλο την κορυφή του βελούδινου κεφαλιού του. Είδα τον κύριο Θωμά να φεύγει. Δε θα δουλέψει σήμερα;

- Δυστυχώς δε θα δουλέψει ούτε σήμερα, μα ούτε και ποτέ ξανά. Ο αγαπητός μου γείτονας χτύπησε ξανά. Φρόντισε να τον εκβιάσει κι αυτόν για να μ' εγκαταλείψει. Η Δάφνη τού εξιστόρησε εν συντομία τη συζήτηση που είχε πριν λίγο και το βρώμικο παιχνίδι που έπαιξε εναντίον της.

- Είναι κακός άνθρωπος, συμπέρανε ο Χρήστος. Δεν καταλαβαίνω το λόγο που επιμένει να του το πουλήσεις! Αφού είναι πλούσιος, γιατί θέλει και το δικό σου κτήμα;

- Κι εγώ την ίδια απορία έχω μικρέ. Στην αρχή πίστευα πως με πολεμάει επειδή ήθελε το κτήμα του να είναι άρτιο και να έχει δική του έξοδο. Όμως με την αγορά του διπλανού κτήματος αυτό λύθηκε. Γιατί συνεχίζει να θέλει να με καταστρέψει;

- Γιατί έχει μαύρη ψυχή και θέλει να περνάει το δικό του. Μου φαίνεται πως δε στέκει καλά στα μυαλά *του όπως και η αδερφή του.*

- Γιατί το λες αυτό; Συμβαίνει κάτι με κυρία Τούλα; παραξενεύτηκε η Δάφνη.

- Μου φαίνεται πως έχει τρελαθεί.

- Πώς έβγαλες αυτό το συμπέρασμα; Από το λίγο που την ξέρω, θεωρώ πως είναι μια εξαιρετική και λογικότατη κοπέλα. Είχα την εντύπωση πως την συμπαθούσες κι είχατε αναπτύξει μια καλή σχέση μεταξύ σας.

- Κι εγώ έτσι πίστευα, αλλά μετά τη χθεσινή μου επίσκεψη, δεν ξέρω αν πρέπει να ξαναπάω εκεί.

- Μήπως ο αδερφός της την έστρεψε εναντίον σου;

- Όχι, όσες φορές πήγα εκείνος έλειπε. Άλλο είναι αυτό που με τρόμαξε! Χτες μιλούσε για το μωρό της γεμάτη περηφάνια και έλεγε πόσο το αγαπούσε.

- Είναι πολύ φυσικό να είναι δεμένη με το παιδί της. Αυτή ίσως να είναι λίγο περισσότερο απ' όσο πρέπει. Δε σημαίνει πως είναι και τρελή!

- Δεν είναι αυτό που με προβλημάτισε. Την έβλεπα να το κρατάει συνέχεια στην αγκαλιά της και μου έλεγε πως δεν το αφήνει καθόλου από τα χέρια της. Θεωρούσα πως είναι λίγο υπερβολική, αλλά δεν έδινα και ιδιαίτερη σημασία. Χτες όμως συνέβη κάτι που με έπεισε πως δεν στέκει καλά στα μυαλά της. Με άφησε να δω το μωρό της και δε θα το πιστέψεις, αλλά ήταν μια πλαστική κούκλα.

- Δεν είναι δυνατόν! αναφώνησε από έκπληξη η Δάφνη. Δηλαδή μέσα σ' αυτό το κουβερτάκι που κρατάει, δεν υπάρχει μωρό;

- Δυστυχώς όχι! Το είδα από πολύ κοντά γιατί μ' άφη-

σε να το κρατήσω στην αγκαλιά μου. Σε διαβεβαιώνω πως είναι μόνο μια πλαστική κούκλα σε μέγεθος μωρού. Ομολογώ πως πανικοβλήθηκα, αλλά κράτησα την ψυχραιμία μου και δεν έφερα αντίρρηση σ' αυτό που νόμιζε πως έβλεπε.

- Είναι απίστευτο. Φαίνεται τόσο λογική κι όμως ζει παγιδευμένη μέσα σε μια ψευδαίσθηση! Τίποτα πάνω της δεν προδίδει αυτή την παράλογη ψύχωση που κουβαλά. Ίσως να είναι και οικογενειακή, γιατί κι ο αδερφός της δεν πάει πίσω. Αυτός μάλιστα είναι πολύ πιο επικίνδυνος από εκείνη. Με τις μηχανορραφίες του κατάφερε να μ' αφήσει αβοήθητη.

- Δεν είσαι μόνη σου! Έχεις κι εμένα τώρα. Θ' αφήσω για λίγο τα μαθήματα και θα συνεχίσουμε αργότερα.

- Αυτό είναι αδύνατον. Μίλησα με το διευθυντή του σχολείου που θα πας το φθινόπωρο. Μου είπε πως θα δώσεις εξετάσεις, πριν το ξεκίνημα της νέας χρονιάς και ανάλογα με τις επιδόσεις σου θα κρίνει την τάξη που θα μπεις. Αν θέλεις να κερδίσεις όλα τα χαμένα διδαχτικά χρόνια, πρέπει να βιαστείς. Δε θέλω να σπαταλήσεις τον πολύτιμο χρόνο διαβάσματος, για να δουλεύεις. Όταν θ' ανοίξουν τα σχολεία πρέπει να είσαι έτοιμος.

- Μα έχω προχωρήσει πολύ! Μέσα σ' ένα μήνα που με διδάσκεις, άρχισα να διαβάζω τα βιβλία της τρίτης τάξης.

- Ναι, και μπράβο σου γιατί προσπαθείς πολύ! Όμως τώρα ξεκινάνε τα δύσκολα.

- Είμαι σίγουρος πως θα προλάβω. Σου υπόσχομαι ότι θα ξυπνάω από το χάραμα για να διαβάζω και μετά *θα δουλεύω όλη μέρα.*

Η Δάφνη συγκινήθηκε από την προθυμία του να την βοηθήσει. Αυτό το παιδί δεν είχε καμία σχέση με αυτό που της είχε περιγράψει η διευθύντρια του ιδρύματος.

- Ακόμα κι αν καταργήσουμε τον ύπνο, πάλι η σοδειά θα έχει σαπίσει ώσπου να τη μαζέψουμε. Είμαστε άνθρωποι κι όχι ρομπότ. Θα πρέπει να δώσουμε μεγάλο αγώνα και πάλι δε θα σώσουμε ούτε τα μισά. Αν καταφέρω να βρω δική μου πηγή νερού και αν βρω ανθρώπους να δουλέψουν για μένα, ίσως το κτήμα μου καταφέρει να σωθεί. Φυσικά, αν ο κύριος Δήμου σταματήσει να μου βάζει εμπόδια. Ξέρεις τι συνειδητοποίησα μόλις τώρα μικρέ;

- Τι κυρά μου;

- Πως η επιβίωσή μας εξαρτάται από πολλά αν. Είμαι εκτεθειμένη στο έλεος της δύναμής του κι εκείνος ξέρει που ακριβώς πρέπει να χτυπήσει για να μ' αποδυναμώσει. Με άφησε αρχικά χωρίς εργάτες, μετά χωρίς νερό και τώρα μου πήρε και τον Θωμά. Ήταν το πιο γερό μου στήριγμα. Η αποχώρηση του είναι πολύ μεγάλη απώλεια για το κτήμα. Αχ Θεέ μου βοήθησέ με! Δεν ξέρω τι να κάνω πια! είπε γεμάτη απελπισία.

- Μη στενοχωριέσαι και κάτι θα γίνει.

Τα παρηγορητικά λόγια του παιδιού έσβησαν, όταν ακούστηκε το ποδοβολητό ενός αλόγου και προσπάθησαν να το εντοπίσουν με το βλέμμα τους. Είδαν έναν μαυροντυμένο νεαρό να έρχεται προς το μέρος τους, καλπάζοντας πάνω σ' ένα άσπρο άλογο. Όταν έφτασε αρκετά κοντά, τράβηξε τα χαλινάρια του για να το σταματήσει και ξεπέζεψε από τη ράχη του. Ο νεαρός άνδρας πλησίασε προς το μέρος τους και τους καλημέρισε.

- *Παρακαλώ, θα μπορούσα να έχω λίγο νερό για μένα και το άλογό μου;*
- *Βεβαίως!* απάντησε πρόθυμα η Δάφνη.

Γέμισε ένα ποτήρι από το παγωμένο παγούρι που είχε πάντα μαζί της, ενώ ο Χρήστος βύθισε τον μεταλλικό κουβά, σ' ένα από τα βαρέλια που είχαν για πότισμα και το έβαλε μπροστά στο ανυπόμονο άλογο.

- *Ευχαριστώ θερμά για την καλοσύνη σας και τη δροσιά που μας προσφέρατε,* είπε ο σγουρομάλλης νεαρός, όταν άδειασε και το τρίτο ποτήρι νερού. *Έχει πολύ ζέστη και είμαι στο δρόμο από το χάραμα. Γυρνάω στα κτήματα της περιοχής ψάχνοντας για δουλειά. Μήπως εδώ χρειάζεστε κάποιον εργάτη να σας βοηθήσει;*

Η Δάφνη και ο Χρήστος αλληλοκοιτάχτηκαν ξαφνιασμένοι. Δεν μπορούσαν να πιστέψουν στην ανέλπιστη ευκαιρία που τους παρουσιάστηκε εκεί που έπαψαν να την περιμένουν. Η απάντηση στις προσευχές τους είχε έρθει στην πιο σωστή στιγμή.

- *Και βέβαια χρειαζόμαστε,* είπαν κι οι δυο μαζί.
- *Η αλήθεια είναι πως έχουμε απόλυτη ανάγκη από εργατικά χέρια, αλλά δυστυχώς κανένας εδώ δεν ήταν πρόθυμος να μας τη δώσει. Υπάρχει κάποιος που έχει κηρύξει πόλεμο εναντίον μου,* είπε η Δάφνη, εξηγώντας όσα είχαν συμβεί στο κτήμα εξαιτίας της κόντρας με τον γείτονά της.
- *Διέκρινα τη θλίψη σας μόλις σας πλησίασα. Τώρα καταλαβαίνω και το λόγο.*

- Έχει εκβιάσει όλο το χωριό και κανένας δεν τολμάει να δουλέψει για μένα.
- Και γι' αυτό είστε τόσο στενοχωρημένοι εσείς οι δυο; Μην ανησυχείτε κι εγώ είμαι εδώ. Δεν φοβάμαι καθόλου αυτόν τον άνθρωπο και μπορώ να σας βοηθήσω. Με λένε Γιώργη και θα δουλέψω εδώ για όσο καιρό με χρειάζεσαι.
- Να είσαι καλά Γιώργη, είπε γελώντας η Δάφνη. Δεν μπορείς να φανταστείς πόσο μεγάλη ανακούφιση μου δίνεις. Σου υπόσχομαι πως θα πληρωθείς καλά για τον κόπο σου. Πες μου, πότε μπορείς να ξεκινήσεις;
- Αμέσως τώρα! απάντησε πριν ακόμα προλάβει να τελειώσει τη φράση της.

Η βοήθεια του ουρανοκατέβατου βοηθού, αποδείχτηκε πολύτιμη. Ήταν πολύ γρήγορος και ακούραστος. Έκανε τη δουλειά τριών ανδρών μονάχος του. Μέσα σε λίγες μέρες οι δουλειές είχαν προχωρήσει πολύ περισσότερο απ' όσο ήλπιζαν. Πρόλαβαν να μαζέψουν όλα όσα είχαν προγραμματίσει αρχικά. Τ' αμπέλια και τα δέντρα είχαν σχεδόν αδειάσει και οι ώριμοι καρποί είχαν τοποθετηθεί σε τελάρα.

Η Δάφνη έβλεπε με ικανοποίηση την αποθήκη της να γεμίζει με την πλούσια σοδειά της, που πίστευε πως είχε χαθεί. Το χαμόγελο ξαναγύρισε στα χείλη της. Όλα ήταν έτοιμα προς πώληση. Επιτέλους μετά από τόσες δυσκολίες μπορούσε να πει πως τα είχε καταφέρει.
- Ειλικρινά δεν περίμενα να τελειώσουμε τόσο γρήγορα! είπε γεμάτη ικανοποίηση. Σώσαμε πολύ περισ-

σότερα απ' όσα ήλπιζα. Θα ειδοποιήσω τον έμπορα να έρθει αύριο να τα παραλάβει. Σ' ευχαριστώ πολύ Γιώργη! Χωρίς εσένα δε θα κατάφερνα τίποτα. Λίγο πριν έρθεις, ήμουν απογοητευμένη κι έτοιμη να τα παρατήσω.

- Ότι κι αν συμβεί, μην απελπίζεσαι. Θα δεις πως η λύση θα έρθει εκεί που δεν την περιμένεις.
- Πού θα σε βρω σε περίπτωση που σε χρειαστώ πάλι;
- Δεν έχω σταθερό σημείο κατοικίας. Είμαι περιπλανώμενος. Πάω όπου υπάρχει ανάγκη. Να είσαι σίγουρη πως θα έρθω πριν προλάβεις να με ζητήσεις.
- Έχεις χρόνο να φας λίγο μαζί μας πριν φύγεις;
- Να βάλω λίγο νερό στο άλογο μου και θα έρθω.
- Με την ησυχία σου. Θα σου δώσω και τα χρήματα που συμφωνήσαμε. Ήρθε η ώρα να πληρωθείς για τον κόπο σου. Είναι σίγουρα πολύ λιγότερα απ' όσα σου αξίζουν.

Η Δάφνη έβγαλε μερικά σάντουιτς από την τσάντα της κι ο Χρήστος έπλυνε μερικές τομάτες και φρούτα. Τ' άπλωσαν πάνω σ' ένα αναποδογυρισμένο τελάρο και τον περίμεναν. Η ώρα περνούσε κι ο εργάτης δεν έλεγε να φανεί. Η Δάφνη ανησύχησε κι έστειλε το μικρό αγόρι να τον φωνάξει. Μετά από λίγο το παιδί επέστρεψε αλλά ήταν μονάχο του.

- Δεν τον βρήκα πουθενά, είπε λαχανιασμένος από το τρέξιμο. Μάλλον έφυγε γιατί το άλογό του δεν είναι εκεί που το είχε δέσει.
- Μα πώς έφυγε έτσι, χωρίς καν να πληρωθεί; Είσαι σίγουρος πως δεν είναι σε κάποιο άλλο σημείο του κτήματος; Δεν άκουσα τον καλπασμό τού αλόγου του.

- Έψαξα παντού και βρήκα αυτό το σημείωμα πάνω
σ' ένα δέντρο, είπε δίνοντάς το σ' εκείνη. Γράφει τ'
όνομά σου απ' έξω.

Η Δάφνη το πήρε στα χέρια της κι άρχισε να το δια-
βάζει δυνατά:

- Η προσφορά καλοσύνης σας και το ειλικρινές ευχα-
ριστώ σας, είναι η μοναδική πληρωμή που χρειαζό-
μουν και την έχω εισπράξει ήδη. Είμαι καλοπληρω-
μένος και δε θέλω τίποτα περισσότερο.

- Περίεργο! Μας βοήθησε χωρίς καμία ανταμοιβή
είπε με απορία. Δεν καταλαβαίνω το γιατί! Δεν ήξε-
ρα πως υπάρχουν τόσο ανιδιοτελείς άνθρωποι. Εύ-
χομαι να είναι καλά και να τον ανταμείψει ο Θεός
για το καλό που μας έκανε.

Συνέχισαν να τακτοποιούν την αποθήκη μέχρι που
σουρούπωσε. Άναψαν δυο λάμπες πετρελαίου και συνέ-
χισαν τη δουλειά τους, ώσπου νύχτωσε για τα καλά. Ήταν
τόσο ικανοποιημένοι από το αποτέλεσμα, που έχασαν
την αίσθηση του χρόνου.

- Είναι απίστευτο, αλλά τα καταφέραμε, είπε η Δάφ-
νη, ξεχειλίζοντας από χαρά. Αύριο θα πουληθούν
όλα και θ' ανασάνω από το οικονομικό βάρος. Το
όνειρο του οινοποιείου θ' αναβληθεί προς το παρόν,
αλλά τουλάχιστον θα πληρώσω ένα μέρος του χρέ-
ους μου. Όταν θα γίνει η γεώτρηση και βρω νερό, θ'
απαλλαγώ οριστικά από τις ενοχλητικές πιέσεις αυ-
τού του στριμμένου.

- Ευτυχώς που ήρθε αυτός ο εργάτης γιατί θα είχαν
χαθεί όλα.

- Με βοήθησε πολύ, μα χρωστώ και σε σένα ένα με-
γάλο ευχαριστώ. Δούλεψες με όλη σου την ψυχή,
ακόμα και πέρα από τις δυνάμεις σου.
- Εσύ έκανες πολύ περισσότερα για μένα κι ότι και να
κάνω δε θα μπορέσω να στο ξεπληρώσω. Άσε που
δεν ήθελα με τίποτα να σου πάρει το κτήμα αυτός ο
στριμμένος.

Εκείνη ανακάτεψε παιχνιδιάρικα με τα δάχτυλά της
τα μαλλιά στην κορυφή του κεφαλιού του. Γέλαγαν κι οι
δυο τους ανέμελα, απαλλαγμένοι από το βάρος των προ-
ηγούμενων ημερών.

Βγήκαν έξω και η Δάφνη διπλοκλείδωσε την πόρτα.

- Τώρα πρέπει να προσέχουμε γιατί εκεί μέσα έχουμε
ένα μικρό θησαυρό. Πάμε τώρα σπίτι να ξεκουρα-
στούμε και να μου δείξεις τις εργασίες στα μαθημα-
τικά. Από αύριο που θα έχω πολύ ελεύθερο χρόνο
στη διάθεσή μου θ' ασχοληθώ περισσότερο με τη
μελέτη σου. Είμαι αποφασισμένη, όταν θα πας σχο-
λείο να είσαι τέλεια προετοιμασμένος και να μπεις
στην τάξη που πρέπει να είσαι σύμφωνα με την ηλι-
κία σου.

Τα νέα για την πρόοδο της Δάφνης έφτασαν στ' αυτιά
του Άρη. Ο Σίμος που παρακολουθούσε με τα κιάλια το
κτήμα της, φρόντισε να τον ενημερώσει με κάθε λεπτο-
μέρεια.

- Δεν μπορώ να πιστέψω πως κατόρθωσε να προχω-
ρήσει τόσο με τη συγκομιδή! είπε εκείνος εκνευρι-
σμένος.
- Αυτός ο εργάτης ήταν πολύ γρήγορος και δυνατός,
απάντησε ο Σίμος. Τον παρακολουθούσα όλες αυτές

τις μέρες και πραγματικά με εξέπληξε με τον τρόπο που δούλευε.

- Και ποιος ήταν αυτός; Από πού ξεφύτρωσε;
- Δεν είναι από τα μέρη μας. Ρώτησα τους χωριανούς, μα κανείς δεν τον ήξερε.
- Η ουσία είναι ότι μου χάλασε τα σχέδια. Είναι η πιο πεισματάρα γυναίκα που έχω γνωρίσει. Νόμιζα πως την είχα του χεριού μου μα τώρα το κτήμα της πήρε παράταση ζωής, πάνω που ξεψυχούσε. Δεν έπρεπε να γίνει αυτό, είπε βροντώντας το σφιγμένο του χέρι με θυμό στο τραπέζι.

Από τη δύναμη της γροθιάς του, τα ποτήρια με το κόκκινο κρασί γύρισαν στο πλάι, βάφοντας με το πορφυρό του χρώμα το λευκό τραπεζομάντηλο.

- Ηρέμησε! προσπάθησε να τον καθησυχάσει ο Σίμος, βάζοντας ξανά τα πεσμένα ποτήρια στην ορθή τους θέση. Το ότι μάζεψε μέρος της σοδειάς, δεν σημαίνει πως λύθηκαν και τα προβλήματά της.
- Ναι, όμως τώρα θα πάρει ένα ικανοποιητικό χρηματικό ποσό και θ' ανταπεξέλθει στις υποχρεώσεις της. Δε θα έχει πια ανάγκη να μου πουλήσει το κτήμα.
- Κάνε υπομονή και θα το πάρεις του χρόνου.
- Σίμο σταμάτα να μ' εκνευρίζεις! είπε ανεβάζοντας απότομα την ένταση στη φωνή του. Μέχρι τότε θα οργανωθεί και θα βρει κάποιο τρόπο να ξεφύγει.

Τώρα ήταν η ευκαιρία μου, που την είχα στριμώξει. Την έπιασα εξ' απροόπτου και δεν είχε το περιθώριο ν' αντιδράσει.

Πέρασε νευρικά τα δάχτυλα μέσα από τα μαλλιά του και γέμισε κρασί το άδειο ποτήρι, από τη μισογεμάτη καράφα. Το ήπιε μονορούφι και το ξαναγέμισε ενώ τα χέρια του έτρεμαν.

- *Μην πίνεις άλλο και κάτι θα σκεφτούμε!*

- *Είναι πια αργά. Η σοδειά που βρίσκετε στην αποθήκη καταστρέφει όλα μου τα σχέδια. Δε θα έπρεπε να γίνουν έτσι τα πράγματα.*

ΚΕΦΑΛΑΙΟ ΔΩΔΕΚΑΤΟ

Το βλέμμα της Δάφνης πλανήθηκε στο άπειρο του σκοτεινού στερεώματος. Το λαμπερό μισοφέγγαρο ταξίδευε ανέμελα στον ανέφελο ουρανό. Ατένιζε τα παιχνιδίσματα των αστεριών που πλημμύριζαν το αραχνοΰφαντο πέπλο τού γαλαξία. Ήταν πολύ κουρασμένη, μα η υπερένταση δεν την άφηνε να χαλαρώσει. Ο μικρός μόλις είχε τελειώσει τα μαθήματά του και της έδειχνε τα τετράδια με τις εργασίες που του είχε βάλει. Ήταν γεμάτος ικανοποίηση για το αποτέλεσμα των προσπαθειών του.

- *Μπράβο Χρήστο!* αναφώνησε από τη χαρά της. *Δεν έχεις κάνει κανένα λάθος στις ασκήσεις των μαθηματικών και ο γραφικός σου χαραχτήρας έχει βελτιωθεί κατά πολύ. Έχω εκπλαγεί με την πρόοδό σου. Έχεις εξελιχθεί σε άριστο μαθητή. Γιατί νόμιζες πως δεν μπορούσες να μάθεις γράμματα;*

- *Γιατί τώρα έχω καλή δασκάλα και όλα μού φαίνονται εύκολα.*

- *Είμαι πολύ περήφανη για σένα. Πήγαινε τώρα να*

κοιμηθείς, γιατί από αύριο οι ασκήσεις θα είναι ακόμη πιο δύσκολες.

- Εσύ δε θα ξαπλώσεις;

- Δεν έχω διάθεση για ύπνο. Νιώθω ανήσυχη για κάτι που δεν μπορώ να προσδιορίσω. Παρόλο που όλα πήγαν καλά, έχω την αίσθηση πως κάτι δεν έκανα σωστά. Το ένστικτό μου έχει σημάνει συναγερμό και δεν ξέρω γιατί. Ώσπου να παραδώσω τη σοδειά στον έμπορα, θα βρίσκομαι σε διαρκή επιφυλακή. Ίσως θα πρέπει να γυρίσω πίσω για να βεβαιωθώ πως είναι όλα καλά.

Η καμπάνα της εκκλησίας άρχισε να χτυπά ασταμάτητα, σαν να ήθελε να προειδοποιήσει τους κατοίκους. Οσμή καμένου έφτασε στα ρουθούνια τους.

- Σου μυρίζει κάτι Χρήστο; Μοιάζει με καπνό από φωτιά!

- Κάτι καίγεται εδώ κοντά.

- Σβήσαμε τις λάμπες στον αχυρώνα; ρώτησε ανήσυχα!

- Ναι κυρά μου! Μάλιστα τις έλεγξα δυο φορές.

Η ταραχή της μεγάλωσε όταν η μυρωδιά του καμένου έγινε εντονότερη. Πετάχτηκαν κι οι δυο από τις πολυθρόνες της αυλής και κάρφωσαν το βλέμμα τους προς τη μεριά του αγροκτήματος. Η απόσταση ήταν γύρω στο ένα τέταρτο με τα πόδια και ήταν ορατό από την πίσω μέρος του σπιτιού της. Τους κόπηκε η ανάσα μ' αυτό που αντίκρισαν. Φλόγες ξεπηδούσαν από το κτήμα και μάλιστα φαινόταν πως ήταν από την πλευρά που βρισκόταν η γεμάτη αποθήκη της. Η Δάφνη ένιωσε να μουδιάζει ολόκληρη. Μηχανικά έφερε το χέρι στο λαιμό της, ψάχνοντας το σταυρό της. Για λίγο ξέχασε πως τον είχε αφήσει ενέχυρο.

- *Παναγιά μου!* αναφώνησε από τον τρόμο. *Ας μην είναι η φωτιά στην αποθήκη μου! Προστάτευσε τη σοδειά μου σε παρακαλώ!*

Έτρεξαν πανικόβλητοι και το κακό που συνάντησαν ήταν πέρα απ' όσα μπορούσαν ν' αντέξουν. Δυστυχώς ο φόβος της επαληθεύτηκε. Πύρινες γλώσσες είχαν αγκαλιάσει την αποθήκη απ' όλες τις πλευρές. Ο μεταλλικός ήχος της καμπάνας είχε ξεσηκώσει τους χωρικούς κι άρχισαν να μαζεύονται ολόγυρα, για να δουν τι συμβαίνει. Κάποιοι πιο τολμηροί θέλησαν να τη σβήσουν, μα συνειδητοποίησαν πως ήταν αδύνατον, γιατί η πόρτα ήταν κλειδωμένη και οι στέρνες άδειες.

Ένα θέαμα καταστροφής ξετυλιγόταν μπροστά στα μάτια τους. Έμοιαζε με σκηνικό τρόμου βγαλμένο από εφιαλτικό όνειρο. Η Δάφνη δεν άντεξε την εικόνα φρίκης και λιποθύμησε. Το παιδί την αγκάλιασε κλαίγοντας.

Ο μακρόσυρτος ήχος ενός πυροσβεστικού οχήματος, κάλυψε τις αγωνιώδεις κραυγές των παρευρισκομένων. Δυο άντρες τράβηξαν τη μάνικα και ριπές νερού εκτοξεύτηκαν προς τη φλεγόμενη αποθήκη. Η λαίλαπα της φωτιάς φαινόταν σαν να κατάπινε τους ορμητικούς πίδακες.

Η πυρκαγιά έσβησε λίγο πριν το χάραμα. Το πρώτο φως της αυγής αποκάλυψε το μέγεθος της καταστροφής. Η Δάφνη περπατούσε πάνω στο ξερό γρασίδι κρατώντας θλιμμένα το κεφάλι της. Η αποθήκη είχε καεί ολοσχερώς και μαζί ολόκληρη η σοδειά, που είχε στηρίξει τόσες ελπίδες.

Αν υπήρχαν όρια στην ανθρώπινη αντοχή, ήταν σίγουρο πως εκείνη τα είχε ξεπεράσει. Όσο κι αν η δύναμη της θέλησης ήταν ισχυρή, δυστυχώς δεν επαρκούσε για να σταματήσει την κακοτυχία. Τριγυρνούσε ανάμεσα στ' αποκαΐδια με το πρόσωπο καπνισμένο, και το βλέμμα ανέκφραστο. Έμοιαζε σαν να είχε στραγγίξει από μέσα της κάθε ίχνος ενέργειας. Έβλεπε όλο τον κόπο και τα όνειρα της, μεταμορφωμένα σε ένα σωρό από στάχτες. Ο μικρός την ακολουθούσε σε κάθε ανούσιο βήμα της με το λευκό περιστέρι γαντζωμένο στον ώμο του. Βύθιζε τα χέρια της στ' απομεινάρια της καρβουνιασμένης σοδειάς της και την έσφιγγε ώσπου γινόταν σκόνη. Σ' αυτό το χώρο που πριν λίγες ώρες ήταν γεμάτος από ευημερία, τώρα βασίλευε η καταστροφή.

Ο φτερωτός φίλος του Χρήστου πέταξε ολόγυρα στο καπνισμένο τοπίο. Το λευκό του χρώμα ήταν μια παραφωνία ανάμεσα στη γενική μαυρίλα που επικρατούσε. Ακόμα κι ο ήλιος είχε κρυφτεί πίσω από τη νεφελώδη αχλή που είχε σηκωθεί.

Έκατσε στο έδαφος και σταύρωσε τα χέρια γύρω από τα γόνατά της, ανίσχυρη να συνεχίσει. Ένιωσε τα μικρά χέρια του παιδιού να τυλίγονται στους ώμους της. Γύρισε προς το μέρος του. Είδε τα μεγάλα του μάτια να την κοιτάζουν με τρυφερότητα. Αυτό το παιδί που είχε μπει τόσο αναπάντεχα στη ζωή της, τώρα είχε γίνει στήριγμα για εκείνη.

- *Παλέψαμε τόσο πολύ, του είπε άκεφα. Ήμουν αφελής που πίστεψα πως θα τα καταφέρω. Όλα έδειχναν πως είχα πετύχει, μα ήταν μια ουτοπία που νόμιζα πως ήταν πραγματικότητα.*

Η γεμάτη αποθήκη ήταν η απόδειξη επιτυχίας. Κοί-

τα την τώρα! Τίποτα δεν έμεινε όρθιο. Αποδείχτηκε πως ήταν μια ανούσια νίκη. Είμαι ένας νικητής που τελικά γεύτηκε την πίκρα του ηττημένου.

Το παιδί έπλεξε τα δάχτυλά του μέσα στα δικά της, ως ένδειξη κατανόησης και συμπαράστασης.

- Κάνε κουράγιο. Θα ξαναπροσπαθήσουμε.
- Πώς όμως; Δεν είναι καθόλου εύκολο. Δεν έχω πια άλλο κουράγιο, ούτε τα χρήματα που χρειάζονται. Ρισκάρισα τα πάντα κι έχασα.
- Ρίσκαρες για κάτι που πίστευες και πολέμησες γι' αυτό.
- Το αποτέλεσμα όμως ήταν ολέθριο. Η φωτιά ήταν το τελειωτικό χτύπημα για τις φιλοδοξίες μου. Τι δεν πήγε καλά και καταλήξαμε εδώ; Πώς είναι δυνατόν να έπιασε φωτιά; Αφού οι λάμπες ήταν σβηστές. Υποψιάζομαι πως κάποιος το προκάλεσε και ξέρω και ποιος είναι.
- Λες να την έβαλε αυτός ο φαντασμένος;
- Γιατί όχι; Τι θα τον εμπόδιζε να το κάνει; Δεν έχω απο-δείξεις αλλά είμαι σίγουρη πως αυτό το έγκλημα, έχει την υπογραφή του. Είδε πως έχανε το παιχνίδι κι απο-φάσισε να λάβει δραστικά μέτρα. Αυτός έβαλε τη φω-τιά, είμαι σίγουρη. Χρησιμοποίησε και το τελευταίο του όπλο για να μ' εξοντώσει. Με είχε προειδοποιή-σει, μα δεν περίμενα πως θα έφτανε μέχρι τον εμπρη-σμό. Ένιωθε το θυμό να φουντώνει μέσα της και την απάθεια να εξαφανίζεται. Θα πάω σπίτι του και θα του ζητήσω εξηγήσεις, είπε αποφασιστικά.
- Θα έρθω κι εγώ μαζί σου. Δε σ' αφήνω μόνη σου μ' αυτόν.

Τον βρήκαν στον περίβολο του σπιτιού, να σκαλίζει το ξερό απομεινάρι του «δέντρου της συγνώμης», όπως το αποκαλούσε ο ίδιος. Ήταν φυτεμένο στην άκρη του καλοσυντηρημένου κήπου του, δίπλα από ολάνθιστα παρτέρια. Αντιλήφθηκε την παρουσία τους, μα συνέχισε τη δουλειά του και δεν έκανε τον κόπο να γυρίσει προς το μέρος τους.

- *Τώρα δεν τολμάς ούτε να με αντικρίσεις;* αναφώνησε έξαλλη από τη συμπεριφορά του.
- *Σε τι οφείλω την τιμή της επισκέψεώς σου;* είπε συγκεντρώνοντας την προσοχή του στη φροντίδα του ξερού δέντρου.
- *Μόνο ένας τρελός θα συνέχιζε ν' ασχολείται μ' ένα νεκρό κούτσουρο, που δεν έχει καμιά ελπίδα να βλαστήσει.*
- *Τότε εσύ είσαι ακόμα πιο τρελή αφού έριξες τόσο κόπο και ιδρώτα σ' ένα κτήμα χωρίς καμιά προοπτική,* είπε χωρίς καν να γυρίσει να την κοιτάξει.
- *Γι' αυτό αποφάσισες να το κάψεις;* τον κατηγόρησε ευθέως. *Μη μου κάνεις τον ανήξερο και ξέρεις πολύ καλά για τη φωτιά που ξέσπασε στην αποθήκη μου!*

Ο Αρης σηκώθηκε και γύρισε το βλέμμα του προς το μέρος τους. Τους είδε να στέκονται εκεί, με τα καπνισμένα τους πρόσωπα και το θυμό ζωγραφισμένο στα μάτια.
- *Το μέρος είναι μικρό και τα νέα μεταδίδονται γρήγορα. Φυσικά και το έμαθα! Κρίμα γιατί κόπιασες πολύ.*
- *Το θράσος σου δεν έχει όρια. Θέλεις να πιστέψω πως νοιάζεσαι για τον κόπο μου, ενώ έκανες τα πάντα για να με καταστρέψεις! Ήθελες να κλέψεις τη γη μου*

και χρησιμοποίησες όλα τα βρώμικα όπλα σου. Ο εμπρησμός όμως ήταν το αποκορύφωμα. Απαιτώ να μου δώσεις άμεσα εξηγήσεις.
Ο Αρης αναστέναξε, σαν να περίμενε αυτού του εί-δους την επίθεση.

- Αυτό είναι βαριά κατηγορία.
- Φυσικά και είναι! Όταν κάτι επαναλαμβάνεται, παύ-ει να είναι σύμπτωση.
- Καλά θα κάνεις να μην κατηγορείς κάποιον χωρίς να έχεις αποδείξεις.
- Έννοια σου και η πυροσβεστική θα κάνει έρευνα για το πώς ξεκίνησε η φωτιά και τότε αλίμονο σε σένα.
- Σταμάτα να δίνεις στα πράγματα διαστάσεις που δεν έχουν. Οι υποψίες σου είναι αόριστες και δεν στη-ρίζονται σε καμία λογική βάση, είπε και συνέχισε τη δουλειά του ατάραχος.
- Απόδειξη είναι το ανέντιμο παιχνίδι που έστησες συ-στηματικά εναντίον μου τόσο καιρό. Έχεις εκβιάσει τους πάντες για να μείνω χωρίς βοήθεια. Θα φρο-ντίσω να πληρώσεις γι' αυτό. Δεν ήθελε να τη δει να κλαίει, μα αδυνατούσε να εμποδίσει τα δάκρυα ορ-γής που κυλούσαν χωρίς σταματημό από τα μάτια της.
- Κανείς δε θα υποστηρίξει πως είμαι επικίνδυνος, όπως θέλεις να με παρουσιάσεις.
- Είσαι ακίνδυνος όσο κι ένα φίδι. Παραμόνευες ύπου-λα το κτήμα μου και δηλητηρίαζες μεθοδικά τις προ-σπάθειές μου. Με κατασκόπευες συνεχώς κι έβαζες εμπόδια σε κάθε μου βήμα. Μου στέρησες το νερό, τη βοήθεια και τη συμπαράσταση των ανθρώπων

που δούλευαν τίμια για μένα. Τους εκβίασες για να μου δείξεις πόσο ισχυρός είσαι. Κι όλα αυτά για να με αναγκάσεις να σου πουλήσω αυτό το κομμάτι γης, που ήταν όνειρο ζωής για μένα. Είμαι τόσο οργισμένη μαζί σου που θα μπορούσα και να σε σκοτώσω.

- Ήρθες εδώ για να με απειλήσεις; είπε ατάραχος, λες και διασκέδαζε με το ξέσπασμά της. Ωραία λοιπόν! Θα καταχωρήσω αυτά που λες μαζί με όλες τις άλλες άχρηστες δηλώσεις σου.

- Δεν σε απειλώ γιατί δεν είμαι ύπουλη σαν και σένα. Τα μόνα μέσα που τόλμησα να χρησιμοποιήσω εναντίον της απανθρωπιάς σου, είναι αυτά, είπε σηκώνοντας ψηλά τα μουντζουρωμένα από τη φωτιά χέρια της. Δούλεψα σκληρά παρά τις αντιξοότητες κι εσύ τα κατέστρεψες όλα.

- Δεν έκανα τίποτα παράνομο, γι' αυτό πάψε να με κατηγορείς.

- Ότι δεν είναι παράνομο, δεν σημαίνει πως είναι και σωστό. Παραβίασες κάθε άγραφο, ηθικό κανόνα που υπάρχει, είπε με τρέμουλο στη φωνή.

- Μη βιάζεσαι να με κατηγορήσεις γιατί χτες ήμουν μέχρι αργά στο καφενείο της πλατείας, ανάμεσα σε μεγάλη παρέα. Εκεί άκουσα την καμπάνα να χτυπά κι έμαθα τι συνέβη. Δεν το έκανα εγώ και υπάρχουν πολλοί που θα το επιβεβαιώσουν, αν χρειαστεί. Εξάλλου απ' ότι έμαθα η αποθήκη σου ήταν κλειδαμπαρωμένη και η φωτιά ξεκίνησε από μέσα. Ακόμα κι αν το ήθελα πώς θα μπορούσα να το κάνω;

- Δεν ξέρω πως τα κατάφερες, αλλά ξέρω πως το σατανικό σου μυαλό θα βρήκε τον τρόπο.

- *Με τις εικασίες δεν κερδίζεις τίποτα. Είχες μια κακή χρονιά κι αυτά συμβαίνουν.*
- *Η χρονιά θα ήταν εξαιρετική αν δεν ανακατευόσουν.*
- *Καταλαβαίνω πως η θέση σου είναι δύσκολη και προσπαθείς να φορτώσεις την αποτυχία σου σε μένα. Ένα γνωμικό, λέει πως αν δεν μπορείς να πας μπροστά γιατί παραμονεύει γκρεμός, είναι καλύτερα να υποχωρείς για να σωθείς,* είπε με μια εκνευριστική ψυχραιμία στη φωνή.
- *Εσύ είσαι υπεύθυνος για την κατάσταση που βρίσκεται η γη μου αυτή τη στιγμή,* είπε εκείνη οργισμένα.
- *Μεγάλα λόγια από κάποια που δεν δέχεται την κακοτυχία της. Δε σε παρεξηγώ για τις ασυναρτησίες που μου αραδιάζεις, γιατί καταλαβαίνω τη σύγχυση σου. Για να δεις πόσο θέλω να σε στηρίξω, θ' ανεβάσω λίγο ακόμα το ποσόν της προσφοράς μου, για να μπορέσεις να ορθοποδήσεις. Μάλιστα μπορώ να σου δώσω δουλειά στο υφαντουργείο μου. Αν σκεφτείς σωστά, θα δεις πως δε θα βρεις καλύτερη λύση. Σε συμφέρει να το πουλήσεις σε μένα, γιατί κανείς άλλος δε θα ενδιαφερθεί για τη γη σου, έτσι όπως είναι σήμερα. Όταν το αποφασίσεις μπορείς να μου τηλεφωνήσεις,* είπε με αυτάρεσκο ύφος.

Η Δάφνη ένιωσε να μισεί αφάνταστα αυτό τον άνθρωπο, τόσο που τρόμαξε κι αυτή με τον εαυτό της. Ένιωσε ασυγκράτητο θυμό να την κυριεύει και την επιθυμία να του επιτεθεί προτάσσοντας τις σφιγμένες γροθιές της. Τελευταία στιγμή συγκρατήθηκε, γιατί συνειδητοποίησε πως ήταν ανίσχυρη να τον αντιμετωπίσει και να βρει λέξεις που θα αντικρούσουν τα λόγια του. Τα επιχειρήματά της είχαν στερέψει.

Όσο κι αν δεν ήθελε να το παραδεχτεί, τα λεγόμενά του είχαν κάποια δόση αλήθειας. Το κτήμα της ήταν σε άθλια κατάσταση. Ήταν πια δεμένη χειροπόδαρα από καταστάσεις που δεν έλεγχε. Ανάλωνε το χρόνο της σε αντιστάσεις που δεν οδηγούσαν πουθενά. Εκείνος την κοίταζε αφ' υψηλού χαμογελώντας βλοσυρά κι είχε την έκφραση του ανθρώπου, που αποδεικνύεται πως πάντα κερδίζει.

- Σε λυπάμαι γιατί έχεις πάψει να φέρεσαι ανθρώπινα. Για να πάρεις αυτό που θες συμπεριφέρεσαι σαν αρπαχτικό. Κάποια στιγμή θα τιμωρηθείς για όλα αυτά που μου έκανες.

ΚΕΦΑΛΑΙΟ ΔΕΚΑΤΟ ΤΡΙΤΟ

Παρά τη φαινομενική ψυχραιμία απέναντι στις κατηγορίες της Δάφνης, ύποπτες σκέψεις άρχισαν να κλωθογυρίζουν στο μυαλό του Άρη, μετά από την επίσκεψη της. Τα οργισμένα της λόγια, τον είχαν θορυβήσει. Ο Σίμος είχε μόλις φτάσει στο σπίτι του κι έσπευσε να τον συναντήσει.

- Καλημέρα Άρη! Σίγουρα θα έμαθες τα νέα της γειτόνισσας σου! Ελπίζω να είσαι ευχαριστημένος τώρα που το πρόβλημα λύθηκε μια και καλή. Η αποθήκη της καταστράφηκε με όλη τη σοδειά μέσα, είπε χαμογελώντας και τρίβοντας τα χέρια του από ικανοποίηση.

- Σίμο, εσύ έβαλες τη φωτιά; ρώτησε κοφτά χωρίς καν να τον χαιρετήσει.

- Φυσικά! παραδέχτηκε με καμάρι, επιβεβαιώνοντας τις υποψίες του. Καλά τα κατάφερα, δε συμφωνείς;

- Γιατί θα έπρεπε να συμφωνώ; Σου ζήτησα να κάνεις κάτι τέτοιο;

- Όχι, μα....

- Τότε γιατί το έκανες; τον διέκοψε απότομα.
- Για να σ' ευχαριστήσω, είπε κάπως μουδιασμένα από την αντίδρασή του. Είδα πόσο στεναχωρημένος ήσουν χτες και αποφάσισα να κάνω κάτι για να σε βοηθήσω.
- Σου έχω τονίσει επανειλημμένως, πως δε θα κάνεις τίποτα αν δεν το εγκρίνω πριν εγώ.
- Δεν καταλαβαίνω το θυμό σου! Εγώ περίμενα πως θα χαιρόσουν, αφού η φωτιά θα σ' έβαζε πάλι στο παιχνίδι και θα διεκδικούσες ξανά το αγρόκτημα. Πίστευα πως θα μου έλεγες ευχαριστώ κι όχι ότι θα με κατσάδιαζες! Εξάλλου κι εσύ χρησιμοποίησες πλάγιους τρόπους για να πετύχεις αυτό που ήθελες. Γιατί τώρα ενοχλείσαι;
- Μπορεί να χρησιμοποίησα πλάγιους τρόπους, μα όχι παράνομους. Ο εμπρησμός είναι αδίκημα και μάλιστα σοβαρό.
- Κι οι εκβιασμοί παράνομοι δεν είναι;
- Εγώ έδωσα ευκαιρίες κι επιλογές. Ο καθένας διάλεγε αυτό που τον βόλευε. Θα ήμουν σύμφωνος αν είχες κάποια καλή ιδέα να εμποδίσουμε τη σοδειά να πουληθεί, χωρίς να κινδυνεύω να βρεθώ στη φυλακή. Όμως εσύ έκανες του κεφαλιού σου δίχως να το συζητήσεις μαζί μου. Θα γίνουν έρευνες για τα αίτια της πυρκαγιάς. Αν βρεθεί κάποιο στοιχείο που οδηγεί σε σένα, αυτόματα θα κατηγορηθώ κι εγώ σαν συνένοχος, αφού είναι γνωστή η διαμάχη μου μ' εκείνη. Όπως καταλαβαίνεις μ' έμπλεξες άσχημα.
- Δε θα βρεθεί τίποτα γιατί φρόντισα να καλύψω τα ίχνη μου. Δεν παραβίασα την αποθήκη της, ούτε

χρησιμοποίησα κάποιο εκρηκτικό υλικό.

- Τότε πως το έκανες;

- Μ' ένα πολύ έξυπνο κόλπο που έμαθα στα παιδικά μου χρόνια. Βρήκα ένα χελωνάκι, που οι διαστάσεις του επέτρεπαν να περάσει από τον εξαερισμό που υπάρχει κάτω από την πόρτα. Έλιωσα κερί πάνω στο καβούκι του, άναψα ένα φυτιλάκι από λεπτό σπάγκο, που όταν καεί δεν αφήνει ίχνη και το άφησα να περάσει από το κενό. Ήταν ελάχιστο, μα αρκετό για να επιτρέψει στον μικρό μου εισβολέα να μεταφέρει την αδύναμη φλογίτσα στο εσωτερικό του. Φοβόμουν πως θα έσβηνε γρήγορα και το σχέδιο θ' αποτύχαινε, μα το άχυρο που υπήρχε μέσα τη φούντωσε. Ποιος θα κατηγορήσει ένα αθώο χελωνάκι;

- Εύχομαι να είναι έτσι, για το καλό και των δυο μας. Όμως ανεξαρτήτως από το αποτέλεσμα, εσύ παύεις να είσαι στη δούλεψή μου.

- Μα γιατί; αναφώνησε σαν κεραυνοβολημένος. Αφού εσύ είσαι ο μοναδικός κερδισμένος!

- Γιατί δε δέχομαι οι υπάλληλοί μου να με αψηφούν και ν' αποφασίζουν χωρίς να λαμβάνουν υπόψη τους τη γνώμη μου.

- Δηλαδή δε φτάνει πού κατάφερα αυτό που πάλευες άσκοπα τόσο καιρό, θα με διώξεις κι από πάνω; είπε εξοργισμένος.

- Ακριβώς Σίμο! απάντησε αποφασιστικά. Κάθε δική μου κίνηση ήταν πάντα υπολογισμένη προσεχτικά, έτσι ώστε το αποτέλεσμα να είναι μονόδρομος. Σου είχα πει πως θα ενεργείς σύμφωνα με τους δικούς μου όρους κι εσύ με αγνόησες. Δε θέλω απείθαρχα άτομα στη δουλειά μου. Φύγε αμέσως από εδώ και μην ξανάρθεις στο σπίτι μου.

- Ξεχνάς πως εγώ είμαι αυτός που έβγαζε πάντα το φίδι από την τρύπα; Εμένα χρησιμοποιούσες στα δύσκολα. Εσύ θα ήσουν ένα τίποτα χωρίς την περιουσία που σου άφησε ο πατέρας σου! είπε υποτιμητικά.

- Είμαι ένα τίποτα που μπορεί να σου δείξει την πόρτα, είπε σηκώνοντας το δείκτη του δεξιού του χεριού.

- Αυτό θα μου το πληρώσεις, τον απείλησε, με μια σπίθα εκδίκησης να λάμπει στο βλέμμα του.

Τις επόμενες μέρες η Δάφνη διαπίστωσε με τρόμο πως δεν είχε και πολλές επιλογές. Η έρευνα της πυροσβεστικής δεν κατέληξε σε κάποιο πόρισμα. Η πόρτα και το παράθυρο ήταν απαραβίαστα και δεν βρέθηκαν ίχνη εμπρηστικής ύλης. Οπότε τα αίτια της φωτιάς παρέμειναν άγνωστα.

Επιπλέον τ' αποτελέσματα του ειδικού στα θέματα των υδάτινων πόρων ήταν τελείως διαφορετικά απ' αυτά που προσδοκούσε. Σύμφωνα με την αυτοψία που έγινε στο κτήμα και τη μελέτη του υπεδάφους της περιοχής, δικαιωνόταν περίτρανα ο Άρης.

Όσα είχε πει στον Θωμά ήταν τελικά αληθινά. Το συμπαγές πέτρωμα που τους διαχώριζε δεν επέτρεπε τη διέλευση του νερού στη δική της πλευρά. Υπήρχε μια πιθανότητα να ξεπεράσουν αυτό το εμπόδιο, μα το κόστος ήταν απαγορευτικό και οι ελπίδες μηδαμινές.

Τα αδιέξοδα αποτελέσματα έκαναν την καρδιά της να βουλιάξει στην απόγνωση. Το ηθικό της ήταν τελείως καταρρακωμένο. Συνειδητοποίησε πως όλα αυτά που πάλευε να καταφέρει τόσο καιρό, δεν ήταν παρά μια ψευδαίσθηση. Από τη στιγμή που εκείνος ξεκίνησε τον πόλεμο, η πορεία ήταν προκαθορισμένη. Είχε όλη τη δύναμη με το μέρος του και δεν υπήρχε περίπτωση να χάσει τη μάχη. Ήταν ξεκάθαρο πως ο εχθρός υπερείχε σε όλα τα επίπεδα. Το μέλλον της διαγραφόταν αβέβαιο και ζοφερό.

Ένα ακόμα χτύπημα ήρθε να προστεθεί στον σωρό των προβλημάτων της. Με τα χρήματα από την πώληση του κοπαδιού της, πήγε στο ενεχυροδανειστήριο να πάρει τον αγαπημένο της σταυρό, όμως δεν ήταν πια εκεί. Επειδή είχε υπερβεί το χρονικό περιθώριο που θα μπορούσε να τον διεκδικήσει, ο σταυρός ήταν διαθέσιμος προς πώληση και βγήκε σε πλειστηριασμό.

«Ήταν ένα εξαιρετικό κομμάτι και πουλήθηκε αμέσως», ήταν η απάντηση του υπαλλήλου που απευθύνθηκε. «Υπήρχαν πολλά άτομα που τον διεκδικούσαν και είχαμε υψηλές χρηματικές προσφορές».

Τα έβαλε με τον εαυτό της που τον έθεσε σε κίνδυνο, κυνηγώντας χωρίς καμιά επιτυχία το άπιαστο όνειρό της. Είχε ανεκτίμητη συναισθηματική αξία και τώρα τον έχασε για πάντα.

Οι μέρες που ακολούθησαν ήταν μονότονες και γεμάτες απραξία. Η βαρύθυμη διάθεση την ακολουθούσε παντού. Είχε μάθει να εργάζεται και να οργανώνει το κτήμα της σχεδόν όλη τη μέρα κι αυτό της έλειπε. Η επιβεβλημένη νωθρότητα ήταν ξένη προς το χαραχτήρα της και είχε στραγγίξει την ενεργητικότητα που την διέκρινε συνήθως. Άπειρες σκέψεις σφυροκοπούσαν το μυαλό της, δίχως λογικό ειρμό. Ανάλωσε ώρες στην ανάλυση των προοπτικών και στη λήψη της σωστής απόφασης για το μέλλον.

Προσπαθώντας να ξεφύγει από την τεμπέλικη διάθεση που ισοπέδωνε την ψυχολογία της, έριξε όλο το βάρος στην εκπαίδευση του Χρήστου. Ο μικρός προχωρούσε πολύ γρήγορα και θέλοντας να την κάνει να νιώσει καλύτερα κατέβαλε ακόμα μεγαλύτερες προσπάθειες.

Όμως εκείνο το πρωινό έγινε κάτι που της υπενθύμισε μια υποχρέωση που είχε αμελήσει. Η εικόνα που είχε τοποθετηθεί στον τοίχο του σπιτιού της, ευωδίαζε έντονα κι ακούγονταν χτυπήματα αγνώστου προέλευσης.

Αυτός ο μεταφυσικός συναγερμός τής υπενθύμισε πως ήρθε η ώρα να προχωρήσει την έρευνα, που είχε μεταθέσει γι' αργότερα, λόγω έλλειψης χρόνου. Το μόνο στοιχείο που είχε στην κατοχή της για να ξεκινήσει, ήταν ένα όνομα. Ο Χαρίλαος Χατζηπάνου, ήταν ο μοναδικός που ήξερε που βρισκόταν το νησί. Έπρεπε να τον βρει και να εκπληρώσει το καθήκον που είχε αναλάβει ο Χρήστος.

Ένας μαραθώνιος ερευνών ξεκίνησε. Οι πληροφορίες που συγκέντρωσαν τους οδήγησαν σ' ένα κοντινό χωριό. Η διεύθυνση ανήκε σ' ένα σπίτι που φαινόταν ακατοίκητο. Χτύπησαν την πόρτα, μα δεν τους άνοιξε κανείς. Ήταν έτοιμοι να φύγουν όταν μια κουρτίνα παραμερίστηκε από το παράθυρο του διπλανού σπιτιού. Η γειτόνισσα που αντιλήφθηκε την παρουσία τους, βγήκε στο κατώφλι της.

- Άδικα χτυπάτε. Έχει πολλά χρόνια να έρθει κάποιος εδώ. Εσείς ποιον ζητάτε;

- Ψάχνω κάποιον Χαρίλαο Χατζηπάνου.
- Α, αυτόν! είπε με μια νότα περιφρόνησης στην έκφρασή της.
- Ξέρετε που μπορώ να τον βρω; ρώτησε η Δάφνη παραξενεμένη από την αποστροφή που συνόδευε τις αντιδράσεις της.
- Τι τον θέλετε; Έκανε κάτι κακό; ρώτησε με μια γενναία δόση κουτσομπολίστικης διάθεσης να χρωματίζει τον τόνο της φωνής.
- Θα προτιμούσα να μην το συζητήσω, γιατί είναι κάτι πολύ προσωπικό! είπε η Δάφνη βάζοντας φραγμό στην περιέργειά της.
- Έχω να τον δω από τότε που ήταν έφηβος, αλλά ξέρω πως αυτός είναι υπεύθυνος για την καταστροφή της οικογένειάς του. Έκανε κάτι πολύ κακό και όταν το έμαθαν οι γονείς του έγιναν έξαλλοι. Ποτέ δε μάθαμε κάτι συγκεκριμένο, μα είχαν καθημερινώς καυγάδες στο σπίτι και άκουγα τον πατέρα του να τον αποκαλεί κλέφτη. Ήταν μια αυστηρή και αξιοπρεπής οικογένεια. Δεν μπόρεσαν ν' αντέξουν την ντροπή που τους έδωσε. Τελικά ο Χαρίλαος μάζεψε τα πράγματά του κι εξαφανίστηκε.
- Γνωρίζετε που βρίσκεται; Είναι ανάγκη να του μιλήσω!
- Δυστυχώς από τότε δεν τον ξαναείδα και δεν έμαθα τίποτε άλλο γι' αυτόν.
- Τότε μήπως ξέρετε πού μπορώ να βρω κάποιον από την υπόλοιπη οικογένεια;
- Φοβάμαι πως θα σας απογοητεύσω! Λίγο καιρό μετά η μητέρα του πέθανε από τη στεναχώρια της. Ο

πατέρας του έπαθε εγκεφαλικό και είναι στο κέντρο αναπήρων.

- Ίσως εκείνος να ξέρει κάτι για τον Χαρίλαο! Θα πάμε να τον βρούμε, είπε αποφασιστικά. Μπορείτε να μου πείτε τ' όνομα του;

- Ονομάζετε Λευτέρης Χατζηπάνου, μα δεν ξέρω αν θα καταφέρετε να του μιλήσετε. Έμαθα πως η κατάσταση του δεν είναι καλή.

- Αξίζει τον κόπο να προσπαθήσουμε.

Το κέντρο αναπήρων απείχε από εκεί γύρω στη μισή ώρα με το λεωφορείο. Έφτασαν τη στιγμή που ετοιμάζονταν να σερβίρουν στους αρρώστους το μεσημεριανό τους γεύμα.

- Ορίστε παρακαλώ! είπε η προϊσταμένη που απευθύνθηκαν.

- Θα ήθελα να μιλήσω με τον κύριο Λευτέρη Χατζηπάνου για κάτι πολύ σημαντικό.

- Είστε συγγενείς του;

- Όχι, μα είναι απόλυτη ανάγκη να μιλήσουμε μαζί του. Χρειαζόμαστε πληροφορίες, που μόνο εκείνος μπορεί να μας δώσει.

- Νομίζω πως θα ήταν καλύτερα να μην επιτρέψω αυτή την επίσκεψη. Έχει υποστεί εγκεφαλικό και δεν επικοινωνεί καλά με το περιβάλλον. Βέβαια έχει κάποιες στιγμές διαύγειας μα δεν κρατούν πολύ.

- Αφήστε μας να τον δούμε για λίγο! παρακάλεσε ευγενικά Αν δεν είναι σε θέση να επικοινωνήσει, σας υπόσχομαι πως δε θα τον πιέσω.

- Εντάξει, είπε η προϊσταμένη λυγίζοντας μπροστά

στην επιμονή της. *Θα επιτρέψω μια σύντομη επίσκε-*
ψη, αν και δεν πιστεύω πως θα καταφέρετε ν' απο-
σπάσετε τις πληροφορίες που ζητάτε. Όμως το παιδί
θα ήταν καλό να παραμείνει εδώ. Το περιβάλλον
εκεί μέσα δεν είναι κατάλληλο για την ηλικία του.
- Χρήστο, θέλω να κάτσεις ήσυχα να περιμένεις,
ώσπου να γυρίσω.
- Πήγαινε και μην ανησυχείς για μένα. Υπόσχομαι πως
δε θα κουνηθώ από τη θέση μου.
Η προϊσταμένη προπορεύτηκε και η Δάφνη την ακο-
λούθησε. Ευτυχώς που ο μικρός δεν ήταν μαζί της γιατί
το θέαμα των ανήμπορων αρρώστων δεν ήταν καθόλου
ευχάριστο. Την οδήγησε στον κήπο στην πίσω πλευ-
ρά του κέντρου. Κάτω από τη σκιά μιας πυκνόφυλλης
κληματαριάς, καθισμένος σ' ένα αναπηρικό καροτσά-
κι, ρέμβαζε ο πατέρας του ανθρώπου που έψαχνε. Τον
πλησίασε διστακτικά κι έκατσε δίπλα του. Ο ηλικιωμένος
άνδρας συνέχισε να κοιτάζει το κενό, αδιαφορώντας για
την παρουσία της.
- Κύριε Λευτέρη, είπε χαμηλόφωνα, ενώ εκείνος πα-
ρέμενε ανέκφραστος. Σας παρακαλώ να μου δώσετε
λίγο προσοχή γιατί πρόκειται για κάτι πολύ σημαντι-
κό.
- Άδικα προσπαθείς κοπέλα μου! είπε η προϊσταμένη
που την παρακολουθούσε. Δεν βλέπεις την κατά-
στασή του;
- Κύριε Λευτέρη, επανέλαβε ικετευτικά, ψάχνω το γιο
σας. Ξέρετε που μπορώ να τον βρω;
- Ο Χαρίλαος! ψέλλισε αδύναμα.
- Ναι! είπε χαμογελώντας από την ορθότητα της απά-

ντησής του.

- Δεν έπρεπε να το κάνει αυτό!

- Ξέρετε για την εικόνα;

- Ο Αγιος Γεώργιος, είπε και το πρόσωπό του πήρε μια τρομαγμένη έκφραση. Μετά κάρφωσε το βλέμμα του πάλι στο κενό, σαν να προβάλλονταν εκεί εικόνες από το παρελθόν. Προσπαθούσε να μιλήσει μα τα λόγια του δεν μπορούσαν να βγάλουν νόημα.

- Δεν καταλαβαίνω τι μου λέει.

- Πρώτη φορά τον βλέπω έτσι, είπε η προϊσταμένη.

- Πώς τόλμησες; φώναξε ξαφνικά. *Θα σε κάψει ο Θεός. Φύγε από το σπίτι μου!* είπε σαν να μάλωνε κάποιον ξαναζώντας τις στιγμές.

- Φαίνεται τρομαγμένος, είπε η Δάφνη.

- Η εικόνα δακρύζει, τι θα κάνουμε τώρα; είπε συνεχίζοντας το παραλήρημά του. *Πήγαινέ την πίσω αμέσως.*

- Πού μπορώ να βρω τον Χαρίλαο; Πού πρέπει να την πάει; Ποιο είναι αυτό το μέρος; Τον βομβάρδισε με ερωτήσεις, που δεν ήταν σε θέση ν' απαντήσει. Βυθίστηκε ξανά στη σιωπή με την θλίψη να παραμένει στην έκφρασή του.

- Λυπάμαι αλλά θα πρέπει να σας ζητήσω να φύγετε. Δεν είναι σε θέση να πει τίποτα ξεκάθαρο και το μόνο που καταφέρατε είναι να τον αναστατώσετε.

- Συγνώμη γι' αυτό! Το μόνο που ήθελα ήταν να μάθω που είναι ο γιος του.

- Αν μου λέγατε από την αρχή πως ψάχνετε γι' αυτόν, θα σας έλεγα. Λυπάμαι αλλά άδικα προσπαθείτε να τον βρείτε, γιατί δεν είναι πια στη ζωή.

- *Είστε σίγουρη γι' αυτό;* ρώτησε απογοητευμένη.

- *Δυστυχώς ναι! Η αιτία του εγκεφαλικού του ήταν η είδηση από το θάνατο του μοναχογιού του, που πνίγηκε σε ναυάγιο.*

Η Δάφνη είδε και την τελευταία ελπίδα της να χάνετε. Έριξε ακόμα μια ματιά στον άρρωστο. Ήταν βυθισμένος σ' ένα δικό του κόσμο. Έφυγε απογοητευμένη από την αποτυχία ν' ανακαλύψει κάτι για το μυστηριώδες νησί.

ΚΕΦΑΛΑΙΟ ΔΕΚΑΤΟ ΤΕΤΑΡΤΟ

- *Δυστυχώς καταλήξαμε σε αδιέξοδο, είπε η Δάφνη ενημερώνοντας τον Χρήστο για τα γεγονότα που διαδραματίστηκαν στο κέντρο αναπήρων.*
- *Κρίμα γιατί δε θα μπορέσω να εκπληρώσω την επιθυμία εκείνου του ανθρώπου. Και το ήθελα τόσο πολύ!*
- *Μην φορτώνεις τον εαυτό σου με ενοχές μικρέ. Κάναμε ότι μπορούσαμε, μα τώρα πια δεν έχουμε καμιά καινούργια πληροφορία. Πώς να συνεχίσουμε αφού οι μοναδικοί άνθρωποι που γνώριζαν αυτό το νησί δε ζουν πια;*
- *Είπε να την κρατήσω εγώ αν δεν τον βρω.*
- *Δεν ξέρω αν το σπίτι μας είναι κατάλληλος χώρος για την ιερότητά της. Ίσως θα πρέπει να συμβουλευτώ ένα κληρικό για το τι πρέπει να κάνω. Θα το φροντίσω μόλις τακτοποιήσω το δικό μου θέμα.*
- *Τι σκέφτεσαι να κάνεις με το κτήμα, κυρά;*
- *Δεν κατάφερα να καταλήξω πουθενά. Η πυρκαγιά μου έδωσε το τελειωτικό χτύπημα. Τελευταία μ' ότι*

κι αν καταπιαστώ καταλήγει σ' αποτυχία. Ποιον προσπαθώ να κοροϊδέψω; αναρωτήθηκε λυπημένη. Είναι προφανές πως έχασα το παιχνίδι. Δεν έχει νόημα να συνεχίσω μια χαμένη μάχη και η μόνη λύση όπως λέει κι ο κύριος Δήμου, είναι η ταχτική της υποχώρησης. Δεν ωφελεί να το αρνούμαι.

Γύρισε και κοίταξε το παιδί που είχε κουλουριαστεί δίπλα της. Δάκρυα είχαν δραπετεύσει από την ευαίσθητη ψυχή του κι ήταν ακόμα νωπά στα μάγουλά του. Πονούσε κι αυτό όπως κι εκείνη.

- Και τώρα που δεν έχεις λεφτά, θα με πάρουν πίσω στο ίδρυμα; κλαψούρισε φοβισμένο μπροστά σε μια τέτοια προοπτική.

Η Δάφνη αγκάλιασε τρυφερά το θλιμμένο αγόρι και σκούπισε με το μαντήλι της τα υγρά του μάτια.

- Θα κάνω ότι περνάει από το χέρι μου για να μείνεις κοντά μου. Σκέφτηκα κάτι, αλλά δε θα σου αρέσει και πολύ όταν το ακούσεις. Το καλύτερο είναι να υποκύψω στον εκβιασμό του και να του πουλήσω το αγρόκτημα.

- Όχι αυτό! είπε ικετευτικά. Δε θέλω να του δώσουμε αυτή τη χαρά!

- Ούτε κι εγώ, μα δεν γίνεται τίποτε άλλο πια. Ένα κομμάτι γης που ο σκοπός είναι να καλλιεργείται, είναι άχρηστο χωρίς νερό. Αν δεν το πουλήσω σ' εκείνον θα πάει χαμένο, γιατί κανείς δε θα θελήσει να επενδύσει σ' αυτό. Τα χρήματα που μου δίνει είναι καλά. Με το ποσόν που θα πάρω, θα πληρώσω τα χρέη μου και μετά θα βρω μια δουλειά. Έριξε μια εξερευνητική ματιά στο σπίτι που είχε ζήσει τόσα πολλά.

Δεν αντέχω να το χάσω κι αυτό. Αν δεν καταπιώ την περηφάνια μου θα είναι σαν να το καταδικάζω. Να δεις που θα σταθούμε ξανά στα πόδια μας κι όλα θα φτιάξουν.

- *Εγώ θα προσεύχομαι στην εικόνα του Αϊ- Γιώργη και είμαι σίγουρος πως θα σε βοηθήσει, γιατί είναι θαυματουργή.*

- *Πράγματι είναι ιδιαίτερη. Μας έχει δώσει πολλά σημάδια. Εύχομαι η ευλογία της να σ' ακολουθεί στη ζωή σου. Μα πρέπει να βοηθήσεις κι εσύ τον εαυτό σου. Το ξεκίνημα της νέας σχολικής χρονιάς πλησιάζει και από τις εξετάσεις που θα δώσεις, θα κριθεί η τάξη που θα τοποθετηθείς. Βάλε τα δυνατά σου έτσι ώστε οι συμμαθητές σου να είναι στην ηλικία σου.*

- *Σου υπόσχομαι πως θα διαβάζω όλη μέρα για να τα καταφέρω και θα γίνω ο καλύτερος μαθητής.*

- *Κάποια μέρα θα ευχαριστείς το Θεό που έμαθες γράμματα.*

- *Και όχι μόνο! Ευχαριστώ κι εσένα που με δίδαξες. Θα σπουδάσω για να βγάζω πολλά χρήματα κι όταν μεγαλώσω θα σου αγοράσω ένα καλύτερο κτήμα για να φτιάξεις το οινοποιείο που ονειρεύεσαι.*

Η Δάφνη συγκινήθηκε από την ευγενική σκέψη του. Τον αγκάλιασε και φίλησε την κορυφή του κεφαλιού του. Αυτό το παιδί ήταν πολύ αλλιώτικο από κάθε άλλο δεκάχρονο.

- *Να σπουδάσεις για να γίνεις σωστός άνθρωπος και να έχεις ευκαιρίες στη ζωή σου. Ελπίζω πως εσύ τουλάχιστον θα τα καταφέρεις. Πήγαινε τώρα να διαβάσεις.*

- *Εντάξει, αλλά δε θέλω να στενοχωριέσαι πια. Ο Θεός δε θ' αφήσει ατιμώρητη μια τέτοια αδικία.*

Ο Χρήστος πήγε στο δωμάτιό του να διαβάσει κι η Δάφνη βημάτιζε νευρικά μέσα στο χώρο του σαλονιού της. Έξω είχε ξεσπάσει μια καλοκαιρινή μπόρα. Αν είχαν έρθει διαφορετικά τα πράγματα, αυτή η βροχή θα ήταν πραγματική ευλογία για το κτήμα της. Όμως κάτω από τις παρούσες συνθήκες, δεν την είχε πια καμία ανάγκη. Ετοιμαζόταν να κάνει το πιο επώδυνο βήμα της ζωής της. Η απόφαση είχε πια παρθεί, όμως δεν ήταν καθόλου εύκολο να προχωρήσει στην υλοποίηση της. Μέσα της πάλευε το συναίσθημα με τη λογική. Περνούσε το μαρτύριο του ανθρώπου που αναγκαζόταν ν' αποχωριστεί κάτι που αγαπούσε πολύ. Χάνοντας το κτήμα της δεν ήξερε πώς να διαχειριστεί το αύριο.

Αφού δεν είχε πλέον άλλη επιλογή, καλύτερα να τέλειωνε μια ώρα αρχύτερα. Σταμάτησε μπροστά στην ιερή εικόνα και νοερά ζήτησε τη βοήθεια του Αγίου. Χρειάστηκε υπεράνθρωπη προσπάθεια για να μετακινήσει τ' απρόθυμα μέλη της. Πλησίασε την τηλεφωνική συσκευή και σχημάτισε τον αριθμό του. Μετά από μερικά δευτερόλεπτα οδυνηρής αναμονής, ακούστηκε από την άλλη μεριά της γραμμής η αυταρχική φωνή του Άρη.

- *Θέλω να έρθεις σπίτι μου για να συζητήσουμε,* είπε κοφτά.

- *Για ποιο λόγο; Για ν' αρχίσεις πάλι να με κατηγορείς;*

- *Δεν πρόκειται γι' αυτό.*

- *Τότε γιατί θέλεις να έρθω;*

Η Δάφνη πήρε μια βαθιά ανάσα για να ξεστομίσει τις λέξεις που δεν άντεχε η περηφάνια της. Μετά από τόση επιμονή στο στόχο της ήρθε η ώρα να παραδεχτεί την ήττα της και μάλιστα σ' εκείνον.

- *Για να σου πω πως νίκησες, είπε κομπιάζοντας. Δέχομαι να σου πουλήσω το κτήμα μου.*

Ένα χαμόγελο σχηματίστηκε στην όψη του. Ευτυχώς που εκείνη δεν μπορούσε να το δει.

- *Ώστε επιτέλους έβαλες μυαλό!*

- *Σταμάτα τις ειρωνείες! Δέχομαι να σου δώσω το κτήμα μου. Δε σου αρκεί αυτό;*

- *Να είσαι σίγουρη πως πήρες τη σωστή απόφαση.*

- *Δεν είναι η σωστή, είναι η μόνη που μου άφησες. Φτιάξε γρήγορα το συμβόλαιο μεταβίβασης στ' όνομά σου και φέρε να το υπογράψω προτού το μετανιώσω, είπε προσπαθώντας να διατηρήσει την ψυχραιμία της. Θα σου στείλω όλα τα απαραίτητα στοιχεία.*

- *Θα σε ειδοποιήσω όταν θα είναι έτοιμο, είπε προσπαθώντας να συγκρατήσει τον ενθουσιασμό του.*

Η γραμμή έκλεισε κι εκείνη άφησε το ακουστικό στη βάση του. Ευτυχώς που το παιδί δεν ήταν μπροστά να δει την κατάρρευση που ακολούθησε. Ξέσπασε συνειδητοποιώντας την πλήρη αδυναμία της να κάνει οτιδήποτε. Έμεινε ασάλευτη γι αρκετή ώρα. Ένιωθε να κρυώνει, αν και ο καιρός ήταν ζεστός. Άναψε το τζάκι και παρακολουθούσε τα κούτσουρα να τριζοβολούν. Ήλπιζε πως οι ζεστές του φλόγες θα την έκαναν να σταματήσει να τρέμει. Σύντομα διαπίστωσε πως η παγωνιά που ένιωθε ήταν μέσα στην ψυχή της.

Στο σπίτι του Άρη η κατάσταση ήταν διαφορετική. Επιτέλους την είχε φέρει εκεί που ήθελε. Το κτήμα σε λίγο θα γινόταν ολόκληρο δικό του. Κέρδισε ακόμη μια φορά.

Τότε γιατί δεν ένιωθε τίποτα; Γιατί δεν είχε την αίσθηση της χαράς και της ικανοποίησης που ακολουθεί την επιτυχία; Μόνο ένα παγερό κενό υπήρχε στην ψυχή του. Ένα μουδιασμένο, αδιέξοδο συναίσθημα, που φοβόταν πως θα το κουβαλούσε σε όλη την υπόλοιπη ζωή του. Ίσως αυτή η τιμωρία αρμόζει σ' έναν άνθρωπο που είχε χάσει την ψυχή του.

Είχαν περάσει τρεις μέρες από τότε που πάρθηκε η απόφαση να πουληθεί το κτήμα στον Άρη. Το συμβόλαιο είχε ετοιμαστεί και την ειδοποίησε πως θα την επισκεπτόταν για την υπογραφή της. Η Δάφνη δεν ήθελε το αγόρι να βρίσκετε μπροστά σ' αυτή τη δυσάρεστη στιγμή και τον παρακάλεσε να πάει για διάβασμα στο κτήμα.

Ο Χρήστος άνοιξε το βιβλίο ιστορίας και βάλθηκε να διαβάζει δυνατά το κείμενο. Είχε υποσχεθεί πως θα μάθει να το διαβάζει σαν νερό και να μη σκαλώνει σε καμιά λέξη, όσο δύσκολη κι αν είναι.

Καθόταν όπως συνήθως κάτω από το αγαπημένο του δέντρο. Οι ογκώδεις ρίζες που προεξείχαν από το έδαφος, ήταν το πιο βολικό σημείο για να μελετάει. Το πυκνό του φύλλωμα τον προστάτευε από το δυνατό ήλιο. Ίσως ήταν η τελευταία φορά που καθόταν εκεί, αφού ήξερε πως σήμερα το κτήμα θ' άλλαζε ιδιοκτήτη και θα έχανε το αγαπημένο του στέκι.

Ο φτερωτός του φίλος είχε γίνει αναπόσπαστο κομμάτι της μελέτης του. Στεκόταν πάνω στον ώμο του σαν να τον είχε στείλει η Δάφνη για να τον επιβλέπει. Πριν φύγει από το σπίτι, είδε τη θλίψη που βασίλευε στα μάτια της και κατάλαβε πως ήταν πολύ στεναχωρημένη, παρότι προσπαθούσε να του το κρύψει. Το ελάχιστο που θα μπορούσε να κάνει για κείνη ήταν να προοδεύσει στη μελέτη του για να της δώσει λίγη χαρά. Της το χρωστούσε και δεν είχε το δικαίωμα να την απογοητεύσει. Ήταν ο μοναδικός άνθρωπος που διάβασε την ψυχή του κι ενδιαφέρθηκε πραγματικά γι' αυτόν.

Αφού τελείωσε το μάθημά του, πήρε το τετράδιο και αντέγραψε το κείμενο, προσπαθώντας να κάνει ομοιόμορφα, καλλιγραφικά γράμματα. Ήταν απορροφημένος στη μελέτη του και δεν αντιλήφθηκε την παρουσία κάποιου πίσω του. Ξαφνικά ένιωσε ένα χέρι να του κλείνει το στόμα και να τον τραβά πίσω από τον κορμό του δέντρου. Ο μικρός πάλεψε να ξεφύγει μα αυτός που τού επιτέθηκε ήταν πιο δυνατός και τον ακινητοποίησε.

ΚΕΦΑΛΑΙΟ ΔΕΚΑΤΟ ΠΕΜΠΤΟ

Ο ήχος του ρολογιού πάνω στο τζάκι, τόνιζε ηχηρά κάθε δευτερόλεπτο που περνούσε. Η αναμονή ήταν αφόρητα βασανιστική. Σύντομα θα έχανε ένα κομμάτι γης, που είχε στηρίξει όλη τη μετέπειτα ζωή της. Η ψυχή της κατακλυζόταν από μια φοβερή αίσθηση απώλειας.

Το κουδούνι της εξώπορτας έβγαλε την Δάφνη από τις θλιβερές της σκέψεις. Η στιγμή που πάλεψε τόσο ν' αποφύγει, είχε φτάσει. Δεν έπρεπε να δειλιάσει τώρα. Πήρε μια βαθιά ανάσα κι άνοιξε την πόρτα. Ο άνθρωπος που την καταδίωκε μετά μανίας, μπήκε στο σπίτι της με τον αέρα και τη σιγουριά του νικητή. Επιθεώρησε το χώρο σιωπηλός, με το ερευνητικό του βλέμμα.

Την κοίταξε αφ' υψηλού, μ' ένα βλέμμα που δεν είχε τίποτα συμπονετικό για τη δύσκολη θέση της. Της έτεινε το συμβόλαιο επιδειχτικά, κάνοντάς της νεύμα να το πάρει. Εκείνη κοίταξε τα χαρτιά, μα δεν άπλωσε το χέρι της, σαν να φοβόταν να τ' αγγίξει.

- *Τι περιμένεις; Χρειάζονται την υπογραφή σου για να είναι έγκυρα. Γι' αυτό δε με φώναξες στο σπίτι σου;*

147

Αν το είχες πάρει απόφαση νωρίτερα θα είχες γλιτώσει από πολύ κόπο και μπελάδες. Η Δάφνη έριξε μια αιχμηρή ματιά πάνω του. Επιστράτευσε όλες της τις δυνάμεις να συγκρατηθεί. Έσφιξε μηχανικά τις γροθιές της πνίγοντας την επιθυμία να τον χτυπήσει. Το ύφος του θριαμβευτή την έκανε να νιώσει την ανάγκη ν' αλλάξει την απόφασή της. Όμως η φωνή της λογικής υπερίσχυσε, θρυμματίζοντας το συναίσθημα.

- Σταμάτα τις ειρωνείες γιατί είναι ήδη αφάνταστα δύσκολο για μένα. Ξέρεις πολύ καλά πως εσύ φταις για όλα.

- Η αποτυχία σου είχε να κάνει με μια σειρά άτυχων συγκυριών και κακών επιλογών.

- Αν έπαιζες τίμια δε θα βρισκόμουν σ' αυτή τη θέση.

- Ανταγωνισμός σημαίνει να παλεύεις σκληρά ακόμα και βρώμικα αν χρειαστεί.

- Εγώ όμως πάλεψα τίμια, ενώ εσύ ροκάνισες μεθοδικά κάθε μου στήριγμα, ώστε να καταρρεύσω. Είσαι ένα εγωιστικό άτομο που είναι ικανό να φέρει τον κόσμο πάνω κάτω για να πετύχει το σκοπό του.

- Αν δεν είσαι δυνατός δεν πας μπροστά.

- Φαίνεται πως εγώ δεν είμαι επιδέξια στους εκβιασμούς. Σε αντίθεσή με σένα που έχεις ταλέντο στο να χειραγωγείς τους άλλους, είπε με φωνή που έσταζε πίκρα.

- Εγώ στη ζωή μου έχω μάθει να κερδίζω, χωρίς να στηρίζομαι σε ανόητους συναισθηματισμούς. Η αποτυχία είναι πικρό χάπι και κατανοώ τη δυσκολία σου να το καταπιείς. Όμως είναι και η μοναδική θεραπεία για να σωθείς. Κι αυτό το γνωρίζεις καλά.

- Και τώρα τι θέλεις; Να με ταπεινώσεις κι άλλο; Να παραδεχτώ πως έκανα λάθος που θέλησα να τα βάλω μαζί σου; Ωραία λοιπόν τα κατάφερες! παραδέχτηκε θλιμμένα. *Δώσε μου τα χαρτιά της μεταβίβασης, να υπογράψω για να τελειώνουμε.*

Πήρε στα χέρια της το συμβόλαιο, κάθισε μπροστά στο τραπέζι κι άρχισε να σαρώνει με το βλέμμα της τις γραμμές του συμβολαίου. Τα γράμματα χόρευαν τρελά μπροστά στα μάτια της, σαν να ήθελαν να δραπετεύσουν από το χαρτί. Πήρε το στυλό να υπογράψει, μα το χέρι που το καθοδηγούσε η ψυχή, αρνιόταν να συμμορφωθεί με τη λογική.

- Τελείωνε γρήγορα κι έχω κι άλλες δουλειές να κάνω, είπε ο Άρης όταν την είδε να διστάζει και να καθυστερεί την πολυπόθητη υπογραφή.

Τα ψυχρά του λόγια αντήχησαν τόσο κοροϊδευτικά στ' αυτιά της! Η περηφάνια της είχε πληγωθεί υπερβολικά για να τ' αντέξει.

- Ήξερα πως η σημερινή μας συνάντησή δεν θα ήταν καθόλου ευχάριστη και νόμιζα πως είχα προετοιμάσει τον εαυτό μου γι' αυτό. Η συμπεριφορά σου όμως ξεπερνάει κάθε φαντασία. Ξέρεις πως υποχρεώνομαι ν' αποχωριστώ κάτι που αγαπώ υπερβολικά κι όμως δεν έχεις ίχνος συμπόνιας, είπε με έκφραση απερίγραπτης οργής.

- Η σημερινή σου κίνηση είναι δική σου απόφαση και ξέρεις πως είναι το καλύτερο που μπορείς να κάνεις.

- Το κάνω γιατί δε μου άφησες καμιά άλλη λύση. Όμως ότι και να πω δεν πρόκειται να το καταλάβεις γιατί σ' εσένα δεν υπάρχουν αυτιά πρόθυμα ν' ακούσουν τα

149

λόγια μου, ούτε καρδιά για να νιώσει τον πόνο μου. Δεν είχε σκοπό ν' αντιδράσει με τόση οργή, αλλά προοδευτικά είχε υψώσει τον τόνο της φωνής της.

Χωρίς να το συνειδητοποιήσει είχε σπρώξει με δύναμη το τραπέζι για να σηκωθεί όρθια και η καρέκλα έπεσε με πάταγο στο πάτωμα. *Εσύ μ' έφερες σ' αυτό το σημείο. Σεβάσου τουλάχιστον τα συναισθήματά μου και σταμάτα να με ειρωνεύεσαι. Άκου λίγο τη συνείδησή σου. Ίσως σου έχει μείνει λίγη ανθρωπιά εκεί μέσα.*

- *Ας επανέρθουμε στο θέμα μας για να τελειώνουμε επιτέλους. Βάλε αμέσως την υπογραφή σου στο συμβόλαιο, πριν το μετανιώσω.*

- *Είναι φανερό πως δεν έχεις συναισθήματα αφού είσαι φτιαγμένος από πέτρα.*

- *Νομίζω πως η θέση που βρίσκεσαι δεν επιτρέπει να μου πετάς προσβλητικούς χαρακτηρισμούς.*

- *Σου αξίζουν παλιάνθρωπε.*

- *Αν συνεχίσεις έτσι θ' αποσύρω την πρότασή μου και τότε να δω τι θα κάνεις.*

Ήταν έτοιμη να τον αντικρούσει μα συνειδητοποίησε πως είχε δίκιο κι έπνιξε την οργή της. Προσπάθησε ν' ανακτήσει τον αυτοέλεγχό της και να προχωρήσει.

- *Αν το μόνο που σ' ενδιαφέρει είναι αυτή η υπογραφή, μπορείς να την πάρεις.* Με φανερό εκνευρισμό, άρπαξε το στυλό και πριν προλάβει να το συνειδητοποιήσει ακόμα κι η ίδια, είχε βάλει την υπογραφή της στο συμβόλαιο.

Ένα αυτάρεσκο χαμόγελο χαράχτηκε στην όψη του Άρη. *Ορίστε λοιπόν!* είπε με πικρία να χρωματίζει τη φωνή της, καθώς του το έδινε. Ελπίζω αυτό να ζεστάνει την παγωμένη σου καρδιά. Κανονικά θα έπρεπε να σου κάνω μήνυση για όσα μου έκανες κι όχι να σου παραχωρήσω το κτήμα μου.

- Δε μου το παραχώρησες! Μου το πούλησες και μάλιστα σε πολύ καλή τιμή. Αν επέμενες στην ανόητη περηφάνια σου, θα έχανες και το σπίτι σου, αφού το κτήμα ήταν αδύνατο να σου δώσει πλέον εισόδημα. Πάρε την επιταγή σου, είπε και της έδωσε το ορθογώνιο χαρτί που έκοψε από το καρνέ του. Ήταν τελείως άχρηστο για σένα και σου κάνω χάρη που το αγόρασα τόσο ακριβά.

Η Δάφνη ένιωσε το πρόσωπό της να φουντώνει από θυμό.

- Είναι άχρηστο γιατί έτσι το κατάντησες εσύ. Με άτιμα κόλπα και τερτίπια, έγειρες την πλάστιγγα προς το μέρος σου. Αν με είχες αφήσει ήσυχη όλα θα ήταν μια χαρά. Εντάξει λοιπόν τα κατάφερες! Πήρες αυτό που ήθελες. Ξεκουμπίσου από το σπίτι μου κι εύχομαι να μη σε ξαναδώ ποτέ πια, άτιμε άνθρωπε.

Το ανέκφραστο πρόσωπο του έγινε στη στιγμή πολύ αυστηρό. Το προσωπείο της ψυχραιμίας του κατάρρευσε. Πλησίασε προς το μέρος της και κουνώντας απειλητικά το δάχτυλο, πολύ κοντά στο πρόσωπό της, είπε με θυμό.

- Πρόσεξε καλά γιατί τα πράγματα θα γίνουν πολύ χειρότερα για σένα αν...

Ξαφνικά κοκάλωσε σαν άγαλμα, αφήνοντας μισοτελειωμένη τη φράση του. Στη στιγμή, μια σκιά σκότισε το πρόσωπο του και πήρε μια παράξενη έκφραση. Τα λόγια του στάθηκαν άηχα στον αέρα και το χέρι του έμεινε μετέωρο σαν παγωμένο.

Η απρόσμενη αλλαγή της διάθεσης του θορύβησε την Δάφνη. Η ματιά του είχε καρφωθεί σ' ένα συγκεκριμένο σημείο. Κάτι είχε τραβήξει την προσοχή του. Στο πρόσωπό του είχε χαραχτεί μια ασυνήθιστη ταραχή. Εκείνη βλέποντας την περίεργη αντίδρασή του, γύρισε να δει τι ήταν αυτό που τον έκανε να μείνει ακίνητος σαν στήλη άλατος. Διαπίστωσε πως ήταν η εικόνα του Αγίου Γεωργίου που τον είχε απορροφήσει από την πραγματικότητα.

Απόμεινε να την κοιτάζει αμίλητος, ασάλευτος, με το χέρι απλωμένο όπως τη στιγμή που εκτόξευε απειλές προς εκείνη. Κάποια δυσάρεστη θύμηση προσπαθούσε να εισχωρήσει στη συνείδησή του. Τα φρύδια του είχαν ανασηκωθεί από την έκπληξη και για μερικά δευτερόλεπτα τα χείλη του σχημάτιζαν λέξεις, χωρίς να συνοδεύονται από ήχο. Μόνο δυσνόητοι ψίθυροι που αγωνίζονταν να μπουν στη σειρά.

Ο Χρήστος σοκαρισμένος από τη βίαιη αρπαγή του, αντιδρούσε με σπασμωδικές κινήσεις ενώ η κραυγή του πνιγόταν πίσω από τα δάχτυλα που έκλειναν ασφυκτικά το στόμα του. Σε μια ύστατη προσπάθεια διαφυγής, δάγκωσε το χέρι που τον είχε καθηλώσει.

- *Σταμάτα βρε αγρίμι,* ακούστηκε μια γνώριμη για κείνον φωνή. *Θα μας πάρουν χαμπάρι.*

Γύρισε προς το μέρος του κι επιβεβαίωσε πως ήταν ο Θάνος Παπαγιάννης, ο πατέρας του.

- *Εσύ εδώ!* αναφώνησε ξαφνιασμένος μόλις γύρισε

και τον αντίκρισε.

- *Κατάφερα να δραπετεύσω, είπε τινάζοντας το χέρι του, που πονούσε ακόμα από το δάγκωμα του.*

Ο Χρήστος τον κοίταζε παραξενεμένος από την εμφάνισή του. Τα μαλλιά και τα γένια του ήταν ασυνήθιστα μακριά και απεριποίητα. Η όψη του ήταν άγρια και η παραμονή στη φυλακή είχε σκληρύνει τα χαρακτηριστικά του.

- *Πώς έμαθες ότι είμαι εδώ;*
- *Δεν ήταν και τόσο δύσκολο! Πήγα στο ίδρυμα που ήσουν και με λίγη πίεση στη διευθύντρια, μού είπε αυτό που ήθελα. Πού άκουσες γι' αυτό το χωριό και γιατί ήρθες εδώ;*
- *Έμαθα πως η μητέρα μου μένει εδώ κι ήρθα να την βρω. Όμως η κυρία Συμεωνίδου είπε πως η μαμά μου έχει πεθάνει. Γιατί μ' άφησες να πιστεύω πώς μ' εγκατέλειψε;*
- *Γιατί δεν ήθελα να στεναχωρηθείς. Τώρα πια δεν έχει και τόσο σημασία.*
- *Για μένα έχει! Πάντα πίστευα πως θα την γνώριζα μια μέρα κι απογοητεύτηκα.*
- *Τέλος πάντων! Δε θέλω να το συζητήσουμε άλλο. Εσύ γιατί δεν είσαι στο ίδρυμα;*
- *Ανέλαβε την προσωρινή κηδεμονία μου η κυρία Δάφνη και με πήρε στο σπίτι της.*
- *Εγώ είμαι ο πατέρας σου και μόνο μαζί μου πρέπει να είσαι.*
- *Μα νόμιζα πως ήσουν στη φυλακή!*
- *Κατάφερα να τους ξεφύγω, αλλά τώρα πρέπει να κρύβομαι ώσπου να δω τι θα κάνω. Καλά που σε*

βρήκα γιατί θα σε χρειαστώ για ένα καλό κόλπο που ετοιμάζω μ' ένα φίλο μου.

- Όχι πατέρα! Δεν πρόκειται ν' ανακατευτώ ποτέ πια στις παρανομίες σου. Η κυρία Δάφνη δε θα επιτρέψει να έρθω μαζί σου.

- Σιγά μην της ζητήσω την άδεια για να πάρω το γιο μου! είπε ειρωνικά. Αυτή είναι μια ξένη, ενώ εγώ είμαι ο πατέρας σου κι έχω δικαίωμα ν' αποφασίζω για σένα.

- Κάνεις λάθος. Τώρα εκείνη είναι η κηδεμόνας μου και είναι υπεύθυνη για μένα. Η κυρία Συμεωνίδου της έδωσε την επιμέλειά μου.

- Ας έχει ότι θέλει. Εγώ θα σε πάρω από εδώ, είπε αποφασισμένος. Μάζεψε κρυφά τα πράγματά σου από το σπίτι της κι έλα να φύγουμε πριν μας καταλάβουν.

ΚΕΦΑΛΑΙΟ ΔΕΚΑΤΟ ΕΚΤΟ

Ο Αρης συνέχισε να στέκει ακίνητος, ανίκανος να σαλέψει. Είχε μεσολαβήσει ένα διάστημα αμήχανης σιωπής, ικανής να κοπάσει τον θυελλώδη καυγά που μαινόταν ανάμεσα τους. Αυτόματα χάθηκε κι όλη η ένταση της διαμάχης τους. Η Δάφνη δεν έβρισκε τίποτα κατάλληλο να πει μετά από αυτή την αιφνίδια μεταμόρφωση της διάθεσης του. Ήταν παράξενο, μα τον προτιμούσε θυμωμένο, παρά μαρμαρωμένο, όπως ήταν τώρα. Φαινόταν σαν να καταπατήθηκε μια λεπτή γραμμή και οι ισορροπίες διαταράχτηκαν. Μια θολούρα στεφάνωσε τα μάτια του και διάβασε καθαρά στην έκφρασή του πως αυτός ο άνθρωπος βρισκόταν σε σύγχυση. Πλησίασε κοντά του και κατέβαλε προσπάθεια να καταλάβει τι συμβαίνει.

- *Τι έπαθες;* ρώτησε με απορία! *Εκείνος την αγνόησε και συνέχισε να είναι στην ίδια κατάσταση, χωρίς να μπορεί ν' αρθρώσει λέξη.*

Ξαφνικά τα γόνατά του λύγισαν κι ακούμπησαν στο πάτωμα. Φοβήθηκε πως κάτι κακό τού συνέβη. Άναρ-

155

θρος λόγος συνέχισε να βγαίνει από το στόμα του κι ένας χείμαρρος θρήνου ακολούθησε.

- *Μίλα καθαρά γιατί δεν καταλαβαίνω τίποτα απ' αυτά που λες!* τον παρακάλεσε.
- *Συγνώμη,* ψέλλισε ανάμεσα στ' αναφιλητά του και χαμήλωσε το κεφάλι.

Αυτό που ένιωθε εκείνη τη στιγμή, έμοιαζε να τον βασανίζει τρομερά. Τι όμως; Κι από ποιον ζητούσε συγνώμη;

Η Δάφνη δεν ήξερε τι να κάνει. Πριν λίγα λεπτά τον μισούσε κι ήθελε να ξεσπάσει λεκτικά εναντίον τής αλαζονείας του. Είχε συνηθίσει να συγκρούεται συνεχώς μαζί του, μα τώρα πώς να τον αντιμετωπίσει; Από αδίσταχτος επιχειρηματίας, είχε μεταμορφωθεί σε φοβισμένο ανθρωπάκι. Ήταν η πρώτη φορά που τον έβλεπε τόσο ευάλωτο. Η αλλαγή ήταν τόσο απροσδόκητη που κι εκείνη δεν ήξερε πως ν' αντιδράσει στην ανεξήγητη συμπεριφορά. Τον κοίταξε σαν να τον έβλεπε πρώτη φορά.

- *Τι έπαθες;* επανέλαβε την ερώτηση που είχε παραμείνει αναπάντητη. *Μήπως δεν νιώθεις καλά; Απάντησέ μου σε παρακαλώ!*

Τίποτα όμως. Εκείνος συνέχισε να είναι αμίλητος, γονατισμένος στο πάτωμα. Η Δάφνη δεν μπορούσε ν' αντιληφθεί το λόγο της απόλυτης κατάρρευσής του. Έσκυψε κοντά του τον άγγιξε στον ώμο κι εκείνος γύρισε και την κοίταξε. Στο βλέμμα του φαινόταν πως ο νους του ταξίδευε χιλιόμετρα μακριά. Ήταν παράξενο, αλλά λυπήθηκε που τον είδε έτσι. Την κατέκλυσε περισσότερο συμπόνια παρά οργή.

- *Μη με τρομάζεις άλλο! Πες κάτι σε παρακαλώ!*

Εκείνος προσπάθησε να βρει την αυτοκυριαρχία του και μετά από μια μεγάλη παύση προσπάθησε να μιλήσει.

- Πως βρέθηκε αυτή η εικόνα εδώ, είπε με φωνή βραχνή και αλλοιωμένη. Η έντασή της ήταν τόσο χαμηλή κι εξασθενημένη, που με τα βίας ακουγόταν.

- Είναι μεγάλη ιστορία.

- Πες μου πρέπει να μάθω.

- Πριν τρεις μήνες στραμπούλιξα το χέρι μου και χρειάστηκε να πάω στο νοσοκομείο. Ένας βαριά άρρωστος την έδωσε στον Χρήστο και του ζήτησε να την επιστρέψει σε μια σπηλιά απ' όπου την είχε κλέψει πριν από είκοσι χρόνια.

- Μήπως τον έλεγαν Φώτη Παναγιώτου; Η έκφραση τού προσώπου του έδειχνε πως περίμενε με τεράστια αγωνία την απάντησή της.

- Ναι έτσι τον έλεγαν! Δυστυχώς πέθανε μετά από λίγα λεπτά και δεν μπορέσαμε να μάθουμε λεπτομέρειες για το νησί που βρισκόταν εκείνη η σπηλιά. Γι' αυτό την κρατήσαμε στο σπίτι ώσπου να μάθουμε κάτι περισσότερο.

- Ω Θεέ μου! Πως τα φέρνει καμιά φορά η ζωή! Δεν περίμενα με τίποτα να την αντικρύσω και μάλιστα μέσα στο σπίτι σου. Ποια μοίρα αποφάσισε αυτή την απροσδόκητη τροπή;

- Μα γιατί σε τάραξε τόσο; Τι σχέση έχεις μ' αυτή την εικόνα; Πώς ξέρεις το όνομα εκείνου του άνθρωπου; Άρχισε να τον βομβαρδίζει με ερωτήσεις κι εκείνος κουνούσε πέρα δώθε το κεφάλι του χωρίς ν' απαντάει σε καμία. Η όλη στάση του μαρτυρούσε μια εσωτερική ταραχή που προσπαθούσε απελπισμένα να ελέγξει. Επί-

μονες μνήμες που είχαν ξεθωριάσει από το χρόνο, ξαναβγήκαν στην επιφάνεια.

- *Δεν μπορώ να πιστέψω πως την ξαναβλέπω μετά από τόσα χρόνια! Μια ματιά όμως ήταν αρκετή για να την αναγνωρίσω. Η κλοπή της ταυτίστηκε με τις πιο επώδυνες αναμνήσεις μου.*

- *Φαίνεται πως γνωρίζεις πολλά για την ιστορία της. Τι σχέση έχεις εσύ με αυτή την εικόνα; Μήπως γνωρίζεις πού βρίσκεται το νησί που ανήκει;*

- *Ναι! ξέρω καλά εκείνο το μέρος. Έχει χαραχτεί ανεξίτηλα στη μνήμη μου.*

- *Επιτέλους!* είπε με ανακούφιση. *Νόμιζα πως δεν υπήρχε πια κανένας τρόπος για να μάθω που βρίσκεται. Είναι κρίμα γιατί ήταν η τελευταία επιθυμία ενός ετοιμοθάνατου. Ο μικρός είπε πως είχε μετανιώσει πικρά για τη νεανική επιπολαιότητα του και πως έπρεπε οπωσδήποτε να επιστραφεί. Όμως οι γέφυρες για την ανακάλυψη αυτού του νησιού έμοιαζαν πώς είχαν κοπεί οριστικά.*

- *Φαίνεται πως ήρθε η ώρα. Ήταν καιρός πια!*

- *Καιρός για τι πράγμα;*

- *Για την αλήθεια.*

- *Τι εννοείς;*

- *Είμαι ο ένας από αυτούς που την έκλεψαν,* ομολόγησε.

- *Τι είπες;* αναφώνησε αυθόρμητα εκείνη. *Μα ο ετοιμοθάνατος είπε πως ο συνεργός του λεγόταν Χαρίλαος Χατζηπάνου. Έψαξα γι' αυτόν, ώσπου έμαθα πως χάθηκε σε ναυάγιο. Μια αστραπιαία σκέψη πέρασε από το μυαλό της. Μη μου πεις πως εσύ είσαι* αυτός;

- Ναι, εγώ είμαι! Είχα πολλά χρόνια ν' ακούσω το πραγματικό μου όνομα. Τόσο που κόντευα να το ξεχάσω, είπε μ' ένα πικρό χαμόγελο.
- Γι' αυτό δεν κατάφερα να σε βρω! Όταν μου είπαν πως δεν ζούσες, σταμάτησα την έρευνα. Η ελπίδα ν' ανακαλύψω εκείνη τη σπηλιά χάθηκε, αφού ήσουν ο μόνος σύνδεσμος που θα μπορούσε να μας οδηγήσει εκεί.

Το διάστημα που είναι στο σπίτι μου, έχει δώσει πολλά θαυματουργικά σημάδια. Την έχουμε δει ν' ακτινοβολεί, να ευωδιάζει και να ιδρώνει. Ο μικρός έχει ακούσει χτυπήματα και το ξύλο της να τρίζει. Είναι μια ξεχωριστή εικόνα και το σωστό θα ήταν να είναι μέσα σε μια εκκλησία και όχι εδώ. Είχα σκοπό να συμβουλευτώ τον Ιερέα του χωριού μας για να μου πει ποια θα ήταν η σωστή θέση γι' αυτή.

Πού να ήξερα πως ο μοναδικός άνθρωπος που γνώριζε το δρόμο για το πραγματικό της σπίτι, ήταν τόσο κοντά! Γιατί άλλαξες τ' όνομά σου;

- Γιατί υπήρχε λόγος.
- Φαντάζομαι πως η κλοπή τής εικόνας ήταν η αιτία.
- Και όχι μόνο.
- Θέλεις να μου μιλήσεις γι' αυτό;
- Υπάρχουν πράγματα που είναι καλύτερα να μην τα ξέρεις.
- Έχω εμπλακεί σ' αυτή την ιστορία και θέλω να γνωρίζω όλες τις παραμέτρους που την έφεραν εδώ. Σκέφτηκες πως μια ανώτερη δύναμη, σπρώχνει τα γεγονότα έτσι ώστε ν' αποκαλυφθούν; Για κάποιο

λόγο ήθελε να καταλήξει στον τοίχο του σπιτιού μου. Ίσως ήταν ο μοναδικός δρόμος για να βρεθεί ξανά μπροστά σου. Διαισθάνομαι πως υπάρχουν κι άλλες πτυχές αυτού του μυστηρίου που δεν έχουν ξεδιπλωθεί ακόμα.

- Πιστεύω κι εγώ πως δεν ήταν τυχαίες οι συμπτώσεις που με οδήγησαν ξανά σ' αυτήν. Έτσι όπως ήρθαν τα πράγματα, αν έχει κάποιος το δικαίωμα να μάθει, υποθέτω πως αυτή είσαι εσύ. Θα προσπαθήσω να σου πω όλα όσα έγιναν εκείνη τη μέρα.

Εκτός από την ιεροσυλία που διαπράξαμε, έγινε και κάτι ακόμα πιο φρικτό, που τελικά με ανάγκασε ν' αφήσω τους γονείς μου, το σπίτι μου και να φύγω μακριά. Κάτι ακόμα πιο φρικτό.

- Συνέχισε σε παρακαλώ, τον παρότρυνε. Τι ήταν αυτό που σε ανάγκασε ν' απαρνηθείς τη ζωή σου;

Ο Άρης ένιωσε τους ανέμους του χρόνου να τον τραβούν είκοσι χρόνια πίσω. Μια νοερή γέφυρα ένωσε το σήμερα με το μακρινό παρελθόν. Οι αναμνήσεις του χτες άρχισαν ν' αναδύονται από τα βάθη του νου του. Η έκφρασή του έδειχνε πως ετοιμαζόταν να φέρει στην επιφάνεια κάτι τρομερά επώδυνο για εκείνον. Σήκωσε το βλέμμα του και το έστρεψε στην εικόνα, λες και πάνω της περνούσαν σκηνές από τα παλιά. Με τα γόνατα κολλημένα στο πάτωμα, προσπάθησε ν' ανασύρει γεγονότα που μισούσε.

ΚΕΦΑΛΑΙΟ ΔΕΚΑΤΟ ΕΒΔΟΜΟ

Ο Χρήστος συνέχισε να προβάλει σθεναρή αντίδραση προς τον πατέρα του. Το μόνο που του ζητούσε ήταν να τον αφήσει ήσυχο στον καινούργιο τρόπο ζωής που του πρόσφερε η Δάφνη. Όμως εκείνος τον πίεζε να τον ακολουθήσει.

- Λοιπόν δε θα το ξαναπώ! Ετοιμάσου να φύγουμε.

- Όχι πατέρα εγώ θα μείνω μαζί της και θα πάω σχολείο. Εξάλλου δε θέλω να φύγω από κοντά της. Το διάστημα που μένω μαζί της κατάλαβα τι σημαίνει να νοιάζεται κάποιος για σένα και να σε θεωρεί μέλος της οικογένειάς του. Μου έχει συμπεριφερθεί σαν μητέρα κι ενδιαφέρεται πραγματικά για το μέλλον μου. Δεν πρόκειται να την εγκαταλείψω για να έρθω μαζί σου.

- Τολμάς και μου αντιμιλάς; Έτσι σε μαθαίνει να συμπεριφέρεσαι αυτή; Λοιπόν θα έρθεις μαζί μου έστω και με το ζόρι.

- Όχι πατέρα δε θα το κάνω. Δε θέλω να είμαι κυνηγημένος, ούτε ν' αρχίσω να κλέβω πάλι για να ζούμε.

- Τι είναι αυτά που λες βρε σπόρε; είπε θυμωμένος. Αυτή σου φούσκωσε τα μυαλά;
- Απλώς μου έδειξε ποιο είναι το σωστό, γιατί μέχρι τώρα ήξερα το λάθος. Της υποσχέθηκα πως δε θα κάνω καμιά άλλη παρανομία και δε θα ξαναπώ ψέματα. Σε λίγο καιρό θα πάω σχολείο γιατί θέλω να μορφωθώ.
- Τι να το κάνεις βρε το σχολείο; Είσαι εσύ άξιος να μάθεις γράμματα και να σπουδάσεις; είπε υποτιμητικά. Άδικα θα χάσεις το χρόνο σου. Αυτά που έχεις στο μυαλό σου, καλύτερα να τα ξεχάσεις. Από εδώ και πέρα θα κάνεις αυτό που σου λέω εγώ.
- Η κυρία Δάφνη μου είπε πως έχω κοφτερό μυαλό και αν προσπαθήσω μπορώ να πετύχω πολλά. Ήδη έχω προχωρήσει πολύ στη μελέτη μου. Μετά από τα μαθήματα που μου έκανε, μπορώ να διαβάζω και να γράφω τέλεια.
- Τι δουλειά έχει αυτή ν' ανακατεύεται στη ζωή μας; Μόνο εγώ πρέπει ν' αποφασίζω για σένα. Εσύ θα έρθεις με τον πατέρα σου. Αυτό θέλεις κατά βάθος κι εσύ. Έτσι δεν είναι;
- Όχι! Είπε αποφασιστικά. Εγώ θα μείνω εδώ και θα πάω σχολείο.
- Θα έρθεις μαζί μου. Πάει και τελείωσε είπε νευριασμένος. Κι όσο για το σχολείο καλύτερα να το ξεχάσεις. Δεν έχουμε καιρό για τέτοιες πολυτέλειες. Έχουμε καλύτερα πράγματα ν' ασχοληθούμε. Σπαταλάς το χρόνο σου για να διαβάζεις άχρηστα πράγματα που δεν πρόκειται να σου χρειαστούν ποτέ.

Πήρε στα χέρια του το βιβλίο που είχε πέσει στο χώμα

κι έσκισε επιδειχτικά τις σελίδες, μπροστά στα έκπληκτα μάτια του παιδιού. Ήξερε πως ο πατέρας του ήταν σκληρός κι όμως η θέα του κομματιασμένου βιβλίου του μάτωσε την καρδιά. Για πρώτη φορά τον έβλεπε όπως πραγματικά ήταν. Ένας αδιάφορος πατέρας που δεν τον ένοιαζε τίποτα, πέρα από τον εαυτούλη του.

- *Είχε δίκιο η κυρία Δάφνη! είπε πληγωμένος μετά το καταστροφικό ξέσπασμά στο βιβλίο του. Δε σε νοιάζει καθόλου για μένα και το μέλλον μου. Είσαι ένα ανεύθυνος πατέρας και το μόνο που θέλεις είναι να με χρησιμοποιείς σαν μέσο για να πετύχεις τους σκοπούς σου. Μια ξένη ενδιαφέρθηκε πολύ περισσότερο από σένα.*
- *Μη μου ξαναπείς τίποτα απ' αυτά που λέει εκείνη. Τ' άκουσες; είπε έξαλλος. Ότι και να κάνει, εγώ είμαι ο μοναδικός άνθρωπος που έχεις και είσαι υποχρεωμένος να με ακολουθήσεις, είπε αυστηρά.*
- *Μη με πιέζεις πατέρα! Δε θα το κάνω. Δεν πρόκειται να έρθω ξανά μαζί σου, είπε αδιαφορώντας για τις συνέπειες της επανάστασής του.*
- *Αφού δεν έρχεσαι με το καλό, τότε θα έρθεις με το ζόρι.*

Τον ακινητοποίησε ξανά και του έδεσε στο στόμα μ' ένα μαντήλι. Το ουρλιαχτό του κομματιάστηκε πίσω από το ύφασμα. Όσο κι αν πάλεψε να ξεφύγει, δε κατάφερε να επιβληθεί στη μυϊκή υπεροχή τού πατέρα του. Εκμεταλλεύτηκε τη δύναμη του και σχεδόν σέρνοντας, τον πήρε μαζί του.

Ο Άρης άρχισε να εξιστορεί στην Δάφνη, τη μέρα που

κατέληξαν σ' εκείνο το νησί.

Τότε εκείνος ήταν δεκαεπτά ετών και ο Φώτης Παναγιώτου είκοσι δύο. Τα σπίτια τους ήταν κοντά κι έκαναν παρέα. Αυτή η φιλία δεν άρεσε καθόλου στους γονείς του Χαρίλαου. Τον θεωρούσαν ακατάλληλο φίλο για το γιο τους, αφού ο Φώτης είχε κακή φήμη στη γειτονιά. Συνεχώς του ζητούσαν ν' απομακρυνθεί από εκείνον και να μην τον κάνει παρέα. Ο πατέρας του ήταν δάσκαλος και μάλιστα πολύ αυστηρός. Δεν ανεχόταν να συναναστρέφεται ο γιος του με ένα άτομο με άστατο χαραχτήρα, όπως του έλεγε.

Όμως ο Χαρίλαος δεν μπορούσε να καταλάβει γιατί δεν τον συμπαθούσε! Εκείνος διασκέδαζε πολύ μαζί του. Ένα πρωινό, ο Φώτης του πρότεινε να πάνε για ψάρεμα με τη βάρκα του. Η ιδέα ενθουσίασε τον τότε δεκαεφτάχρονο Χαρίλαο και παρά τους αρχικούς ενδοιασμούς του, δέχτηκε.

Βγήκαν στ' ανοιχτά κι αφοσιώθηκαν στην αγαπημένη τους ασχολία. Η ώρα περνούσε ευχάριστα και η ψαριά ήταν καλή. Ο ενθουσιασμός τους παρέσυρε και δεν αντιλήφθηκαν έγκαιρα το μπουρίνι που πλησίαζε. Όταν το κατάλαβαν ήταν αργά. Ο άνεμος είχε αλλάξει κατεύθυνση κι έσπρωξε τη βάρκα τους στ' ανοιχτά, Ξεβράστηκαν στο μικρό νησί που υπήρχε απέναντι από το σημείο που ψάρευαν.

Ήταν απόγευμα όταν προσάραξαν στην ακτή του. Η παραλία του χωριού τους, φαινόταν πια αχνή από την απόσταση. Η θάλασσα είχε ηρεμήσει αλλά άρχισε να σκοτεινιάζει. Αποκαμωμένοι από την ταλαιπωρία, δεν είχαν δυνάμεις να επιστρέψουν.

Προτίμησαν να διανυχτερεύσουν στο νησί και να ξεκινήσουν το χάραμα της επομένης. Ασφάλισαν τη βάρκα κι άρχισαν να ψάχνουν για κατάλυμα. Ήταν ένας τόπος πνιγμένος στο πράσινο. Πανύψηλα δέντρα και πηγές τρεχούμενου νερού ξεπρόβαλαν από παντού. Έμοιαζε με τροπικό παράδεισο λουσμένο από τα ροδαλά χρώματα του δειλινού. Τελικά βρήκαν μια σπηλιά που ήταν κατάλληλη για να περάσουν τη νύχτα. Ένα μικρό, ανηφορικό μονοπάτι οδηγούσε προς την είσοδο και ακριβώς δίπλα από το άνοιγμα του πέτρινου όγκου, υπήρχε ένας κρουνός που ανάβλυζε άφθονο καθάριο νερό. Όταν προχώρησαν στο εσωτερικό ανακάλυψαν πως αυτή η σπηλιά έκρυβε μέσα της μια μικρή εκκλησία. Υπήρχε ένα σκαλιστό ξύλινο τέμπλο με εικόνες και τρία κρεμαστά καντηλέρια που ήταν σβηστά. Το φως του βασιλέματος είχε μειωθεί αισθητά και δυσκόλευε την ορατότητα στο χώρο. Βρήκαν ένα κουτί σπίρτα κι όλα τ' απαραίτητα για ν' ανάψουν τα καντήλια. Οι τρεμάμενες φλόγες έδωσαν λάμψη και ζεστασιά στο χώρο.

Σε μια φυσική εσοχή στην δεξιά πλευρά του βράχου, διέκριναν μια γυάλινη προθήκη. Πλησίασαν κοντά κι έμειναν έκπληκτοι με το θέαμα. Πίσω από το γυαλί ήταν η παλιά εικόνα του Αγίου Γεωργίου και ολόγυρα ήταν αραδιασμένα πλήθος από κοσμήματα και χρυσά τάματα. Τα μάτια τους άστραψαν στη θέα τους. Ένας μικρός θησαυρός εκτεθειμένος, αφύλαχτος σε μια σπηλιά. Ήταν μεγάλος πειρασμός για τον άπληστο χαρακτήρα του Φώτη.

Θέλησε να τον αφαιρέσει από την προθήκη, ενώ η

θρησκευτική συνείδηση του Χαρίλαου, τον έκανε να επαναστατήσει. Προσπάθησε να τον πείσει πως ήταν αμαρτία να κάνει τέτοιες σκέψεις. Για πολλές ώρες ακόμα τους βασάνιζε αυτό το δίλημμα. Συνέχισαν την έντονη συζήτησή τους και ο καθένας κατέθεσε τη δική του άποψη, προβάλλοντας τα επιχειρήματά του. Εκείνος δεν πτοήθηκε από τις αντιρρήσεις του και υποσχέθηκε πως δεν θα πείραζε καθόλου την εικόνα. Θα άνοιγε την προθήκη προσεχτικά για να μην της προξενήσει καμιά φθορά και θα την ξαναέβαζε πάλι στη θέση της.

Ο Φώτης υποσχέθηκε να μην πάρει όλα τα χρυσαφικά, αλλά ένα μέρος τους. Έπεισε τον Χαρίλαο πως εκείνοι τα είχαν περισσότερη ανάγκη κι εξάλλου αφού ήταν αφύλακτα θα ήταν και ξεχασμένα. Θεώρησε πως ήταν ένας εγκαταλελειμμένος θησαυρός που δεν ανήκε σε κανένα. Πίστευε πως αργά ή γρήγορα θα έπεφτε στα χέρια κάποιου άλλου, αφού η σπηλιά δεν είχε καμία ασφάλεια. Έβγαλε την προθήκη από την εσοχή του βράχου και προσπάθησε μ' ένα σουγιά που είχε πάντα στην τσέπη του, ν' ανοίξει το πίσω μέρος.

- *Κι εκείνη τη στιγμή ...*, είπε και διέκοψε απότομα την αφήγησή του, αφήνοντας τη φράση του μισοτελειωμένη.

- *Τι συνέβη μετά;* ρώτησε η Δάφνη, που είχε αφοσιωθεί στα λεγόμενά του. *Γιατί σταμάτησες;*

- *Δεν μπορώ να συνεχίσω. Είναι φρικτό αυτό που έγινε. Είναι τρομερά δύσκολο να το περιγράψω. Αυτό που ακολούθησε κατέστρεψε τη μετέπειτα ζωή μου. Είναι πολύ οδυνηρή ακόμα και η σκέψη εκείνου του γεγονότος. Δεν έχω τολμήσει να το ξεστομίσω σε κα-*

νένα. Πόσο μάλλον να το εξομολογηθώ σε σένα.

- Για κάποιο ανεξήγητο λόγο είμαστε δεμένοι με ακατανόητα γεγονότα που μας ελέγχουν. Η μοίρα θέλησε να εμπλακώ κι εγώ σ' αυτή την ιστορία και δικαιούμαι να μάθω.

- Τα μυστικά έχουν το δικό τους τρόπο να βγαίνουν στη φόρα, όσο κι αν νομίζεις πως είναι καλά φυλαγμένα. Τίποτα δε μένει ατιμώρητο αιώνια. Προσπάθησα τόσο πολύ να το ξεχάσω!

- Συνέχισε, του είπε εκείνη ενθαρρυντικά. Ότι κι αν είναι πες το. Είμαι πρόθυμη να σε ακούσω.

- Εκείνη τη μέρα που ήταν η πιο μαύρη της ζωής μου..., κόμπιασε για μια στιγμή κι έσφιξε δυνατά τα μάτια για να καταφέρει να ολοκληρώσει τη μισοτελειωμένη του φράση. Πήρε μια βαθιά ανάσα και πίεσε τον εαυτό του να ξεστομίσει το μεγάλο του μυστικό. *Εκείνη τη μέρα λοιπόν..., έγινα φονιάς,* είπε με φωνή πνιγμένη από ενοχές. *Αφαίρεσα τη ζωή από έναν αθώο άνθρωπο που δε μου έφταιξε σε τίποτα.*

Μόλις ξεστόμισε αυτά τα λόγια αναλύθηκε σε λυγμούς και δεν έκανε καμία προσπάθεια να τους κρύψει από εκείνη. Τα λόγια του την έπιασαν τελείως απροετοίμαστη. Ξαφνιάστηκε τόσο πολύ, που δυσκολεύτηκε να ξαναβρεί τη φωνή της.

- Θεούλη μου! Τι ήταν αυτό που είπες; αναφώνησε σοκαρισμένη. *Μα πώς έγινε κάτι τέτοιο; κατάφερε να ψελλίσει.*

- Δυστυχώς αυτή είναι η αλήθεια.

Η Δάφνη δεν μπορούσε να πιστέψει αυτό που μόλις άκουσε. Τον είχε ικανό για όλα, μα αυτό ξεπερνούσε κάθε χαρακτηρισμό που του είχε αποδώσει. Μια δολοφονία δεν ήταν αυτό που περίμενε πως θα της εξομολογηθεί.

- Ομολογώ πως δεν ήμουν προετοιμασμένη ν' ακούσω κάτι τέτοιο, όσο κακή εντύπωση κι αν είχα σχηματίσει για σένα.

- Τόσα χρόνια ήθελα να το εκμυστηρευτώ σε κάποιον για να το βγάλω από μέσα μου, μα δεν το τόλμησα ποτέ. Και τώρα κοίτα να δεις! Το είπα σε σένα που έχουμε τις χειρότερες σχέσεις μεταξύ μας.

Η Δάφνη ένιωσε την ανάγκη να τον παρηγορήσει.

- Πώς έγινε το κακό; Αφού ήσασταν μόνοι σε μια έρημη σπηλιά, ποιον σκότωσες;

Το φυλλομέτρημα των αναμνήσεων συνεχίστηκε βασανιστικά στο μυαλό του.

- Όταν φτάσαμε εκεί δεν αντιληφθήκαμε πως πίσω ακριβώς από τη σπηλιά, υπήρχε ένα μοναστήρι. Κοντά στο χάραμα, εμφανίστηκε μπροστά μας ένας νεαρός άνδρας με ρούχα μοναχού. Βλέποντας την προθήκη κατάχαμα και την προσπάθειά δύο αγνώστων να την παραβιάσουν, έβαλε πανικόβλητος τις φωνές. Ήταν σε έξαλλη κατάσταση και η φράση που επαναλάμβανε συνεχώς ήταν, «Βοήθεια κλέφτες. Αδέρφια μοναχοί τρεχάτε». Αυτά τα λόγια ακόμα αντηχούν στ' αυτιά μου.

Κατευθύνθηκε στο μικρό σήμαντρο που έστεκε παράμερα για να ειδοποιήσει και τους υπόλοιπους. Αν το χτυπούσε ήταν ζήτημα χρόνου να φτάσουν κι άλλοι εκεί και να μας εγκλωβίσουν.

Μέσα σε μια στιγμή είδα το μέλλον μου να καταστρέφεται και την ντροπή που θ' ακολουθούσε να *καταπίνει εμένα και την οικογένειά μου. Η ενστικτώδης αντίδρασή μου ήταν να τον σταματήσω πριν χτυπήσει την καμπάνα. Ακόμα δεν μπορώ να θυμηθώ πως βρέθηκε η πέτρα στο χέρι μου. Το αίσθημα της αυτοσυντήρησης υπερίσχυσε της λογικής. Τον χτύπησα με όλη μου τη δύναμη στο πίσω μέρος του κεφαλιού. Εκείνος γύρισε παραπατώντας προς το μέρος μου, ξαφνιασμένος από την αναπάντεχη επίθεση μου.*

Είχε μια έκφραση κατάπληξης και ψέλλισε μόνο μια λέξη, «Γιατί»; Τα λίγα δευτερόλεπτα που έμεινε όρθιος με κοιτούσε βαθιά στα μάτια και μετά σωριάστηκε αιμόφυρτος κάτω. Δεν είχα συνείδηση του τι είχα κάνει, ώσπου είδα αυτό το νεαρό μοναχό να γέρνει νεκρός στα πόδια μου. Ήταν ένας αθώος κι εγώ τον σκότωσα.

Η φωνή του είχε ραγίσει κι ακουγόταν βραχνή προσπαθώντας να περιγράψει εκείνες τις τραγικές στιγμές, που είχαν χαραχτεί ανεξίτηλα στη μνήμη του.

- *Δεν ξέρω πως το έκανα. Εξεπλάγην κι εγώ με την αντίδρασή μου. Δεν πίστευα πως ήμουν ικανός για κάτι τέτοιο. Ένιωθα σαν να ήμουν χαμένος. Ήταν σαν... εκείνες τις στιγμές... να μην ήμουν εγώ.*

Δεν μπορώ να ξεχάσω εκείνα τα λιγοστά δευτερόλεπτα που γύρισε και κοίταξε το πρόσωπό μου. Είδα την απορία στο βλέμμα του κι αυτό το «γιατί» που ψέλλισε, το ρωτώ κι εγώ συνέχεια στον εαυτό μου. Ο τρόμος είχε καθρεφτιστεί στα μάτια του, πριν η λάμψη τους σβήσει για πάντα και καταρρεύσει μπροστά μου. Η αθωότητα της εφηβικής μου ψυχής εγκλωβίστηκε μέσα σ' εκείνη την αθώα ματιά κι έγινε η αιώνια φυλακή μου.

Η Δάφνη συνειδητοποίησε πως δεν μπορούσε πια να πολεμήσει έναν άνθρωπο που ήταν ήδη πεσμένος κάτω. Αντίθετα απ' ότι ένιωθε μέχρι πριν λίγο, τον συμπόνεσε και μάλιστα βαθιά. Ένιωσε να λυγίζει και τα μάτια της βούρκωσαν. Ο κόμπος στο λαιμό της κόντευε να την πνίξει. Δεν περίμενε ποτέ πως θα την πονούσε τόσο πολύ το δράμα που έκρυβε μέσα του. Για πρώτη φορά μετά από τόσα χρόνια μοιραζόταν με κάποιον τη φρίκη εκείνης της μέρας. Γύρισε το βλέμμα του προς την Δάφνη και πρόλαβε να δει τα δάκρυα που γυάλιζαν στα μάτια της. Δάκρυα για εκείνον που την έβλαψε τόσο; Αυτόν που είχε βάλει σκοπό της ζωής του να την εξοντώσει; «*Μα πώς είναι δυνατόν;*» αναρωτήθηκε μέσα στην ταραχή του.

ΚΕΦΑΛΑΙΟ ΔΕΚΑΤΟ ΟΓΔΟΟ

Ο Χρήστος κοιτούσε ολόγυρα το ρημαγμένο μύλο που τον έσυρε ο πατέρας του. Είχαν περπατήσει πολύ ώρα για να φτάσουν εκεί. Φαινόταν πως ήταν εγκαταλειμμένος από καιρό. Ο άνεμος που σάρωνε το ύψωμα έκανε ένα περίεργο σφύριγμα, καθώς τρύπωνε από τα κατεστραμμένα παραθυρόφυλλα, που ήταν καρφωμένα με ξύλινες σανίδες. «Καλύτερα να μη με είχε βρει», σκέφτηκε με πικρία. Πάντα ήταν για εκείνον το κέντρο του κόσμου, μα τώρα είχε πέσει στα μάτια του. Διαπίστωσε πως ο τρόπος ζωής που του είχε επιβάλει, δεν ήταν ο σωστός. Το διάστημα που έμεινε με την Δάφνη ήταν αρκετό για να καταλάβει τη διαφορά.

Ο Θάνος εμφανίστηκε κρατώντας στα χέρια του μερικά φρούτα.

- Έλα να φας, τον πρόσταξε. Ευτυχώς που έχει περιβόλια εδώ γύρω και δε θα πεθάνουμε.

- Δε θέλω! Είπε ανόρεχτα.

- Γιατί είσαι έτσι κατσούφης; Δε χάρηκες που με είδες;

- Δεν ξέρω!

- Τι πάει να πει δεν ξέρω; τον ρώτησε με κοροϊδευτικό ύφος. Εσύ κάποτε το έσκασες από την οικογένεια που σε είχαν δώσει, για να έρθεις να με βρεις και τώρα αμφιβάλεις;

- Έχουν αλλάξει πολλά από τότε. Δε θέλω να ζω έτσι πια. Θέλω να πάω σχολείο.

- Αυτή που μένεις μαζί της σε χάλασε;

- Δε με χάλασε. Με βοήθησε να δω ποιο είναι το σωστό και είμαι ευτυχισμένος μαζί της. Σε παρακαλώ άφησέ με να πάω κοντά της! τον ικέτευσε. Θα έχει ανησυχήσει που δεν έχω γυρίσει ακόμη στο σπίτι.

- Για άκου να σου πω κάτι μικρέ και κοίτα να το βάλεις καλά στο μυαλό σου. Είσαι δικός μου γιος και τώρα που είμαι ελεύθερος, εγώ θ' αποφασίζω για τον τρόπο που θα μεγαλώσεις.

- Μα δεν είσαι ελεύθερος! Ξεχνάς πως είσαι δραπέτης; Το έχεις σκάσει από τη φυλακή και θα πρέπει να κρύβεσαι για να μη σε βρουν! Γιατί να κρύβομαι κι εγώ;

- Γιατί είμαι ο πατέρας σου και σε χρειάζομαι. Σου είπα πως έχω ένα καταπληκτικό σχέδιο και θέλω τη βοήθειά σου.

- Όχι πατέρα! είπε και σηκώθηκε όρθιος μπροστά του. Δεν θα ανακατευτώ ξανά στις παρανομίες σου, είπε με σθένος, αδιαφορώντας για το θυμό που θα προκαλούσε η επαναστατική αντίδραση του. Θέλω να γυρίσω στο κτήμα τής κυρίας Δάφνης.

- Ώστε μου βγάζεις και γλώσσα τώρα; Σαν πολύ θάρρος δεν πήρες εσύ;

- Έμαθα να έχω θάρρος, γιατί έχω μια καλή δασκάλα. Μου είπε πως πρέπει να σέβομαι τον εαυτό μου και να μην τον ταπεινώνω με κακές πράξεις, όπως αυτές που μου δίδαξες εσύ. Ο Θάνος εξαγριώθηκε με τα λόγια του γιου του.

- Κάτσε στη γωνία σου και μη μιλάς! είπε και τον έσπρωξε με δύναμη. Το παιδί έχασε την ισορροπία του κι έπεσε άγαρμπα στο πάτωμα. Μη μου ξαναπείς τίποτα για το κήρυγμα που σου κάνει αυτή η γυναίκα, είπε τρίζοντας τα δόντια του από θυμό. Δεν καταλαβαίνεις πως σου κάνει πλύση εγκεφάλου εναντίον μου; Βάλτο καλά στο μυαλό σου... δεν θα επιτρέψω να ξαναπάς πίσω στο σπίτι της. Καλύτερα να την ξεχάσεις, γιατί δε θα την ξαναδείς. Μεθαύριο μόλις πέσει το σκοτάδι θα φύγουμε, πριν προλάβει να μας ανακαλύψει κανείς.

- Όχι, δε θέλω! επέμεινε πεισματικά.

- Αφού δεν αλλάζεις γνώμη θα υποστείς και τις συνέπειες. Είμαι σίγουρος πως μόλις γυρίσω την πλάτη μου, θα προσπαθήσεις να το σκάσεις. Γι αυτό πρέπει να βεβαιωθώ πως δε θα επιχειρήσεις κάτι τέτοιο. Λυπάμαι γι' αυτό που θα κάνω, μα δε μου άφησες άλλη επιλογή.

Πήρε ένα σκοινί κι άρχισε να το τυλίγει γύρω από τους καρπούς του παιδιού του. Το αγόρι, ανίκανο ν' αντιδράσει, παρακολουθούσε άναυδο τον ίδιο του τον πατέρα να τον δένει χειροπόδαρα δίπλα σ' ένα σωλήνα.

Η Δάφνη ανίδεη για ότι είχε συμβεί στον Χρήστο, συνέχιζε να είναι προσηλωμένη στο χείμαρρο των αποκα-

173

λύψεων του Άρη. Τα συναισθήματά της είχαν διχαστεί και δεν ήξερε πως έπρεπε να νιώσει πια γι' αυτόν τον άνθρωπο. Έμοιαζε σαν να είχε ξαναγίνει εκείνο το έφηβο, φοβισμένο αγόρι, τη στιγμή που βρέθηκε με την πέτρα στο χέρι. Το αλαζονικό προσωπείο που είχε συνηθίσει μέχρι σήμερα, απροσδόκητα είχε μεταμορφωθεί σε ευάλωτο. Συνέπασχε τόσο, που πόναγε κι η ίδια.

- *Κι ύστερα; Τι κάνατε;*
- *Ο θάνατος του μοναχού περιέπλεξε τα πράγματα. Πανικοβλήθηκα τόσο που δεν ήξερα τι κάνω. Προσπαθούσα απεγνωσμένα να τον συνεφέρω μα δεν αντιδρούσε. Ήταν νεκρός κι ο Φώτης φώναζε να τον αφήσω από τα χέρια μου. Έπρεπε να εξαφανιστούμε από εκεί. Τον αφήσαμε κατάχαμα και φύγαμε όσο πιο γρήγορα μπορούσαμε.*

Εκείνος πήρε μαζί του ολόκληρη την προθήκη, αφού δεν υπήρχε ο χρόνος να την ανοίξει. Αρνιόταν πεισματικά να την αφήσει μετά απ' όσα έγιναν. Μοιραία πήρε μαζί του και την εικόνα. Εγώ ήμουν μπερδεμένος και δεν μπορούσα να πιστέψω αυτό που έκανα. Εκείνη τη στιγμή το μόνο που ήθελα ήταν να ξεφύγω. Έτσι το βάλαμε και οι δυο στα πόδια.

Η θάλασσα είχε ησυχάσει. Μπήκαμε στη βάρκα κι επιστρέψαμε στα σπίτια μας. Τίποτα όμως δεν ήταν όπως πριν. Το καλό κι αθώο παιδί που ήμουν είχε χαθεί. Μέσα σε μια μέρα είχα γίνει ιερόσυλος και φονιάς. Δεν τόλμησα να μιλήσω σε κανένα γι' αυτό. Όμως ένιωθα ότι όλοι γνώριζαν αυτό που είχα κάνει. Περπατούσα στο δρόμο και νόμιζα πως με κοιτούσαν και μ' έδειχναν με το δάχτυλο. Πολλές φορές

*είχα την αίσθηση πως κάποιοι με παρακολουθού-
σαν για να με συλλάβουν.*

*Η μητέρα μου κατάλαβε πως κάτι δεν πήγαινε καλά
μ' εμένα, γιατί δεν τολμούσα να την κοιτάξω πια στα
μάτια. Δεν μπορούσα να της αποκαλύψω το μεγάλο
μου μυστικό, γιατί ήξερα πως δε θα το άντεχε.
Ώσπου μια μέρα η μητέρα του Φώτη ήρθε πανικό-
βλητη στο σπίτι μας. Είχε ανακαλύψει την εικόνα
που είχε κρύψει ο γιος της και τρομοκρατήθηκε όταν
την είδε να δακρύζει και ν' ακτινοβολεί. Τον ανάγκα-
σε να ομολογήσει όσα έγιναν. Εκείνη με τη σειρά
της, τα είπε στους γονείς μου.*

*Η ακεραιότητα και η θρησκευτική συνείδηση τής
οικογένειάς μου, δεν άντεχε αυτό το στίγμα. Ο πα-
τέρας μου ήταν έξαλλος και δεν ήθελε ούτε να με
βλέπει. Ήμουν άριστος μαθητής και ήταν σίγουρος
πως θα έμπαινα σε κάποια πανεπιστημιακή σχολή.
Περίμενε πολλά από μένα και διέψευσα τις προσ-
δοκίες του. Δυστυχώς τα κατέστρεψα όλα κι έπεσα
από το βάθρο που με είχε τοποθετήσει.*

*Από τότε οι δρόμοι μας χώρισαν με τον Φώτη και οι
ζωές μας πήραν διαφορετικές κατευθύνσεις. Ποτέ
δεν έμαθα τίποτα για εκείνον ή για την εικόνα. Όσο
κι αν προσπάθησα δεν κατάφερα να συνεχίσω τη
ζωή μου. Ήμουν φορτωμένος με βασανιστικές ενο-
χές. Δεν ήθελα να θυμάμαι, μα η σκέψη μου είχε
αγκιστρωθεί τόσο πολύ σ' εκείνη τη μέρα, που οι
πράξεις μου χλεύαζαν κάθε όνειρο που έκανα για
το μέλλον. Είχα ανοίξει το κουτί της Πανδώρας και
δεχόμουν τις συνέπειες.*

ΜΑΡΙΑ ΚΑΛΑΤΖΗ

Η μόνη λύση ήταν να φύγω όσο πιο μακριά μπορούσα κι έτσι έγινα ναυτικός. Ρίχτηκα με τα μούτρα στη δουλειά για να μη σκέφτομαι. Πίεζα τον εαυτό μου να μην επιτρέψει σε καμία ακτίνα φωτός, να διαπεράσει το συναισθηματικό σκοτάδι που είχα φυλακίσει τις αναμνήσεις μου. Καλύφθηκα πίσω από ένα σκληρό προσωπείο, χωρίς αισθήματα κι ευαισθησίες. Η καρδιά μου είχε γίνει ένα κομμάτι πάγος. Μόνο αρνητικά συναισθήματα υπήρχαν μέσα μου και πάλευα με μνήμες που δεν μπορούσα να ξεχάσω. Δεν άντεχα τον εαυτό μου και γι' αυτό έπαψα να νιώθω.
- Τώρα ξεκαθαρίζουν πολλά. Μπορώ να καταλάβω γιατί είχες αυτή τη σκληρή συμπεριφορά και την παγωνιά στο βλέμμα. Είχες πάψει να λειτουργείς με την ανθρώπινη ζεστασιά. Η έρευνα που έκανα για σένα κατέληξε σε αδιέξοδο γιατί μου είπαν πως είχες πεθάνει σ' ένα ναυάγιο.
- Το διάστημα που ταξίδευα, είχαμε ένα σοβαρό ατύχημα στη θάλασσα. Κατάφερα να σωθώ με τη βοήθεια του καπετάνιου. Λίγο πριν από αυτό το περιστατικό, ένιωσα έντονη νοσταλγία να επικοινωνήσω με τους γονείς μου και τους τηλεφώνησα. Έμαθα από τον πατέρα μου πως η μητέρα είχε πεθάνει. Όταν έφυγα από το πατρικό μου σπίτι, εκείνη έπεσε σε κατάθλιψη και σταμάτησε να τρώει, ώσπου εξασθένησε τελείως.
Ήταν οργισμένος μαζί μου και με θεωρούσε υπεύθυνο για το θάνατό της. Σκέφτηκα πως θα ήταν καλύτερα να με νομίζει νεκρό κι έτσι τον άφησα να πιστεύει πως είχα πνιγεί στο ναυάγιο. Γι' αυτό ούτε του ξανα-

176

τηλεφώνησα, ούτε επιχείρησα να τον επισκεφτώ. Τα τελευταία λόγια που άκουσα από εκείνον ήταν πως δεν ήθελε να με ξαναδεί και ότι το πήρε απόφαση πως δεν είχε πια γιο.

- Κι όμως δεν τα πίστευε αυτά που είπε. Μιλούσε η οργή και όχι η καρδιά του. Όσο θυμωμένος κι αν είναι ένας γονιός με το παιδί του, έρχεται κάποια στιγμή που όλα καταλαγιάζουν μέσα του και το συγχωρεί. Αυτό συνέβη και μ' εκείνον.

- Μιλάς σαν κάτι να γνωρίζεις.

- Ξέρω πως μόλις έμαθε για το ναυάγιο και τον υποτιθέμενο χαμό σου, έπαθε εγκεφαλικό. Αυτό σημαίνει πως σ' αγαπούσε και περίμενε πως θα σε ξανασυναντήσει, παρά τα σκληρά λόγια που σου είχε πει.

- Καημένε πατέρα! Δεν σου άξιζε ένας γιος σαν και μένα. Κρίμα που δεν καταφέραμε να ξαναβρεθούμε. Το φοβόμουν πως δε θα ζει πια.

- Κι όμως είναι ζωντανός! Κατάφερε να επιζήσει από το εγκεφαλικό.

- Μου λες αλήθεια; είπε με μια νότα συγκρατημένου ενθουσιασμού στο άκουσμα της απρόσμενης είδησης.

- Δε θα σου έλεγα ψέματα για κάτι τόσο σοβαρό! Μόνο που δεν βγήκε αλώβητος απ' αυτή την περιπέτεια. Η κατάσταση τής υγείας του δεν είναι καλή. Έμεινε παράλυτος και βρίσκεται σε κέντρο αναπήρων. Δεν επικοινωνεί και πολύ με το περιβάλλον.

- Εσύ πως έμαθες για εκείνον;

- Αναζητώντας τα χνάρια του Χαρίλαου Χατζηπάνου που μας υπέδειξε ο Παναγιώτου, κατέληξα στον

Λευτέρη Χατζηπάνου, που βρισκόταν στο κέντρο αναπήρων. Τον επισκέφτηκα μα δεν μπόρεσα να βγάλω άκρη απ' αυτά που μου έλεγε.

- Λυπάμαι τόσο πολύ! αναφώνησε σπαραχτικά. Εγώ είμαι υπεύθυνος για την διάλυση της οικογένειάς μου. Κατέστρεψα τα πάντα μ' αυτό που έκανα.

- Και τι απέγινε ο Χαρίλαος που ήσουν; Πώς κατάφερες ν' αλλάξεις τ' όνομά σου;

- Το επίθετο Δήμου ανήκε στον καπετάνιο που μ' έσωσε. Ήταν ένας καταπληκτικός άνθρωπος, που αργότερα με υιοθέτησε και μου έδωσε την ευκαιρία να κρυφτώ από την παλιά μου ζωή. Ήμουν ο μικρότερος στο πλήρωμα κι επειδή ήμουν πολύ κλεισμένος στον εαυτό μου, κατάλαβε πως κάτι μου συμβαίνει. Θέλησε να με βοηθήσει κι έδειξε πατρικό ενδιαφέρον για μένα. Μετά το ατύχημα δεν ξαναταξιδέψαμε. Ήρθαμε στον Ροδώνα και με πήρε σπίτι του γιατί του είπα πως δεν είχα κανένα. Αργότερα μου πρότεινε να με υιοθετήσει κι εγώ δέχτηκα.

Μ' έκανε νόμιμο δικαιούχο του ονόματος και της κληρονομιάς του. Μου άφησε το κτήμα, το σπίτι και μου έφτιαξε μια γερή βάση για να δημιουργήσω και μόνος μου μια σεβαστή περιουσία. Με βοήθησε να φτιάξω το υφαντουργείο και να εξελιχθώ. Μετά από τόσα χρόνια ταξιδιών και ταλαιπωρίας, ρίζωσα εδώ, χτίζοντας μια καινούργια ζωή.

Όμως η επιτυχία δεν έχει κανένα νόημα αν δεν μπορείς να τη γευτείς και να τη μοιραστείς με κάποιον. Από μικρός λαχταρούσα όσο τίποτε άλλο, να κάνω ένα σωστό σπιτικό και μια οικογένεια με πολλά παι-

διά, μα το βάρος που κουβαλούσα, δε μου το επέτρεψε. Μπορούσα ν' αγοράσω μ' ευκολία τα πάντα, εκτός από αυτό που επιθυμούσα περισσότερο. Τη χαρά, τη γαλήνη και την ηρεμία που έχασα και δεν τα ξαναβρήκα από τότε.

Η Δάφνη τον κοίταζε βαθιά στα μάτια και σκεφτόταν πως της είχε αποκαλύψει περισσότερα συναισθήματα απ' ότι είχε τολμήσει να παραδεχτεί, στον ίδιο του τον εαυτό.

- Δεν έχεις ιδέα πόσο μοναχική κι αξιολύπητη είναι μια τέτοια ζωή, συνέχισε εκείνος. Ένιωθα σαν να ήμουν θαμμένος σε μια τρύπα στο έδαφος και τίποτα καλό δεν έφτανε εκεί. Ποτέ δεν ήμουν ευχαριστημένος με όσα είχα. Αντλούσα ικανοποίηση μόνο από την άσκηση εξουσίας. Ήθελα να βλέπουν τη δύναμή μου κι έκρυβα το πληγωμένο παιδί που έκρυβα μέσα μου. Ο άνθρωπος που με υιοθέτησε μ' έκανε ισχυρό. Η μόνη του απαίτηση ήταν να φροντίσω τη μοναχοκόρη του.

- Μιλάς για την Τούλα;

- Ναι, γι' αυτή! Έγινε ο μόνος δικός μου άνθρωπος πια.

- Ώστε δεν είναι πραγματική αδερφή σου;

- Είναι παιδί του θετού μου πατέρα, που δεν είναι πια στη ζωή. Η μόνη του έννοια ήταν αυτό το κορίτσι. Πέρναγε μια δύσκολη δοκιμασία εκείνη την εποχή, που την σημάδεψε για όλη της τη ζωή. Όταν την γνώρισα ήταν αδύναμη κι εύθραυστη σαν πορσελάνη. Χρειαζόταν κάποιον να την φροντίζει όταν εκείνος δε θα μπορούσε. Καθώς πλησίαζε το τέλος της ζωής του, αισθανόταν πιο ήρεμος που της είχε δώσει έναν μεγαλύτερο αδερφό να την προστατεύει. Αυτή είναι η ιστορία της ζωής μου. Τώρα ξέρεις όλα τα σκοτεινά της σημεία.

- Έμαθα πάρα πολλά σήμερα που δεν τα περίμενα. Κυρίως έμαθα τα μυστικά αυτής της εικόνας. Ομολογώ πως ξαφνιάστηκα από τα γεγονότα που συνέβησαν στο παρελθόν. Ταυτόχρονα όμως λύνεται ένα πρόβλημα που με βασάνιζε εδώ και καιρό. Ο Παναγιώτου λίγο πριν πεθάνει είπε πως μόνο ο Χαρίλαος Χατζηπάνου ξέρει που βρίσκεται η σπηλιά. Αφού είσαι το πρόσωπο που έψαχνα, μπορούμε να την πάμε πίσω!

- Όχι δεν μπορώ! Ανατριχιάζω ακόμα και στη σκέψη να βρεθώ εκεί. Δεν τολμώ να ξαναπατήσω το πόδι μου σ' εκείνο το νησί.

- Μα η εικόνα πρέπει να επιστρέψει στο μέρος που ανήκει!

- Μου είναι αδύνατον.

- Μα πρέπει να το κάνεις. Είσαι υποχρεωμένος να την επιστρέψεις.

- Πάντα αναρωτιόμουν για την τύχη της. Είναι τόσο παράξενο που την ξαναβρήκα!

- Δεν τη βρήκες εσύ. Εκείνη σε βρήκε!

- Ναι πράγματι! Αυτή είναι η αλήθεια, συμπέρανε σκεφτόμενος τα γεγονότα. Είχα να τη δω από εκείνη τη μέρα, αλλά δεν μπόρεσα να την ξεχάσω ποτέ. Την πήρε ο Φώτης και δεν έμαθα τι απέγινε. Μου άφησε ένα κουτί με χρυσαφικά από την προθήκη. Δεν άντεχα να τα πουλήσω, μα ούτε και να τα βλέπω. Τ' *ασφάλισα σ' ένα κουτί από αλουμίνιο και τα έθαψα στον κήπο του τωρινού μου σπιτιού. Βρίσκονται στη ρίζα μιας λεμονιάς. Το παράξενο είναι πως ενώ ήταν έφορη, από εκείνη τη μέρα άρχισε να ξεραίνεται, ώσπου έμεινε μόνο ένα σκέτο κούτσουρο.*

- Μήπως είναι το ξερό δέντρο που συνεχίζεις να ποτίζεις.

- Ακριβώς αυτό. Τ' ονόμασα δέντρο της συγνώμης. Πίστευα πως αν η λεμονιά ξαναζωντάνευε, ίσως υπήρχε ελπίδα να με συγχωρήσει κι ο Θεός. Φαίνεται όμως πως δε θα γίνει ποτέ.

- Συγχώρεση θα λάβεις μόνο αν διορθώσεις τα λάθη που έκανες.

- Δυστυχώς δεν μπορώ να φέρω πίσω στη ζωή το παλικάρι που σκότωσα.

- Τουλάχιστον βοήθησε να επιστρέψει αυτή η εικόνα στη βάση της. Ομολόγησε την πράξη σου μπροστά στο Θεό για να λυτρωθείς.

- Δεν μπορώ, ντρέπομαι τόσο πολύ! Η επικοινωνία μου με τον Θεό διακόπηκε μετά από εκείνη τη μέρα. Δεν έχω τολμήσει να πατήσω το πόδι μου σ' εκκλησία από τότε. Νιώθω πως θα καώ μόλις μπω στο ναό.

- Πρέπει να ταπεινωθείς για να διορθώσεις το κρίμα σου. Πήγαινε να εξομολογηθείς και να προσκυνήσεις το χώμα που βεβήλωσες. Μόνο τότε θα εξιλεωθείς για το κακό που προκάλεσες.

- Φοβάμαι πως θα καταλήξω στη φυλακή.

- Γιατί δεν καταλαβαίνεις πως είσαι ήδη φυλακισμένος; Τη φυλακή σου την κουβαλάς συνέχεια όπου κι αν βρίσκεσαι. Αν δεν αντιμετωπίσεις το πρόβλημα,

δε θα εξαφανιστεί ποτέ.

- Ίσως δε θα έπρεπε να σου τα πω.

- Χαίρομαι που μου τα είπες, γιατί τώρα σου δίνεται η ευκαιρία να επανορθώσεις.

- Μα θα καταστρέψω τη ζωή που κατάφερα να φτιάξω! Τι ωφελεί να σκαλίζω το παρελθόν;

- Όταν το χτες αφήνει τόσο βαθιές πληγές στο σήμερα, τότε αξίζει να τις γιατρέψεις, για μην υποφέρεις και αύριο. Η ομολογία θα ελευθερώσει την ψυχή σου.

- Ποιο θα είναι όμως το τίμημα;

- Όποιες κι αν είναι οι συνέπειες, το τίμημα θα είναι ελαφρύτερο από το μαρτύριο που περνάς τόσα χρόνια. Το χτες σου χτυπάει την πόρτα. Αντιμετώπισε το, αλλιώς θα συνεχίσει να σε κατατρέχει για όλη σου τη ζωή. Αυτό που συνέβη, δεν ήταν απλά μια σύμπτωση. Αναλογίσου τα γεγονότα και θα δεις πως υπάρχουν βαθύτερες ρίζες.

- Και τι να τους πω μετά από τόσα χρόνια; ρώτησε με έντονη ταραχή να περικλείει τα λόγια του. Δεν ξέρω αν είναι ακόμα εκεί οι ίδιοι άνθρωποι που ήταν και τότε!

- Τις απαντήσεις που ζητά η ψυχή σου θα τις βρεις σ' εκείνο το μέρος. Εκεί που άρχισαν όλα. Ένα τόσο σημαντικό γεγονός, δεν μπορεί να έχει σβηστεί από τον χρόνο. Είμαι σίγουρη πως θα περιμένουν ακόμα την εικόνα τους κι εκείνη φαίνεται πως θέλει να επιστρέψει το συντομότερο. Μπορεί ο Χρήστος να ήταν αυτός που επιλέχτηκε από τον Φώτη, μα εσύ είσαι αυτός που έχει καθήκον να είναι μαζί του, τη μέρα της επιστροφής της. Το σημερινό συμβάν αυτό *δείχνει.*

Συνειδητοποιούσε με οδύνη πως τα λόγια της περιείχαν μια μεγάλη δόση αλήθειας. Ήξερε πως αυτό έπρεπε να γίνει, μα αδυνατούσε να το υλοποιήσει. Η λογική του αποδεχόταν τη ορθότητα της σκέψης της, μα ερχόταν σε σύγκρουση με όσα ένιωθε.

Εκείνη καταλάβαινε το δίλημμά του και λυπόταν πραγματικά γι' αυτό που περνούσε. Η σιωπηρή συγκίνηση των αποκαλύψεων του, την είχε συνεπάρει και ο συμπονετικός χαραχτήρας της, ξέχασε τις διαφορές που τους είχαν κάνει εχθρούς. Άπλωσε το χέρι της προς το μέρος του και τον βοήθησε να σηκωθεί από το πάτωμα.

- *Αν έχεις μετανιώσει πραγματικά γι' αυτά που έκανες, πρέπει να το δείξεις με πράξεις. Δεν μπορεί να υπάρξει μέλλον αν δεν ξεκαθαρίσει το παρελθόν. Θα έρθω κι εγώ μαζί σας και θα είμαι δίπλα σου σ' ότι κι αν χρειαστείς.*

- *Θα έκανες κάτι τέτοιο για μένα; Γιατί θέλεις να με βοηθήσεις;*

- *Γιατί όλοι αξίζουν μια δεύτερη ευκαιρία.*

- *Μα σ' έβλαψα κι εσύ μου προσφέρεις συμπαράσταση;*

- *Γιατί όχι! Πάνω απ' όλα είμαστε άνθρωποι. Χρειάζεσαι βοήθεια και θα κάνω ότι μπορώ για σένα. Όσα σου συνέβησαν ήταν τραγικά. Ακόμα κι ο πιο δυνατός χαραχτήρας θα λύγιζε. Οι αμαρτίες σου σ' έκαναν να χάσεις τον εαυτό σου. Θέλω πολύ να ξαναβρείς τον Χαρίλαο που ήσουν κάποτε.*

Την κοίταξε με τα κατακόκκινα μάτια του και τον βάρυνε απίστευτα η σκέψη ότι είχε χάσει τόσο καιρό πο-

183

λεμώντας την. Πώς θα μπορούσε ν' αρνηθεί τον κλάδο ελαίας που του έτεινε;

- *Σου υπόσχομαι πως θα το σκεφτώ. Μα μη με πιέζεις σε παρακαλώ. Είναι τρομερά δύσκολο για μένα. Χρειάζομαι χρόνο για να πάρω τις αποφάσεις μου.*

- *Το καταλαβαίνω! Όμως θέλω να θυμάσαι πως η μετάνοια και η συγνώμη είναι το πρώτο βήμα προς τη λύτρωση. Προχώρα παρακάτω και μη συνεχίσεις να παραμένεις όμηρος του χτες.*

- *Ήταν πολύ ξαφνικό και δεν νιώθω ακόμη έτοιμος γι' αυτό το βήμα. Υπόσχομαι πως θα παλέψω με τους φόβους μου κι ελπίζω να τους νικήσω. Όταν θα έρθει η ώρα θα είσαι η πρώτη που θα το μάθεις.*

- *Αυτό μου αρκεί. Φαντάζομαι πως μπορούμε να περιμένουμε λίγο ακόμα. Πάρε το χρόνο που χρειάζεσαι, όμως μην αργήσεις πάρα πολύ. Ο μικρός θεωρεί καθήκον του να εκπληρώσει την τελευταία επιθυμία του Φώτη.*

- *Πού είναι τώρα το παιδί;*

- *Θα έπρεπε να είναι ήδη εδώ!* είπε με απορία όταν κοίταξε το ρολόι. Συνειδητοποίησε πως η ώρα είχε περάσει κι είχε αργήσει πολύ να επιστρέψει.

- *Δε σου είπε πού θα πήγαινε;*

- *Πήρε μαζί του το βιβλίο και το τετράδιό του. Συνήθως διαβάζει στο κτήμα κάτω από ένα δέντρο.*

Από το ανοιχτό παράθυρο του σαλονιού, μπήκε το περιστέρι του Χρήστου, κρατώντας στο ράμφος του ένα κομμάτι σκισμένου χαρτιού. Η Δάφνη πήγε κοντά του και το πήρε στα χέρια της.

- *Περίεργο!* είπε μόλις αναγνώρισε την προέλευσή

του.

- Τι συμβαίνει; ρώτησε ο Άρης.

- Αυτό το σκισμένο χαρτί, είμαι σίγουρη πως είναι από το βιβλίο της ιστορίας τού Χρήστου. Είναι ένα κομμάτι από το μάθημα που διαβάζαμε χτες. Πρέπει να πάω στο κτήμα να τον βρω προτού νυχτώσει. Διαισθάνομαι πως κάτι δεν πάει καλά!

- Θα έρθω κι εγώ μαζί σου.

ΚΕΦΑΛΑΙΟ ΔΕΚΑΤΟ ΕΝΑΤΟ

Ο πάτερ- Κοσμάς, έκλεισε το προσευχητάρι που στεκόταν ανοιχτό πάνω στο ξύλινο αναλόγιο. Ήταν Ηγούμενος στο μοναστήρι που συγκεντρώνονται οι μοναδικοί κάτοικοι που απέμειναν σ' αυτό το νησί. Επτά ψυχές είχαν απομείνει πια εκεί. Ξεχασμένοι θεματοφύλακες ενός ιερού τόπου που κάποιοι το βεβήλωσαν, κλέβοντας την ιερή εικόνα του Αγίου Γεωργίου. Έβγαλε το γυαλιά του και πήγε προς το παράθυρο του ασκητικού κελιού του. Ατένισε τη θέα του μαραζωμένου νησιού που έσβηνε καθημερινά. Ένα σκηνικό εγκατάλειψης υφάνθηκε με το πέρασμα του χρόνου. Χλωμοί τόνοι απλώνονταν μέχρι εκεί που έφτανε το βλέμμα του. Οι όμορφες αναμνήσεις που κουβαλούσε από τα παιδικά του χρόνια είχαν πνιγεί κάτω από τους μουντούς χρωματισμούς της ερημιάς, που κυριαρχούσαν παντού. Παρατηρούσε στο βάθος του ορίζοντα τις γκριζωπές πέτρες που ψήνονταν κάτω από το καλοκαιρινό λιοπύρι.

Κι όμως, δεν ήταν πάντα έτσι. Κάποτε αυτό το νησί ήταν γεμάτο ζωή και μια παλέτα έντονων αποχρώσεων απλωνόταν σαν βεντάλια απ' άκρη σ' άκρη. Από εκείνους τους απόκρημνους βράχους, έτρεχε ένας μικρός καταρράχτης. Το κελάρυσμα του αφρισμένου νερό του, ενωνόταν αρμονικά με τα καθάρια νερά μιας ασημογάλαζης λιμνούλας, που στραφτάλιζε στο ηλιόφωτο. Απ' την άλλη πλευρά υπήρχε μια κοιλάδα γεμάτη από κάθε λογής αγριολούλουδα με πανέμορφους χρωματισμούς. Γαλάζια σμήνη από το σπάνιο είδος πουλιού, που ήταν το σήμα κατατεθέν του νησιού, στόλιζαν τον ουρανό. Πυκνές συστάδες σκιερών δέντρων σκαρφάλωναν στις βουνοπλαγιές, σχηματίζοντας αδιαπέραστα δάση.

Τώρα απ' όλο αυτό το εξαίσιο τοπίο, είχε απομείνει μια μακρινή, θολή ανάμνηση. Μια φωτεινή κουκίδα του χτες, χαμένη στο θλιβερό τοπίο της σημερινής πραγματικότητας. Ασθενικοί κορμοί έτοιμοι να καταρρεύσουν από την ορμητική πνοή των ανέμων. Παντού ξεπρόβαλαν αγκαθωτά φρύγανα, που ήταν ανθεκτικά και συμβατά στα καινούργια δεδομένα.

Η πηγή νερού που είχε στερέψει πριν είκοσι χρόνια, έπαψε να τροφοδοτεί το νησί με ζωή κι ευημερία. Ήταν η μέρα που είχε κλαπεί η θαυματουργή εικόνα του Αγίου Γεωργίου, από την ιερή σπηλιά δίπλα στο μοναστήρι. Όλα άλλαξαν από τότε. Η ανάπτυξη που εκτόξευσε την οικονομία του νησιού, πήρε φθίνουσα πορεία, όπως και το φυσικό περιβάλλον του. Αποτέλεσμα! Όταν η χλωρίδα του νησιού καταστράφηκε οι κάτοικοι του το εγκατέλειψαν. Μόνο επτά μοναχοί επέμεναν να το κατοικούν και να ελπίζουν στην επιστροφή του προστάτη τους.

ΚΕΦΑΛΑΙΟ ΕΙΚΟΣΤΟ

Η Δάφνη και ο Άρης έφτασαν στο κτήμα, θορυβημέ-
νοι από την αργοπορία του Χρήστου. Κατευθύνθηκαν
στο δέντρο που συνήθιζε να διαβάζει. Σύντομα ανακάλυ-
ψαν τη ζακέτα του και τις σκισμένες σελίδες πεταμένες
στο χώμα. Το ελαφρύ αεράκι τις είχε παρασύρει και τις
είχε μεταφέρει ολόγυρα.

- Κάτι κακό συνέβη εδώ, είπε τρομοκρατημένη η Δάφ-
νη, αντικρίζοντας το άγριο σκηνικό. Αυτό το βιβλίο
ήταν η αγαπημένη του συντροφιά το τελευταίο διά-
στημα. Είχε βάλει στόχο να το διαβάζει τέλεια μέχρι
να πάει σχολείο. Αποκλείεται η καταστροφή του να
είναι δικό του έργο.

- Ήταν και κάποιος άλλος εδώ, είπε ο Άρης παρατη-
ρώντας το ανακατωμένο χώμα. Υπάρχουν ίχνη από
παπούτσια αντρικού μεγέθους. Όλα δείχνουν πως
υπήρξε πάλη μεταξύ τους.

- Ω, Θεέ μου! Τι του συνέβη;

- Φαίνεται σαν να τον απήγαγαν

- Μα γιατί;

- Έχει κάποιος λόγο να το κάνει;

- Μα είναι ένα παιδί μόλις δέκα ετών. Για ποιο λόγο να τον απαγάγουν; Ξαφνικά έκανε μια σκέψη που φαινόταν τελείως αδύνατη. Ο μόνος άνθρωπος που έχει είναι ο πατέρας του, μα απ' ότι ξέρω είναι στη φυλακή.

- Μήπως αποφυλακίστηκε;

- Δεν ξέρω! είπε σαστισμένη. Αλλά ακόμα κι αν βγήκε από τη φυλακή, γιατί να τον πάρει χωρίς να μου πει τίποτα; Έχω την επιμέλεια του παιδιού και θα έπρεπε να με ενημερώσει. Και τώρα τι πρέπει να κάνω; Νομίζω πως το καλύτερο είναι να ειδοποιήσω την αστυνομία.

- Είναι πολύ νωρίς για να κινητοποιηθούν. Απ' ότι ξέρω χρειάζεται να περάσουν είκοσι τέσσερεις ώρες για να δηλωθεί η εξαφάνιση. Άσε που μπορεί να σε βάλει σε μπελάδες με το ίδρυμα, που σου ανέθεσε την αναδοχή!

- Τότε πρέπει να ψάξουμε μόνοι μας! Δεν μπορεί να είναι μακριά. Αποκλείεται να έφυγε μαζί του χωρίς να μου το πει. Δε θα το έκανε ποτέ με τη θέλησή του.

Ο Χρήστος ξύπνησε ακινητοποιημένος στον παλιό αλευρόμυλο. Ήταν δεμένος ολόκληρη τη νύχτα. Τα άκρα του ήταν μελανιασμένα και τα σχοινιά τον πονούσαν. Έριξε μια διερευνητική ματιά στον κυκλικό χώρο. Το βλέμμα του στάθηκε σ' ένα συγκεκριμένο σημείο. «*Αλευρόμυλος Βεργίνα*», έγραφε μια επιγραφή στο πάνω μέρος της στριφογυριστής σκάλας. Κανείς όμως δεν γνώριζε πως βρισκόταν εκεί και τα δεσμά του τον εμπόδιζαν να ξεφύγει. Επιχείρησε πολλές φορές ν' απελευθερωθεί, μα δεν τα κατάφερε κι εγκατέλειψε την προσπάθεια. Το μόνο που έκανε πια ήταν να προσεύχεται.

Άξαφνα ένας απροσδόκητος επισκέπτης έκανε την εμφάνισή του στο μικρό παραθυράκι του μύλου. Ο φτερωτός του φίλος προσγειώθηκε στο πέτρινο πρεβάζι. Ένιωσε να ηρεμεί βλέποντας το λευκό περιστέρι. Αν και δεν μπορούσε να τον ελευθερώσει, η συντροφιά του τού έκανε καλό.

Ο ερχομός του πατέρα του ανέτρεψε τη χαρά που του έδωσε ο μικρός του φίλος. Όταν το είδε να σουλατσάρει, άπλωσε απειλητικά το χέρι του και το έδιωξε. Το παιδί το είδε να φτερουγίζει μακριά κι η καρδιά του σφίχτηκε.

- *Υπομονή μικρέ και τα βάσανά σου θα τελειώσουν αύριο βράδυ. Θα φύγουμε μακριά από εδώ κι ελπίζω ν' αλλάξεις μυαλά και να συμμορφωθείς σ' αυτά που σου λέει ο πατέρας σου.*

- *Σε παρακαλώ λύσε με για λίγο!*

- *Νομίζεις πως δεν καταλαβαίνω πως θέλεις να το σκάσεις με την πρώτη ευκαιρία;*

- *Μόνο τα χέρια μου τουλάχιστον! Είναι πολύ σφιχτό το σκοινί και με πονάει.*

Ο πατέρας του φάνηκε να διστάζει, μα τα σημάδια στους καρπούς του, τον έπεισαν πως υποφέρει.

- *Μου υπόσχεσαι πως δε θα επιχειρήσεις τίποτα;*

- *Θέλω μόνο να ξεμουδιάσω.*

- *Εντάξει λοιπόν! Μόνο τα χέρια όμως. Μη με κάνεις να το μετανιώσω, είπε λύνοντας τους σφιχτούς κόμπους. Και για να είμαι σίγουρος πως δε θα προσπαθήσεις να λύσεις στα πόδια σου, θα σου βάλω χειροπέδες μαζί με το σκοινί.* Ο μικρός έτριβε τους κοκκινισμένους καρπούς με τα δάχτυλά του, καθώς ο πατέρας του ασφάλιζε τις χειροπέδες που έβγαλε από το σακίδιό του.

- *Μόνο με αυτό ανοίγουν,* είπε κουνώντας επιδειχτικά το μικρό κλειδί που κρεμόταν από το δάχτυλό του. *Ελπίζω να είσαι φρόνιμος.*

Ένα βροντερό χτύπημα αντήχησε στην πόρτα του μύλου.

- *Θάνο εγώ είμαι,* ακούστηκε η φωνή του επισκέπτη τους.

- *Τώρα κατεβαίνω,* απάντησε εκείνος.

- *Είναι ο φίλος που σου έλεγα πως θα μας πάρει από εδώ. Αυτός θα μας φυγαδέψει σ' ένα ασφαλές μέρος και θα ξεκινήσουμε μια καινούργια ζωή. Ήρθε να μιλήσουμε για τη δουλειά που ετοιμάζουμε. Πάω κάτω να τον συναντήσω και μετά θα σου φέρω κάτι να φας. Ελπίζω να είσαι φρόνιμος.*

Ο Χρήστος πάσχιζε να ελέγξει τα παραλυμένα του χέρια, απολαμβάνοντας την ελευθερία τους. Η συζήτηση των δύο ανδρών στην είσοδο του μύλου, έφτασε αμυδρά στ' αυτιά του.

- *Όλα εντάξει;* ρώτησε τον συνεργό του ο Θάνος.

- *Ναι! Αύριο είναι η ιδανική μέρα για τη δουλειά. Ξέρω πως το σπίτι θα είναι άδειο, γιατί οι ιδιοκτήτες θα λείπουν. Εξήγησες στον γιο σου τι πρέπει να κάνει;*

Ο Χρήστος που κρυφάκουγε τη συζήτησή τους από πάνω, σταμάτησε ακόμα και την ανάσα του, για να ξεχωρίσει κάθε λέξη της ύποπτης συζήτησής τους.

- *Είναι απρόθυμος να συμμετέχει σε οτιδήποτε, μα*

192

*μην ανησυχείς γι' αυτό. Πάντα έτσι κάνει, μα στο
τέλος υποκύπτει. Θα τον στρώσω μέχρι τότε και θ'
αναγκαστεί να συμμορφωθεί κι αυτή τη φορά.*

*- Έχω μελετήσει το χώρο και η μοναδική δίοδος είναι
ένα παραθυράκι στο υπόγειο, που δεν διαθέτει την
ασφάλεια που έχει το υπόλοιπο σπίτι. Όμως κανείς
απ' τους δυο μας δεν έχει τις διαστάσεις που χρειά-
ζονται, για να εισχωρήσει από εκεί. Πιστεύεις πως ο
γιος σου μπορεί;*

*- Είναι μικροκαμωμένος και τόσο ευέλικτος, που περ-
νάει κι από χαραμάδα. Δεν είναι η πρώτη φορά που
το κάνει και είμαι σίγουρος πως θα τα καταφέρει.*

- Πολύ ωραία! είπε ικανοποιημένος από την απάντη-
σή του συνεργού του. *Μόλις ο μικρός μπει μέσα, θα
μας ανοίξει και θα έχουμε πρόσβαση σε όλους τους
χώρους του σπιτιού. Θα μιλήσω μαζί του και θα τον
κατατοπίσω για το τι πρέπει να κάνει στη συνέχεια.
Θα τα ξαναπούμε σύντομα.*

Ο Χρήστος ένιωσε ακόμα πιο απελπισμένος μετά από
αυτά που άκουσε. Πώς θα κατάφερνε να εναντιωθεί στα
σχέδιά τους και να ξεφύγει από τα χέρια τους;

Καθώς τα σκεφτόταν όλα αυτά, το λευκό περιστέρι
επέστρεψε ξανά στο πρεβάζι. Αφού σουλατσάρισε για
λίγο στο χώρο, ήρθε και σκαρφάλωσε στον ώμο του
όπως συνήθιζε. Ο μικρός το πήρε μέσα στις χούφτες του
και το χάιδεψε τρυφερά.

*- Καλέ μου φίλε, μακάρι να είχες ανθρώπινη φωνή.
Τότε θα μπορούσες να πας στην Δάφνη, να της πεις
που είμαι για να έρθει να με σώσει. Δε θέλω να πάω
μαζί τους, ούτε να κλέβω και να κρύβομαι. Όμως κοί-*

ταξέ με! Δεν μπορώ να κάνω τίποτα για να ξεφύγω.

Εκείνο σαν να κατάλαβε τα λόγια του τέντωσε το λαιμό του και σήκωσε το δεξί του ποδαράκι, σαν να ήθελε κάτι να του πει. Ξανακοίταξε την παλιά επιγραφή με τ' όνομα του μύλου. Τότε μια ιδέα άστραψε στο μυαλό του. Μα βέβαια, μπορώ να της στείλω μήνυμα μ' εσένα. Άλλωστε τα περιστέρια έχουν τη φήμη των αγγελιοφόρων. Είσαι η μόνη μου ελπίδα και μπορεί να πετύχει.

Στην τσέπη του παντελονιού του είχε ακόμα το μικρό σημειωματάριο και το πολυξυσμένο μολυβάκι που έγραφε την ορθογραφία του. Έκοψε μια μακρόστενη λωρίδα χαρτιού και με τα πιο μικρά γράμματα που μπορούσε να κάνει, έγραψε το μήνυμά του: *«Αλευρόμυλος Βεργίνα. Χρήστος».*

«Είχε δίκιο η κυρά μου όταν μου έλεγε πως αν μάθω γράμματα θα έρθει κάποια στιγμή που θα ευχαριστώ το Θεό γι' αυτό», σκέφτηκε αναπολώντας τα λόγια της.

Δίπλωσε το μικροσκοπικό χαρτάκι στη μέση, για να μειώσει τον όγκο του και το τύλιξε γύρω από το ποδαράκι του περιστεριού. Τράβηξε μια κλωστή από το στρίφωμα του παντελονιού του και το κύκλωσε πολλές φορές στο λεπτοκαμωμένο άκρο του περιστεριού, στερεώνοντάς το γερά. Το μικρό πτηνό έδειχνε να συνεργάζεται κι έμεινε ακίνητο ώσπου να τελειώσει το έργο του.

- Σε παρακαλώ να το πας στην κυρά μου. Βασίζομαι πάνω σου. Είσαι η τελευταία μου ελπίδα. Φίλησε τρυφερά το μικρό κεφαλάκι του και το άφησε να φύγει, πριν το αντιληφθεί ο πατέρας του. Βούρκωσε καθώς το έβλεπε ν' απομακρύνεται στον ορίζοντα. Προσευχόταν χαμηλόφωνα να τα καταφέρει και να

μεταφέρει ασφαλές το μήνυμά του στα χέρια της. Έπρεπε να το λάβει γρήγορα, πριν τον πάρουν και φύγουν μακριά από το Ροδώνα.

ΚΕΦΑΛΑΙΟ ΕΙΚΟΣΤΟ ΠΡΩΤΟ

Η αγωνία της Δάφνης μεγάλωνε περισσότερο κάθε λεπτό που περνούσε. Είχε περάσει μια ολόκληρη μέρα χωρίς κανένα νέο. Η μόνη λύση ήταν να το ρισκάρει και ν' απευθυνθεί στις αρχές. Κατήγγειλε το γεγονός στο αρμόδιο τμήμα της περιοχής τους και περίμενε νέα. Αυτή η ιστορία ίσως να της κόστιζε την κηδεμονία του παιδιού. Δεν μπορούσε όμως να διακινδυνέψει την ασφάλειά του. Ο ήχος του τηλεφώνου την έκανε ν' αναπηδήσει από αγωνία. Ήταν η διευθύντρια του ιδρύματος που ζούσε ο Χρήστος, που την καλούσε. Επικοινωνούσε συχνά μαζί τους, ώστε να ενημερώνετε κι η ίδια για την πορεία της αναδοχής του.

Κι αν ήθελε να μιλήσει μαζί του; σκέφτηκε γεμάτη πανικό. Τι θα της έλεγε; Η καρδιά της σφίχτηκε γιατί δεν ήξερε πώς να δικαιολογήσει την απουσία του.

- *Κυρία Συμεωνίδου, χαίρομαι που σας ακούω, είπε κάπως διστακτικά.*

- *Δυστυχώς το σημερινό μου τηλεφώνημα δε θα είναι και τόσο ευχάριστο.*

- Πείτε μου τι συμβαίνει, είπε κρατώντας την αναπνοή της από την αγωνία.
- Από χτες προσπαθώ μάταια να επικοινωνήσω μαζί σας για ένα επείγον ζήτημα που προέκυψε ξαφνικά.
- Ναι, είπε κάπως κομπιασμένα. Χτες έλειπα από το σπίτι σχεδόν όλη τη μέρα.
- Ήθελα να σας ενημερώσω για ένα δυσάρεστο γεγονός που διαδραματίστηκε στο ίδρυμά μας. Προχτές το απόγευμα ο πατέρας του Χρήστου ήρθε και μ' επισκέφτηκε στο γραφείο μου, με πολύ άγριες διαθέσεις. Απαίτησε να του δώσω το γιο του κι όταν του είπα πως το παιδί έχει δοθεί σε ανάδοχη μητέρα, έγινε πραγματικό θηρίο.

Μου ζήτησε να του πω που ακριβώς βρίσκεστε κι όταν αρνήθηκα να του δώσω πληροφορίες, κατέφυγε σε βιαιοπραγίες. Με χτύπησε στο πρόσωπο και κατόπιν έβγαλε όπλο. Απείλησε πως θα σκότωνε εμένα, αλλά και όποιον άλλον θα προσπαθούσε να τον εμποδίσει. Έμοιαζε αποφασισμένος και ικανός να πραγματοποιήσει τις απειλές του. Φοβήθηκα πως η κατάσταση θα ξέφευγε πέρα από κάθε έλεγχο και ήμουν υποχρεωμένη να διασφαλίσω τα υπόλοιπα παιδιά, καθώς και το προσωπικό του ιδρύματος που διευθύνω. Αναγκάστηκα να του δώσω το φάκελο σας για να τον πείσω να φύγει.
- Λυπάμαι πολύ κυρία Συμεωνίδου για όσα περάσατε, είπε σοκαρισμένη. Αυτός ο άνθρωπος είναι ένας αγροίκος.
- Είναι και πολύ επικίνδυνος. Απέδρασε από τη φυλακή τραυματίζοντας σοβαρά έναν αστυνομικό. Είμαι

σίγουρη πως θα έρθει στο κτήμα σας, αφού έχει πρόσβαση στα προσωπικά σας στοιχεία και είναι ενήμερος για την τωρινή κατοικία του γιου του.

- Έτσι εξηγείται η απαγωγή, συμπέρανε η Δάφνη.

- Τι θέλετε να πείτε;

- Κυρία Συμεωνίδου, ο Χρήστος έχει εξαφανιστεί από χτες. Γι' αυτό δεν μπορέσατε να επικοινωνήσετε έγκαιρα μαζί μου. Ψάχναμε όλη μέρα να τον εντοπίσουμε. Βρήκαμε τα πράγματά του στο κτήμα και όλα δείχνουν πως κάποιος τον πήρε μαζί του με τη βία.

- Δεν υπάρχει αμφιβολία πως ο πατέρας του είναι ο υπεύθυνος της εξαφάνισής του.

- Κι εγώ αυτής της γνώμης είμαι. Τον πήρε με το ζόρι και ποιος ξέρει που τον πήγε!

- Μετά τις ανεπιτυχείς προσπάθειές μου να σας ενημερώσω, επικοινώνησα με το αστυνομικό τμήμα της περιοχής μας για το συμβάν. Κατήγγειλα την βίαιη επίθεση αυτού του ανθρώπου και την πιθανή μετάβασή του στην οικία σας. Αυτή τη στιγμή καταζητείται από τις αρχές.

- Πράξατε πολύ σωστά κυρία Συμεωνίδου. Κι εγώ έχω ήδη καταγγείλει την εξαφάνιση του παιδιού.

- Αφού οι υποθέσεις συνδέονται, καλό θα ήταν να συνεργαστούν με το δικό μας τμήμα. Γνωρίζουν πολύ περισσότερα για τον Αθανάσιο Παπαγιάννη. Θα σας δώσω το τηλέφωνο του αστυνόμου που έχει αναλάβει και παρακαλώ να επικοινωνήσετε μαζί του το συντομότερο. Προφανώς η έρευνα πρέπει να επικεντρωθεί στην περιοχή σας.

- Μείνετε ήσυχη και θα το φροντίσω, της είπε μόλις

έγραψε το νούμερο που της έδωσε.

Η Δάφνη μετά την τηλεφωνική της επικοινωνία με την διευθύντρια ένιωσε τους φόβους της να γιγαντώνονται. Μπορεί αυτός ο άνθρωπος να ήταν πατέρας του, μα ήταν κι ένας καταζητούμενος δραπέτης. Αν και δεν τον γνώριζε προσωπικά, οι πράξεις του έδειχναν πως ήταν επικίνδυνος και τον θεωρούσε ικανό για όλα. Αν και ο Χρήστος ήταν παιδί του, δεν ήταν ασφαλής στα χέρια του.

Το πρώτο πράγμα που έκανε ήταν να τηλεφωνήσει στο νούμερο που της έδωσε η διευθύντρια. Εκείνοι ανέλαβαν να ενημερώσουν και το τμήμα στον Ροδώνα. Όλα είχαν πάρει το δρόμο τους. Εκείνη δεν μπορούσε να κάνει τίποτε άλλο πια.

Πήρε το αγαπημένο του αρκουδάκι και το κράτησε σφιχτά στην αγκαλιά της, όπως έκανε κι εκείνος.

Το λευκό περιστέρι προσγειώθηκε στο τραπέζι της αυλής. Την προσοχή της τράβηξε αμέσως το χαρτί που ήταν τυλιγμένο στο πόδι του. Το έβγαλε προσεχτικά κι αποκάλυψε το κρυφό του μήνυμα. «Αλευρόμυλος Βεργίνα. Χρήστος».

Μετά τις νεότερες πληροφορίες, η Δάφνη δεν μπορούσε να μείνει άλλο με σταυρωμένα χέρια. Είχε λάβει ένα σημαντικό μήνυμα και τη δεδομένη στιγμή, το πρώτο άτομο που σκέφτηκε να το ανακοινώσει ήταν ο Άρης. Την προηγούμενη μέρα, είχε αναλάβει ενεργό ρόλο στον εντοπισμό του παιδιού και όφειλε να τον ενημερώσει. Έτρεξε αμέσως στο σπίτι του ελπίζοντας να γνωρίζει κάτι περισσότερο για το σημείο που αναφερόταν στο μικροσκοπικό χαρτί, που της έστειλε με το αγαπημένο του περιστέρι ο Χρήστος.

- Μετά απ' αυτά που είπε η διευθύντρια του ιδρύματος, ανησυχώ ακόμα περισσότερο. Αυτός ο άνθρωπος είναι επικίνδυνος. Πως μπορεί να θεωρείται πατέρας, κάποιος που τολμά να κρατά όμηρο το ίδιο του το παιδί. Δεν ξέρω πώς να χειριστώ την κατάσταση! Θέλω να ψάξω να τον βρω, όμως δεν ξέρω που είναι ο αλευρόμυλος Βεργίνα. Υπάρχουν πολλοί μύλοι διάσπαρτοι στην περιοχή.

- Εκτός αυτού, είναι οπλισμένος και αδίστακτος. Δεν ξέρουμε πως μπορεί ν' αντιδράσει στην παρουσία μας. Τα πράγματα μπορεί να βγουν εκτός ελέγχου. Αφού έχει ειδοποιηθεί η αστυνομία, θα αναλάβει δράση και θα τον βρουν.

- Το καημένο το παιδί! Δε φτάνει που δεν πρόλαβε να γνωρίσει τη μανούλα του, έχει και για πατέρα αυτό τον εγκληματία.

- Ήταν πολύ μικρός όταν την έχασε;

- Μερικών μηνών. Δεν την θυμάται καθόλου. Το μόνο που έχει από εκείνη είναι αυτό, είπε δείχνοντας το ταλαιπωρημένο αρκουδάκι, που από τη σύγχυση το πήρε ασυναίσθητα μαζί της.

Η αδερφή του Άρη καθόταν παράμερα και νανούριζε το ψεύτικο μωρό της, όπως έκανε πάντα. Η συζήτηση που άκουγε τράβηξε το ενδιαφέρον της.

Γύρισε προς την Δάφνη και είδε το αρκουδάκι που κρατούσε στα χέρια της. Μετά στύλωσε τα μάτια της στο μωρό που κουνούσε και το ζακετάκι που του φόρεσε λίγο νωρίτερα. Ξάφνου κάτι ανάδεψε την ταραγμένη της μνήμη. Η ομίχλη που τύλιγε το μυαλό της ξεθόλωσε. Είδε την ψεύτικη κούκλα όπως πραγματικά ήταν.

- *Τι είναι αυτό που κρατώ;* αναρωτήθηκε σαν να ξύπνησε από λήθαργο. Σηκώθηκε από την πολυθρόνα και πλησίασε τον Άρη και την Δάφνη που συνέχιζαν την συνομιλία τους, χωρίς ν' αντιληφθούν την παράξενη αντίδρασή της. *Δεν είναι αυτό το παιδί μου,* διαπίστωσε ξαφνικά.

Έβγαλε το πλεχτό ζακετάκι από την κούκλα και την πέταξε με δύναμη στο πάτωμα, σαν να της είχε κάψει τα δάχτυλα. Στράφηκαν προς το μέρος της και την κοίταξαν με απορία. Ήταν πάντα υπερπροστατευτική με το δήθεν μωρό της και πρώτη φορά συμπεριφερόταν στην κούκλα τόσο βάρβαρα. Πλησίασε κοντά τους κοιτώντας επίμονα το αγαπημένο παιχνίδι του Χρήστου και το άρπαξε από το χέρι της Δάφνης.

- *Πού το βρήκες αυτό;*
- *Ανήκει στον Χρήστο. Το αγαπάει πολύ γιατί είναι το μόνο πράγμα που έχει από τη μητέρα του. Αυτό που φοράει το έχει πλέξει εκείνη. Δεν την γνώρισε ποτέ και ήρθε στον Ροδώνα για να την βρει. Αυτό το αρκουδάκι θα ήταν το σημάδι τους για να αναγνωρίσει ο ένας τον άλλο. Πρόσφατα έμαθε πως δε ζει κι απογοητεύτηκε τρομερά.*
- *Ο Μπόμπυ!* είπε με τρυφερότητα.
- *Ναι! Έτσι το αποκαλεί ο Χρήστος. Μα πώς το ξέρεις;*
Εκείνη αγνόησε την ερώτηση. Το έφερε κοντά στο πρόσωπό της μυρίζοντας το και μετά το έσφιξε δυνατά.
- *Ο Μπόμπυ!* επανέλαβε ξανά. *Πού είναι ο Χρηστάκος; Θέλω να τον δω!*
- *Αυτόν ψάχνουμε κι εμείς!* απάντησε ο Άρης. *Φαί-*

νεται πως ο πατέρας του ήρθε στο χωριό και τον κρατάει παρά τη θέλησή του. Έστειλε μήνυμα με το περιστέρι του πως είναι στον αλευρόμυλο Βεργίνα. Δεν ξέρουμε ποιος απ' όλους είναι, μα μόλις έρθει η αστυνομία θα ψάξουμε παντού να τον βρούμε.

- Πρέπει να πάω κοντά του. Με χρειάζεται, είπε και κατευθύνθηκε προς την εξώπορτα.

Η Δάφνη και ο Άρης κοιτάχτηκαν γεμάτοι απορία.

- Πού πάει; Νομίζει πως θα βρει μόνη της τον Χρήστο;
- Δε νομίζω να πάει μακριά! Ποτέ δεν απομακρύνεται πολύ.

- Αλήθεια, τι συμβαίνει μ' αυτή την κοπέλα; Ο Χρήστος μου είχε πει πως το μωρό που κρατάει είναι μια πλαστική κούκλα και τώρα το διαπιστώνω και η ίδια, είπε βλέποντας την πεταμένη στο πάτωμα.

- Ο θετός μου πατέρας μ' ενημέρωσε πως η Τούλα πέρασε μια πολύ σκληρή δοκιμασία, που διατάραξε την πνευματική της υγεία. Αυτός ήταν και ο λόγος που ήθελε να της δώσει ένα μεγαλύτερο αδερφό. Μου ανέθεσε την ευθύνη να την φροντίζω, γιατί δεν είχε κανέναν άλλο.

- Φαίνεται λογική και οι υπόλοιπες αντιδράσεις της είναι φυσιολογικές. Πώς κατέληξε να κρατά μια κούκλα έχοντας την ψευδαίσθηση πως είναι μωρό;

- Έμαθα πως ήταν παντρεμένη μ' έναν άνθρωπο που δεν της ταίριαζε καθόλου και σύντομα θα αποκτούσαν ένα αγοράκι. Πριν ακόμα γεννήσει, τον εγκατέλειψε γιατί ήταν πολύ βίαιος και κακός χαραχτήρας. Για να την εκδικηθεί, λίγους μήνες μετά τη γέννηση του μωρού, το έκλεψε κι εξαφανίστηκε. Δεν κατάφεραν να τους βρουν κι έτσι δεν έμαθαν ποτέ τι απέγινε το παιδί. Εκείνη δεν το άντεξε και σάλεψε ο νους της. Ζει μέσα στο δικό της κόσμο και πιστεύει πως το μωρό της είναι η κούκλα που νανουρίζει μέσα στο κουβερτάκι, που κάποτε σκέπαζε το γιο της.

- Και γιατί δεν κάνεις κάτι γι' αυτό; Η κοπέλα χρειάζεται βοήθεια ψυχολόγου.

- Για ποιο λόγο να παρατείνω το μαρτύριό της; Μέσα στη σύγχυση που επικρατεί στο μυαλό της, είναι ευτυχισμένη και δεν θέλω να της στερήσω την ηρεμία της. Την αφήνω να ζει μέσα στην ψευδαίσθηση, γιατί ξέρω πόσο δύσκολο είναι ν' αντιμετωπίζεις την πραγματικότητα. Μακάρι να ήμουν κι εγώ σ' αυτή τη γλυκιά λήθη.

- Μόνο αν αποκαταστήσεις τα λάθη σου θα βρεις την ηρεμία Χαρίλαε.

- Μη με λες έτσι! Νιώθω σαν ν' αναφέρεσαι σε κάποιον άλλο.

- Μα αυτό δεν είναι το όνομά σου;

- Ναι, μα ο θετός μου πατέρας προτιμούσε τα υποκοριστικά. Δεν του άρεσαν τα βαρύγδουπα ονόματα στους νέους ανθρώπους. Και την αδερφή μου την έλεγε Τούλα, ενώ έχει βαφτιστεί Κωνσταντία.

- Πώς την είπες; Κωνσταντία είναι το κανονικό της όνομα; αναφώνησε από την έκπληξη η Δάφνη.

- Ναι! Γιατί σου κάνει εντύπωση;

- Έτσι ονομαζόταν και η μητέρα του Χρήστου. Ήρθε εδώ, ψάχνοντας μια γυναίκα με τ' όνομα Κωνσταντία Παπαγιάννη!

- Πιστεύεις πως μπορεί να είναι εκείνη;

Το μυαλό της Δάφνης άρχισε να δουλεύει πυρετωδώς. Μια νέα, απίστευτη, αλλά πολύ πιθανή εκδοχή άρχισε ν' αναδύεται.

- Μου είπαν πως δε ζει, μα αυτό μπορεί να ήταν ψέμα αυτού του ανθρώπου. Μήπως ξέρεις αν το επίθετο του πρώην συζύγου της είναι Παπαγιάννης;

- Το είχα ακούσει κάποια στιγμή και νομίζω πως είναι αυτό. Δεν είμαι απόλυτα σίγουρος, γιατί δεν τον γνώρισα ποτέ και ξαναπήρε το πατρικό της επίθετο μετά το διαζύγιο.

- Είδες πόσο παράξενη ήταν η αντίδρασή της όταν είδε το αρκουδάκι του μικρού; Πέταξε κάτω την κούκλα και ήξερε τ' όνομα του Μπόμπυ. Πόσα χρόνια είναι η Τούλα σ' αυτή την κατάσταση;

- Δέκα χρόνια περίπου. Η απαγωγή του παιδιού έγινε λίγο πριν εγκατασταθώ σ' αυτό το σπίτι.

- Αν το μωρό της ήταν λίγων μηνών όταν της το πήρε, ο γιος της σήμερα είναι στην ηλικία του Χρήστου, συμπέρανε. *Είμαι σίγουρη πως η μητέρα του είναι ζωντανή... και είναι η θετή αδερφή σου.*

ΚΕΦΑΛΑΙΟ ΕΙΚΟΣΤΟ ΔΕΥΤΕΡΟ

Ο ήλιος μεσουρανούσε ακόμα, όταν η Τούλα έφτασε στον εγκαταλελειμμένο μύλο. Όταν άκουσε την Δάφνη ν' αναφέρει πως ο Χρήστος της έστειλε μήνυμα από τον «Αλευρόμυλο Βεργίνα», κατάλαβε αμέσως που τον κρατούσε. Το γνώριζε πολύ καλά αυτό το μέρος. Ήταν το σημείο συνάντησης με τον Θάνο, στην αρχή της γνωριμίας τους. Ο πατέρας της είχε έντονες αντιρρήσεις όταν το έμαθε, μα εκείνη δεν τον άκουσε κι έκανε το λάθος να τον παντρευτεί. Γρήγορα της αποκάλυψε ένα πρόσωπο διαφορετικό απ' αυτό που γνώριζε μέχρι τότε. Την χτυπούσε ακόμα κι όταν περίμενε το παιδί τους. Ο πατέρας της ταξίδευε εκείνο το διάστημα και δεν μπορούσε να την προστατεύσει από την οργή του.

Ο φόβος για τη ζωή του αγέννητου μωρού της, την έσπρωξε να τον καταγγείλει στην αστυνομία. Αυτό τον έκανε έξω φρενών κι έψαχνε ευκαιρία να την εκδικηθεί. Δυστυχώς κάποια στιγμή τα κατάφερε. Της πήρε το μωρό κι εξαφανίστηκε. Τώρα όλα ξεκαθάρισαν στο μυαλό της.

Το αρκουδάκι ανασκάλεψε τη μνήμη της και την επανέφερε στην πραγματικότητα.

Ο παλιός μύλος έστεκε μπροστά στα μάτια της μυστηριώδης, αλλά και επιβλητικός. Είχε αφεθεί στη μοίρα του, εγκαταλελειμμένος στη φθορά του χρόνου. Η ανάσα του ανέμου έκανε τη φτερωτή του να τρίζει.

Η ξύλινη πόρτα ήταν ξεκλείδωτη και υποχώρησε μ' ένα ελαφρύ σπρώξιμο. Ανέβηκε με προσοχή την στριφογυριστή σκάλα. Η διαίσθηση της δεν την πρόδωσε. Ήταν σίγουρη πως θα τον έβρισκε εκεί και πράγματι έτσι ήταν. Η καρδιά της ράγισε όταν είδε το μικρό αγόρι δεμένο. Κοιμόταν καθιστός στο σκονισμένο πάτωμα. Το αδύνατο κορμάκι του ήταν γερμένο πάνω στον τοίχο και στο δεξί του χέρι ήταν περασμένο το ένα άκρο από τις χειροπέδες, που τον κρατούσαν όμηρο με το σωλήνα δίπλα του.

Παρατήρησε πως ήταν μόνος του και ο Θάνος δεν φαινόταν πουθενά. Έτρεξε με λαχτάρα δίπλα του και χάιδεψε τα μελαχρινά του μαλλιά. Το ανάλαφρο άγγιγμά της τον ξύπνησε γλυκά. Τα μάτια του άστραψαν από χαρά μόλις την είδε.

- *Κυρία Τούλα, εσείς εδώ; ρώτησε απορημένος.*

- *Ήρθα να σ' ελευθερώσω αγόρι μου.*

- *Τι καλά που ήρθατε! Κάντε γρήγορα, γιατί φοβάμαι πως θα έρθει ο πατέρας μου και θα μας εμποδίσει!*

Του έλυσε αμέσως τους κόμπους που έσφιγγαν τα πόδια του. Το χέρι του όμως ήταν παγιδευμένο με τις χειροπέδες, που τον κρατούσαν ενωμένο με τον σωλήνα. Χρησιμοποίησε κάθε αντικείμενο που θα μπορούσε να τις ανοίξει, μα δεν έφερε κανένα αποτέλεσμα. Δοκίμασε να ξεριζώσει τον σωλήνα από τον τοίχο, μα ήταν γερά στερεωμένος και δεν κατάφερε να τον απελευθερώσει.

- *Λυπάμαι αγόρι μου!* είπε απογοητευμένη μετά τις άκαρπες προσπάθειές της. *Δεν μπορώ να κάνω τίποτε άλλο.*

- *Κρίμα γιατί κάνατε τόσο κόπο άδικα.*

Ο Χρήστος άρχισε να τεντώνει τα πιασμένα του πόδια. Το σκοινί που τον κρατούσε ακίνητο τον είχε πληγώσει.

- *Πώς με βρήκατε;*

- *Η Δάφνη έλαβε το μήνυμα που έστειλες με το περιστέρι.*

- *Ευτυχώς, γιατί δεν είχα κανέναν άλλο τρόπο να την ειδοποιήσω. Ανησύχησα μήπως χανόταν και δε θα έφτανε στα χέρια της. Γιατί δεν είναι μαζί σου;*

- *Δεν είπα σε κανένα πως ερχόμουν εδώ. Εκείνοι ψάχνουν ακόμα το μέρος που τους γράφεις στο μήνυμα. Εγώ γνωρίζω πολύ καλά τον «Αλευρόμυλο Βεργίνα» και δεν ήθελα να χάσω ούτε ένα λεπτό μακριά σου.*

- *Ελπίζω να καταφέρουν να με βρουν πριν επιστρέψει εκείνος! Ίσως θα ήταν καλύτερα να φύγετε κι εσείς. Αν σας βρει εδώ δεν ξέρω πως θ' αντιδράσει.*

- *Όχι δεν πρόκειται να σ' αφήσω μόνο σου. Θα μείνω δίπλα σου, ακόμα κι αν θελήσει να με σκοτώσει.*

- *Ομολογώ πως δεν περίμενα τέτοιο ενδιαφέρον για μένα, αλλά είναι πολύ σκληρός άνθρωπος. Τι θα κάνετε όταν έρθει;*

- *Το μόνο που μπορώ! Θα τον αντιμετωπίσω. Άλλωστε το έχω ξανακάνει στο παρελθόν.*

- *Ξέρετε τον πατέρα μου;*

- *Δυστυχώς τον γνωρίζω από παλιά και ξέρω από πρώ-*

το χέρι πόσο επικίνδυνος είναι.

- Μα πώς;

- Είναι μεγάλη ιστορία.

- Γιατί ήρθατε ως εδώ ολομόναχη;

- Αυτό με παρακίνησε, είπε δείχνοντας το αρκουδάκι του.

- Πού βρήκατε τον Μπόμπυ μου;

- Τον είδα πριν από λίγο στα χέρια της Δάφνης, μα δεν ήταν η πρώτη φορά που τον αντίκριζα. Αυτό το παιχνίδι ανήκε κάποτε στο μωρό μου.

- Μάλλον θα κάνετε κάποιο λάθος, είπε αντιδρώντας στα λεγόμενά της και φέρνοντας στη σκέψη του την κούκλα που θεωρούσε μωρό της. Ο Μπόμπυ είναι δικός μου. Μου ανήκει από τότε που γεννήθηκα.

- Το ξέρω αγόρι μου! Μα πρέπει να μάθεις κάτι που αγνοείς. Κάτι που κι εγώ θυμήθηκα μόλις πριν λίγο. Το ζακετάκι που φοράει το αρκουδάκι σου, το έπλεξα με τα ίδια μου τα χέρια. Μου είχε περισσέψει λίγο μαλλί και του έκανα ένα ίδιο με αυτό που είχα φτιάξει για το μωρό μου.

Του έδειξε το πλεχτό που φορούσε μέχρι πριν λίγο στην κούκλα. Πράγματι ήταν ολόιδια. Είχε το ίδιο σχέδιο, το ίδιο χρώμα και την ίδια υφή. Μόνο το μέγεθος διέφερε. Ήταν μια μικρογραφία αυτού που είχε στην κατοχή της η Τούλα. Φαινόταν ξεκάθαρα πως και τα δύο είχαν φτιαχτεί από το ίδιο χέρι, όπως και από το ίδιο κουβάρι.

- Μα πως είναι δυνατόν; Είναι φτιαγμένο από τη μητέρα μου. Πιστέψτε με! αναφώνησε προσπαθώντας να την πείσει.

- Το ξέρω πως λες αλήθεια. Άλλο προσπαθώ να σου

210

πω. *Μόλις είδα τον Μπόμπυ, όλα ξεκαθάρισαν στο μυαλό μου. Συνήρθα από την ψευδαίσθηση που ζούσα.*

- Τι θέλετε να μου πείτε; είπε μπερδεμένος από την ακαταλαβίστικη για εκείνον συζήτηση.

- *Αυτό το πλεκτό το είχα φορέσει εγώ στο αρκουδάκι του μωρού μου. Το κρατούσε στα χεράκια του, όταν ο πατέρας του μού το άρπαξε με τη βία από την αγκαλιά μου κι εξαφανίστηκε. Δεν κατάφερα να το βρω και δεν το άντεξα. Μέσα στο σαστισμένο μου μυαλό, έδωσα ζωή σε μια άψυχη κούκλα. Την έντυσα με τα ρουχαλάκια του, την τύλιξα στο κουβερτάκι του και κορόιδευα τον εαυτό μου, προσποιούμενη πως είχα ακόμη το μωρό μου κοντά μου.*

Η Τούλα σήκωσε το χέρι της και χάιδεψε με τρυφερότητα το μάγουλο του Χρήστου.

- *Τότε ήταν μόλις τριών μηνών, μα τώρα είναι ένα πανέξυπνο δεκάχρονο αγόρι που με κοιτά μπερδεμένο, μετά απ' αυτά που του είπα.*

Τα μάτια του Χρήστου ορθάνοιξαν από την έκπληξη.

- *Θέλετε να πείτε πως εγώ...,* είπε χάνοντας τα λόγια του. *Είστε σίγουρη;* ρώτησε ο μικρός αντιλαμβανόμενος την αλήθεια που έδειχναν ξεκάθαρα τα λόγια της.

- *Περισσότερο δε γίνεται! Εσύ είσαι το αγοράκι μου κι εγώ η μανούλα σου. Τόσα χρόνια κρατούσα μια κούκλα, πιστεύοντας πως είναι το παιδί που μου έκλεψε αυτός ο άνθρωπος,* είπε βουρκωμένη.

- *Δηλαδή είσαι η...,* δίστασε να ολοκληρώσει τη φράση του, μα ένιωθε τεράστια ανάγκη να ξεστομίσει αυτή τη μικρή λέξη, που έκλεινε μέσα της όλα όσα έλειψαν από την ζωή του.

- *Πες το αγόρι μου! Θέλω τόσο πολύ να το ακούσω!* είπε μ' ενθουσιασμό και συγκίνηση.

- ... *η μαμά μου;* συμπλήρωσε την ερώτηση που είχε αφήσει στη μέση.

- *Ναι γιε μου!* είπε κι άνοιξε την αγκαλιά της. Το παιδί κούρνιασε στον κόρφο της, όσο του επέτρεπε η χειροπέδα που τον κρατούσε ακινητοποιημένο. Τα χέρια τής Τούλας έκλεισαν γύρω του απαλά σαν φτερούγες περιστέρας.

ΚΕΦΑΛΑΙΟ ΕΙΚΟΣΤΟ ΤΡΙΤΟ

Ο Αρης βρισκόταν από ώρα στο σπίτι της Δάφνης και περίμεναν την έλευση της αστυνομίας. Είχαν αργήσει και η αναμονή τους είχε τσακίσει τα νεύρα.

- *Δεν αντέχω άλλο να περιμένω έτσι άπραγη! Πρέπει να κάνω κάτι γιατί θα τρελαθώ. Θέλω να βγω και να ψάξω μόνη μου τον Χρήστο.*

- *Ηρέμησε και κάνε υπομονή! Είπαν πως οργανώνουν μια ομάδα, ειδική σε τέτοιες περιπτώσεις. Δώσε τους λίγο χρόνο ακόμη! Αυτοί ξέρουν να χειρίζονται αυτές τις καταστάσεις. Η δική μας παρέμβαση μπορεί να τον εξαγριώσει περισσότερο. Μην ξεχνάς πως έχει όπλο και μπορεί να μη διστάσει να το χρησιμοποιήσει.*

- *Δυστυχώς θα πρέπει να συμφωνήσω μαζί σου,* είπε ξεφυσώντας απογοητευμένη.

Το περιπολικό της αστυνομίας έκανε την εμφάνισή του στο κατώφλι της. Πέντε άτομα κατέβηκαν από το όχημα και κατευθύνθηκαν προς το μέρος τους.

- *Αστυνόμος Φιλίππου,* συστήθηκε ο επικεφαλής. *Η*

213

ομάδα μας έχει αναλάβει την υπόθεση ομηρίας του ανηλίκου.

- Χαίρομαι που είστε εδώ, γιατί δεν πρέπει να χάσουμε άλλο χρόνο, είπε εναγωνίως η Δάφνη. Ανησυχώ για την ασφάλεια του παιδιού.

- Ο Αθανάσιος Παπαγιάννης είναι γνωστό κακοποιό στοιχείο στο τμήμα μας. Είχε συλληφθεί για κλοπή, μα τώρα είναι υπόδικος και για άλλα παραπτώματα. Δυστυχώς πριν λίγες μέρες, κατά τη διάρκεια μεταφοράς στο δικαστήριο, εκμεταλλεύτηκε μια εξέγερση δύο συγκρατούμενων του και κατάφερε ν' αποδράσει.

- Τραγικό! συμπλήρωσε με θλίψη η Δάφνη. Δεν αξίζει σ' αυτόν τον άνθρωπο ένα τόσο καλόψυχο κι αξιόλογο παιδί σαν τον Χρήστο.

- Τώρα όμως δε θα τον αφήσουμε να γλιτώσει. Πείτε μου σας παρακαλώ ό,τι γνωρίζετε για την απαγωγή.

Τον ενημέρωσαν και οι δυο τους για όσα είχαν προηγηθεί και τους οδήγησαν στο συμπέρασμα πως το παιδί είχε απαχθεί από τον πατέρα του. Κατόπιν του έδειξε το λακωνικό σημείωμα που βρήκε δεμένο στο ποδαράκι του περιστεριού και δεν υπήρχε αμφιβολία πως ήταν από τον Χρήστο.

- Η περιοχή μας έχει πολλούς μύλους και δεν ξέρουμε ποιος είναι αυτός ο «αλευρόμυλος Βεργίνα», που αναφέρει στο μήνυμα, είπε η Δάφνη.

- Σίγουρα θα είναι κάποιος απόμερος κι εγκαταλελειμμένος. Ταυτόχρονα όμως πρέπει να έχει πρόσβαση κοντά σε νερό και τροφή.

- Νομίζω πως οι τρεις μύλοι που βρίσκονται στη δυτι-

*κή πλευρά του χωριού θα ήταν κατάλληλοι για κατα-
φύγιο, κατέληξε μετά από σκέψη ο Άρης.*
- *Έχεις δίκιο! συμφώνησε η Δάφνη. Πώς δεν το σκε-
φτήκαμε νωρίτερα; Είναι πιο χαμηλά από τους υπό-
λοιπους, είναι παροπλισμένοι και οι μοναδικοί που
βρίσκονται κοντά σε περιβόλι!*
- *Ωραία λοιπόν!* είπε ο αστυνόμος Φιλίππου. *Θα ξε-
κινήσουμε από εκεί κι ελπίζω να είναι το σωστό ση-
μείο.*

Το δακρυσμένο αγόρι είχε αφεθεί στη θερμή αγκα-
λιά της μητέρας του και της διηγήθηκε όλες τις δυσκολίες
που είχε περάσει στη ζωή του. Ένιωσε βαθιά στην ψυχή
του την ασφάλεια και την παρηγοριά, που είχε τόση ανά-
γκη εκείνη τη στιγμή.
- *Τι πέρασες μικρό μου κι εγώ ήμουν βυθισμένη στον
κόσμο μου! Σταμάτησα το χρόνο στη μέρα που σε
είδα για τελευταία φορά. Εσύ πως βρέθηκες εδώ;*
- *Έμαθα πως μένεις σ' αυτό το χωριό και το έσκασα
από το ίδρυμα για να έρθω να σε βρω. Όμως μου
είπαν πως ονομάζεσαι Κωνσταντία,* είπε βουρκωμέ-
νος από χαρά.
- *Αυτό είναι το βαφτιστικό μου όνομα. Η μητέρα μου
συνήθιζε να με φώναζε Κωνσταντούλα, μα ο πατέ-
ρας μου προτιμούσε το Τούλα.*
- *Γιατί, όταν η κυρία Δάφνη πήγε στο ίδρυμα, της εί-
παν πως δε ζεις πια;*
- *Προφανώς αυτό ήταν ένα κατασκευασμένο ψέμα
του πατέρα σου, για να μην με αναζητήσουν. Ήθελε
να κόψει τις γέφυρες μεταξύ μας και δυστυχώς τα*

κατάφερε. Χάσαμε πολλά χρόνια εξαιτίας του.

- Πάρε με από εδώ μαμά! ικέτευσε με την απελπισία να ξεχειλίζει στο ηχόχρωμα της φωνής του. *Χτες ήρθε ένας φίλος του και τους άκουσα να καταστρώνουν κάποια ληστεία. Το κακό είναι πως υπολογίζουν κι εμένα στα σχέδιά τους. Όμως εγώ δε θέλω να πάρω μέρος σ' αυτό. Μετά θα μ' αναγκάσει να φύγω μαζί τους και δεν ξέρω που θα με πάνε.*

- Δε θα επιτρέψω να μας ξαναχωρίσει. Τώρα που σε βρήκα δε θα σε ξαναφήσω ποτέ πια, είπε κοιτώντας τον στα μάτια με αγάπη.

Ο Χρήστος ρίχτηκε ξανά στην αγκαλιά της κι εκείνη τον φίλησε τρυφερά στην κορυφή του κεφαλιού. Η συγκίνηση τους είχε παρασύρει και δεν αντιλήφθηκαν έγκαιρα την επιστροφή του Θάνου. Δυστυχώς δεν ήταν μόνος του. Τον ακολουθούσε ο άνθρωπος που θα συνεταιριζόταν μαζί του στην καινούργια κομπίνα τους.

- Τι συμβαίνει εδώ; αντιλάλησε άξαφνα η αυστηρή του φωνή.

Στο άκουσμα της ο Χρήστος σφίχτηκε από το φόβο και με το ελεύθερο χέρι του, γαντζώθηκε πάνω στη μητέρα του.

Το περιπολικό της αστυνομίας ακολουθούσε το αυτοκίνητο του Άρη, που τους οδηγούσε στη δυτική πλευρά του χωριού. Οι τρεις μύλοι που στέκονταν στο μικρό ύψωμα, ήταν οι επικρατέστεροι, σύμφωνα με τη μελέτη των στοιχείων τους. Πριν βγουν στο ξέφωτο, ο αστυνόμος Φιλίππου τους έκανε νόημα να σταματήσουν και πάρκαραν σ' ένα παράδρομο. Τα δέντρα του περιβολιού σαν προστατευτική ασπίδα, τους έκρυψαν κάτω από τις δροσερές τους φυλλωσιές.

- *Καλύτερα να μείνουμε για παρατήρηση. Ίσως εντοπίσουμε κίνηση σε κάποιον από τους τρεις μύλους, είπε ο επικεφαλής της ομάδας. Αν βγούμε στ' ανοιχτά το πιθανότερο είναι να μας αντιληφθεί πριν προλάβουμε να οργανωθούμε.*

- *Συμφωνώ κι εγώ, συναίνεσε στα λεγόμενά του ο Φιλίππου. Από εδώ έχουμε καλή ορατότητα προς το ύψωμα. Πήρε τα κιάλια από το αυτοκίνητο και εστίασε προσεκτικά προς τον κάθε μύλο ξεχωριστά.*

- *Βλέπετε κάτι; ρώτησε η Δάφνη φορτισμένη από υπερένταση.*

- *Υπάρχει ένα αυτοκίνητο πίσω από τους μύλους. Φαίνεται μόνο το μπροστινό μέρος, μα η παρουσία του εκεί, μόνο ύποπτη μπορεί να χαρακτηριστεί.*

Παρατηρώ και κάτι ακόμα πιο ενδιαφέρον. Τα αγριόχορτα που υπάρχουν μπροστά στον μεσαίο μύλο είναι τσακισμένα και πατημένα, ενώ στους άλλους δυο είναι ανέπαφα. Επίσης οι πόρτες τους έχουν λουκέτα με σκουριασμένες αλυσίδες, ενώ σ' αυτόν το λουκέτο είναι ανοιχτό και η αλυσίδα τραβηγμένη.

- *Άρα σ' αυτόν πρέπει να είναι! συμπέρανε ο Άρης.*

- *Κι εγώ έτσι πιστεύω, απάντησε ο αστυνόμος.*

- *Προτείνω να διασχίσουμε πεζοί το μονοπάτι που περνάει μέσα από το περιβόλι. Η κατεύθυνση μας θα είναι προς το πλαϊνό σημείο, του δεξιού μύλου. Έτσι θα μπορέσουμε να πλησιάσουμε αρκετά, δίχως να γίνουμε αντιληπτοί.*

Όλοι συμφώνησαν με την ιδέα του κι έσπευσαν να

την υλοποιήσουν. Ο αρχηγός έβγαλε ένα σημειωματάριο κι άρχισε να καταστρώνει σχέδιο δράσης. Έκανε ένα μικρό πλάνο, λαμβάνοντας υπόψη την ιδιομορφία του χώρου και έδωσε οδηγίες για τις θέσεις που θα είχε ο καθένας τους.

- Τούλα, ποιος σου είπε πως είμαστε στον αλευρόμυλο; ρώτησε έξαλλος ο Θάνος, όταν συνειδητοποίησε πως η πρώην σύζυγός του ήταν η γυναίκα που κρατούσε στην αγκαλιά της τον Χρήστο.

- Νομίζω πως εσύ είσαι αυτός που θα πρέπει να δώσει εξηγήσεις, είπε αποφασιστικά. *Γιατί κρατάς αιχμάλωτο το παιδί μας;*

- Άστα αυτά και πες μου πως μας βρήκες.

Εκείνη αγνόησε την ερώτησή του και το βλέμμα της στυλώθηκε στον μεγαλόσωμο άνδρα που φάνηκε στη βάση της σκάλας.

Ο άνθρωπος που μόλις είχε ανέβει, κοκάλωσε ξαφνικά.

- Σίμο εσύ εδώ; αναφώνησε σοκαρισμένη όταν τον αναγνώρισε. *Γιατί είσαι μαζί μ' αυτόν;*

- Το ίδιο θα ρωτούσα κι εγώ! είπε μόλις διαπίστωσε πως η αδερφή τού ανθρώπου που ήθελε να εκδικηθεί, είχε εντοπίσει το μυστικό τους κρησφύγετο. Η έκπληξή του έγινε μεγαλύτερη όταν είδε τον Χρήστο δεμένο, να κάθεται κατάχαμα με τις χειροπέδες, να ενώνουν το χέρι του με το σωλήνα.

- Τι δουλειά έχεις μ' αυτό το κάθαρμα; τον χαρακτήρισε καυστικά η Τούλα.

- Να λείπουν τα σχόλια, δήλωσε φανερά ενοχλημένος ο Θάνος.

218

- Τι σχέση έχουν αυτοί οι δυο με σένα; ρώτησε ο Σίμος, απευθυνόμενος στο φίλο του.

- Με την κυρία ήμασταν κάποτε παντρεμένοι κι αυτός εκεί είναι ο γιος μας.

Η πανικόβλητη αντίδραση του φίλου του στα λεγόμενα του, ήταν εμφανής και τον παραξένεψε.

- Γιατί κατάπιες τη γλώσσα σου, τον ρώτησε βλέποντας την έκπληξή του.

- Τα πράγματα μπερδεύονται πάρα πολύ. Πρέπει να ματαιώσουμε τα σχέδιά μας, αλλιώς θα μπλέξουμε άσχημα.

- Για ποιο λόγο;

- Γιατί δεν μου είπες πως έχεις συγγενικές σχέσεις με τον Άρη;

- Ποιος είναι ο Άρης; ρώτησε ο Θάνος που δεν είχε ιδέα για ποιον του μιλούσε.

- Ο αδερφός μου, απάντησε η Τούλα.

- Αφού είσαι μοναχοπαίδι, πότε απέκτησες αδερφό;

- Υιοθετήθηκε από τον πατέρα μου πριν μερικά χρόνια.

- Κι αν κατάλαβα καλά το σπίτι τους ήταν ο στόχος μας; ρώτησε απευθυνόμενος στον Σίμο.

- Ακριβώς! απάντησε εκείνος.

- Τι θέλετε να πείτε; ρώτησε η Τούλα με απορία.

- Εγώ ξέρω πετάχτηκε ο Χρήστος, που τώρα συνειδητοποιούσε ποιον είχαν βάλει στο στόχαστρο. Αυτοί οι δύο έχουν σκοπό να διαρρήξουν το σπίτι σου μητέρα. Ήθελαν να χρησιμοποιήσουν εμένα για να μπω από ένα παραθυράκι του υπογείου και να τους ανοίξω την κεντρική πόρτα. Τους άκουσα να τα συζητάνε στον κάτω χώρο του αλευρόμυλου, μα δεν είδα πως ο συνεργός του ήταν ο επιστάτης του κυρίου Άρη.

- Είναι αλήθεια Σίμο; Η ένοχη έκφρασή του επιβεβαίωνε τα λεγόμενα του παιδιού της.

- Ναι! απάντησε κοφτά.

- Μα γιατί; ρώτησε η Τούλα μπερδεμένη από την αποκάλυψη. Εσύ είσαι δικός μας άνθρωπος. Σε θεωρούσαμε μέλος της οικογένειάς μας. Γιατί θέλησες να μας κάνεις κακό;

- Ο αδερφός σου φταίει. Μ' έδιωξε από τη δουλειά μου, γιατί έβαλα φωτιά στην αποθήκη της γειτόνισσας του χωρίς να τον ρωτήσω.

- Εσύ το έκανες; πετάχτηκε ξαφνιασμένος ο Χρήστος.

- Ναι, γιατί θεωρούσα τον Άρη φίλο μου και ήθελα να τον βοηθήσω. Όμως εκείνος μου πέταξε κατάμουτρα πως δεν έπρεπε να της κάψω την αποθήκη. Αφού δεν τον ενημέρωσα λέει και αγνόησα τις εντολές του, με απέλυσε. Δε φτάνει που τον διευκόλυνα ν' αγοράσει το κτήμα, μου ζήτησε και τα ρέστα από πάνω. Εκείνος ωφελήθηκε κι εγώ πήρα πόδι από την δουλειά μου. Τον προειδοποίησα πως θα μου το πληρώσει και περίμενα την κατάλληλη ευκαιρία να τον εκδικηθώ. Ο Θάνος ήταν παλιός μου φίλος κι όταν ξανασυναντηθήκαμε, σκέφτηκα να του δώσω ένα καλό μάθημα.

- Ήταν πολύ σκληρό αυτό που έκανες στην Δάφνη κι είχε δίκιο που θύμωσε, είπε η Τούλα.

- Εκείνος της έκανε περισσότερα. Εσύ δεν ξέρεις τίποτα απ' όσα έγιναν.

- Εγώ πιστεύω πως αν του ζητούσες συγνώμη θα σου

έδινε πίσω τη θέση σου.

- Μου φαίνεται πως δεν ξέρεις καθόλου τον αδερφό σου.

- Αυτό που ξέρω σίγουρα είναι πως δεν έπρεπε να συνεργαστείς μ' αυτόν τον εγκληματία! Μόνο μπελάδες θα σου φέρει.

- Σταμάτα τις συμβουλές και εξήγησέ μου πως βρέθηκες εδώ, είπε ενοχλημένος ο Θάνος.

- Εσύ είσαι αυτός που μου χρωστάει εξηγήσεις. Γιατί μου στέρησες το παιδί μου όλα αυτά τα χρόνια; Με καταδίκασες να ζω σε μια άλλη πραγματικότητα, για ν' αντέξω τον πόνο που μου προκάλεσες.

- Γι' αυτό κυκλοφορούσες κρατώντας μια κούκλα; συμπέρανε ο Σίμος.

- Ακριβώς! Κι αυτός εδώ ήταν η αιτία, είπε δείχνοντας τον Θάνο. Είχα χάσει το μυαλό μου και πίστευα πως είναι το μωρό μου.

- Γιατί το έκανες αυτό μπαμπά; ρώτησε το παιδί με παράπονο.

- Σταμάτα τις ανόητες ερωτήσεις μικρέ. Υπάρχουν πράγματα που δεν μπορείς να τα καταλάβεις, γι' αυτό βούλωστο, είπε νευριασμένος.

- Τι τρόπος είναι αυτός που μιλάς στο παιδί; είπε αγανακτισμένη από τη συμπεριφορά του.

- Εσύ κοίτα τη δουλειά σου και μην ανακατεύεσαι, είπε με τον χαρακτηριστικό απότομο τρόπο του. Δε θα σου δώσω λογαριασμό για το πως θα του φέρομαι!

- Θα μου δώσεις γιατί είναι παιδί μου. Δεν είχες κανένα δικαίωμα να μας χωρίσεις για να τον χρησιμοποι-

εις στις απατεωνιές σου. Αφού δεν ήσουν άξιος να τον αναθρέψεις γιατί μου τον έκλεψες; Για να καταλήξει σε ίδρυμα; είπε με απαξίωση προς το πρόσωπό του. Βέβαια γνωρίζοντας την ανευθυνότητά σου, ήταν αναμενόμενο.

- Σταμάτα να τα ρίχνεις όλα σε μένα. Ξεχνάς πως εσύ ήσουν αυτή που έδωσε την αφορμή; Μ' εγκατέλειψες και δεν με άφησες να δω τον γιο μου όταν γεννήθηκε. Είχες γίνει μια λέαινα, έτοιμη να με κατασπαράξει, όποτε τολμούσα να τον πλησιάσω. Εσύ μ' ανάγκασες να στον πάρω. Είμαι πατέρας του και είχα κάθε δικαίωμα να τον βλέπω. Όμως εσύ δεν ήσουν διατεθειμένη να μου το επιτρέψεις.

- Τα δικαιώματά σου τα έχασες, όταν με χτυπούσες ενώ ήμουν έγκυος και κινδύνεψα δυο φορές ν' αποβάλω. Ήμουν υποχρεωμένη να τον προστατεύσω από σένα, για να τον σώσω από την επιθετικότητά σου.

- Με ποιο τρόπο; Με το ν' απαγορεύσεις κάθε επαφή με τον πατέρα του; Ήταν παιδί σου όσο ήταν και δικό μου. Μα εσύ ήθελες ν' ανήκει μόνο σε σένα. Αφού καταπάτησες τα δικαιώματά μου ως πατέρα κι εγώ δεν αναγνώρισα τα δικαιώματά σου ως μητέρα. Σ' εκδικήθηκα με τον τρόπο που ήθελες να το κάνεις εσύ.

Οι τόνοι είχαν ανέβει και τα πνεύματα οξύνθηκαν επικίνδυνα μεταξύ τους. Ο Χρήστος και ο Σίμος παρακολουθούσαν τη διαμάχη τους, χωρίς να μπορούν να επέμβουν.

- Και τι του πρόσφερες τόσα χρόνια; Επικαλείσαι τα

222

δικαιώματά σου, μα αποποιήθηκες τις υποχρεώσεις σου. Τον εκμεταλλευόσουν, αλλά δεν τον φρόντισες καθόλου. Αμέλησες τις ευθύνες σου και αδιαφόρησες για την ψυχική του υγεία. Κοίταξε πως του φέρεσαι! είπε δείχνοντας το δεμένο χέρι του στο σωλήνα. Τον κρατάς φυλακισμένο σαν να είναι κανένα άγριο ζώο κι έχεις την απαίτηση να λέγεσαι πατέρας; Μόνο με τέρας θα μπορούσα να σε παρομοιάσω.

- *Πρόσεχε τα λόγια σου, γιατί τότε θα δεις το πραγματικό τέρας.*

- *Τώρα επιβεβαιώνεις κι ο ίδιος αυτά που σου λέω. Μου τον πήρες μόνο και μόνο για ν' αποδείξεις πως είσαι πιο δυνατός κι όχι γιατί ήθελες να είσαι γονιός.*

- *Όμως τώρα τον θέλω και γι' αυτό θα έρθει μαζί μου, της είπε με απίστευτη κτητικότητα.*

- *Όχι δε θα έρθω, φώναξε κλαίγοντας ο Χρήστος. Θέλεις να με βάλεις να κλέβω κι εγώ υποσχέθηκα πως δε θα το ξανακάνω.*

- *Ώστε αυτά είναι τα σχέδια σου; φώναξε έξαλλη η Τούλα. Να εκμεταλλεύεσαι το ίδιο σου το παιδί; Δεν το πιστεύω πως κάποτε με ξεγέλασες τόσο που έφτασα να σε παντρευτώ! Εγώ θα τον πάρω μαζί μου και θα φύγουμε τώρα αμέσως.*

- *Θα μείνει κοντά μου και θα κάνει ότι του λέω εγώ. Έχουμε κανονίσει μόλις σκοτεινιάσει, να ληστέψουμε το σπίτι εκείνου που αποκαλείς αδερφό σου. Έμαθα πως είναι φορτωμένο και θα κάνουμε καλή μπάζα. Μετά θα εξαφανιστούμε από το χωριό. Θα φύγουμε από την Ελλάδα και δε νομίζω πως θα σου δοθεί η ευκαιρία να τον ξαναδείς.*

- Για να τον κάνεις εγκληματία σαν και σε σένα; Ε, λοιπόν δεν πρόκειται να σου το επιτρέψω.
- Και ποιος σε ρώτησε; δήλωσε σαρκαστικά. Έβγαλε το όπλο που κουβαλούσε στην τσέπη του και το έστρεψε καταπάνω της.

Εκείνη κοκάλωσε στη θέα της κάνης που την σημάδευε. Περισσότερο όμως ανησύχησε για την ασφάλεια του παιδιού της.

- Δεν είναι καλή ιδέα Θάνο, είπε ο Σίμος προσπαθώντας να τον συνετίσει. Τα πράγματα άλλαξαν κι αφού τα σχέδιά μας μαθεύτηκαν θα πρέπει να τα ματαιώσουμε.
- Δε θα ματαιώσουμε τίποτα. Ο μικρός θα έρθει μαζί μας κι όσο γι' αυτή θα φροντίσουμε να μην μπορεί να μας καρφώσει σε κανέναν.
- Έχεις γίνει πολύ χειρότερος απ' ότι ήσουν τότε. Τώρα κυκλοφορείς και με όπλο; ρώτησε με αποστροφή για την εγκληματική του κίνηση.
- Το βούτηξα από τον αστυνομικό που με συνόδευε κι έτσι κατάφερα να ξεφύγω. Δεν φαντάζεσαι πόσα μπορεί να μάθεις μέσα σε μια φυλακή! είπε με ειρωνικό ύφος.
- Το βλέπω! Έχεις ανέβει πολλά σκαλοπάτια στην κλίμακα τής εγκληματικότητας.
- Αυτό το μαραφέτι χαρίζει μεγάλη δύναμη σ' αυτόν που το κρατά. Κανείς δεν αντιστέκεται στη θέα του, είπε καμαρώνοντας για το απόκτημά του.
- Χαρίζει δύναμη στους δειλούς. Εγώ δε σε φοβάμαι. Θα πάρω το παιδί μου και θα πάμε σπίτι.
- Δε θα πας πουθενά. Θα σε κρατήσω δεμένη κι εμείς

θα εξαφανιστούμε. Αν είσαι τυχερή θα σε βρουν σύντομα, αλλιώς....., έκοψε τη φράση ανασηκώνοντας τους ώμους του με αδιαφορία γι' αυτό που υπονοούσε.

- Όχιιι! αναφώνησε γεμάτη οργή. Με το αίσθημα της αυτοσυντήρησης να φουντώνει μέσα της, όρμησε καταπάνω του να τον αφοπλίσει. Ακολούθησε μια πάλη μεταξύ τους και πάνω στην μάχη, η κάνη εκπυρσοκρότησε. Το διαπεραστικό σφύριγμα της σφαίρας αντήχησε στο χώρο και η μυρωδιά του μπαρουτιού γέμισε την ατμόσφαιρα.

- Μαμάααα....., αναφώνησε έντρομος ο Χρήστος που ήταν μάρτυρας του διαπληκτισμού των γονιών του. Κοιτούσε σοκαρισμένος τη μητέρα του να κείτεται στο πάτωμα και το όπλο να καπνίζει ακόμα στα χέρια του πατέρα του.

Ο ήχος της εκπυρσοκρότησης έσκισε τον αέρα κι έφτασε στ' αυτιά της ομάδας διάσωσης, που μόλις είχε φτάσει στον πρώτο μύλο.

- Χριστέ μου τι ήταν αυτό; αναφώνησε τρομοκρατημένη η Δάφνη.

- Έπεσε πυροβολισμός μέσα στον μεσαίο μύλο, είπε ο Άρης, επιβεβαιώνοντας τις υποψίες τους για το σωστό εντοπισμό της θέσης του απαγωγέα.

- Κάτι κακό συνέβη! είπε με τον πανικό να χρωματίζει τη φωνή της.

- Πρέπει να επέμβουμε αμέσως, ανακοίνωσε ο αρχηγός της ομάδας. *Συγκεντρωθείτε για να οργανωθούμε και να συντονίσουμε την έφοδό μας. Πρέπει να είμαστε προσεχτικοί. Μην ξεχνάτε πως κρατάει όμη-*

ρο ένα μικρό παιδί.

- Ανησυχώ πολύ! είπε η Δάφνη απευθυνόμενη στον Άρη. Γιατί ακούστηκε αυτός ο πυροβολισμός;
- Ας ελπίσουμε πως δεν συνέβη τίποτα κακό κι έγινε από λάθος.
- Πάντως σ' ευχαριστώ για το ενδιαφέρον που δείχνεις για τον Χρήστο.
- Είναι ένα μικρό παιδί εκτεθειμένο σε κίνδυνο. Εξάλλου τα γεγονότα δείχνουν πως είναι ανιψιός μου. Έχω ακούσει πολλά άσχημα για τον σύζυγο της αδερφής μου. Μια παρόμοια ενέργεια ήταν αυτή που την οδήγησε να κρατά μια κούκλα, αντί για τον γιο της.
- Τι πατέρας είναι αυτός; αναρωτήθηκε αγανακτισμένη από την εγκληματική συμπεριφορά του. Θέτει σε κίνδυνο τη ζωή του παιδιού του. Του αξίζει όχι απλά να τον φυλακίσουν, αλλά να τον στείλουν στην ηλεκτρική καρέκλα!
- Η αστυνομία ξέρει καλά τη δουλειά της. Δε θα καταφέρει να ξεφύγει.
- Ελπίζω μόνο να μην έχει πάθει τίποτα το παιδί, γιατί κι εγώ δεν ξέρω τι θα κάνω αν τον δω μπροστά μου.

- Τι έκανες πατέρα! φώναξε έντρομος ο Χρήστος.
- Δεν την είδες πως χίμηξε πάνω μου; Δεν είχα πρόθεση να την πυροβολήσω. Κατά λάθος έγινε.
- Στο είπα πως θα μπλέξουμε, φώναξε έντρομος ο Σίμος. Τώρα τι θα κάνουμε;
- Μαμά είσαι καλά; κραύγασε από τη θέση που βρισκόταν, ενώ το χέρι του τεντωνόταν μέχρι εκεί που του επέτρεπε η χειροπέδα. Με το ανήσυχο βλέμμα

του να είναι καρφωμένο πάνω της, παρατήρησε πως άρχισε να κινείται. Διαπίστωσε πως ο αριστερός της ώμος αιμορραγούσε.

- *Μην τρομάζεις παιδί μου, είπε ασθμαίνοντας εκείνη ενώ πίεζε το τραύμα με το δεξί της χέρι.*

Ανακάθισε με δυσκολία και σύρθηκε σιγά- σιγά δίπλα στο Χρήστο.

- *Γιατί το έκανες αυτό πατέρα; Φοβήθηκα πως την σκότωσες!*

- *Αυτή φταίει για όλα! Είδες τι μ' ανάγκασες να κάνω;* ούρλιαξε προς το μέρος της, ρίχνοντας επιδεικτικά την ευθύνη του τραυματισμού της στην ίδια.

- *Από παλιά είχες αυτή την ιδιαίτερη ικανότητα να παραποιείς τα γεγονότα και να βγαίνεις λάδι. Εσύ είσαι πάντα ο αθώος, που τον αναγκάζουν οι άλλοι να παραφέρεται. Είναι πια καιρός να δεις τα λάθη σου και ν' αφήσεις αυτό το παιδί ελεύθερο από την κακή σου επιρροή. Η αστυνομία σε ψάχνει και μπορεί να είναι ήδη στο χωριό.*

- *Πού το ξέρεις εσύ;*

- *Άκουσα την Δάφνη και τον αδερφό μου να το συζητούν,* είπε κάνοντας ένα μορφασμό πόνου. *Ξέρουν πως βρίσκεσαι στα μέρη μας και θα έστελναν ένα περιπολικό. Περίμεναν πως θα έφτανε από στιγμή σε στιγμή για να ξεκινήσουν τις έρευνες.*

Η πληροφορία που τους έδωσε φάνηκε να τους ανα-στατώνει.

- *Πρέπει να φύγουμε νωρίτερα απ' όσο είχαμε υπο-λογίσει.*

- *Εσύ κάνε ότι θέλεις, μα αν ενδιαφέρεσαι για το γιο*

σου έστω και λίγο, άσε τον να ζήσει μακριά σου και μην τον μπλέκεις σ' αυτή την περιπέτεια. Σε ικετεύω να μας αφήσεις ελεύθερους. Εσείς μπορείτε να φύγετε ανενόχλητοι. Δεν θα πούμε τίποτα σε κανένα για τα σχέδιά σας.

- Και πώς θα δικαιολογήσεις τον τραυματισμό σου; ρώτησε ο Σίμος.

- Θα βρω κάποιο τρόπο. Άφησέ μας να φύγουμε, ικέτευσε τον απαγωγέα τους.

- Όχι θα μείνετε εδώ, ώσπου να δούμε τι θα κάνουμε.

Ο Σίμος πήρε ένα πανί κι πίεσε γερά το σημείο του τραυματισμού της. Εκείνη ούρλιαξε από τον πόνο, μα το δέσιμο θα περιόριζε την αιμορραγία.

- Τώρα καθίστε ήσυχα, είπε ο Θάνος καθώς έπιανε το σκοινί, που πριν λίγο είχε λύσει η Τούλα από τα πόδια του παιδιού της.

- Είμαστε έτοιμοι να ξεκινήσουμε, είπε ο αρχηγός της ομάδας των αστυνομικών. Παρακαλώ να μείνετε στη θέση σας και να μην παρεμποδίσετε τη δράση μας, είπε στην Δάφνη και τον Άρη. Κατανοώ την αγωνία σας, γι' αυτό διατηρήστε τις θετικές σας σκέψεις και όλα θα πάνε καλά. Θα σας ειδοποιήσουμε να μπείτε στο χώρο, όταν η επιχείρηση θα έχει ολοκληρωθεί.

Αφού πήρε τις διαβεβαιώσεις τους, απευθύνθηκε στην ομάδα του.

- Ξέρετε όλοι τι πρέπει να κάνετε. Να είστε συντονισμένοι και να δράσετε κυκλωτικά, βάσει σχεδίου. Ο πρωταρχικός μας στόχος είναι να μην τεθεί σε κίνδυνο η ασφάλεια του παιδιού. Λάβετε θέσεις, αναφώ-

νησε δίνοντας έμφαση στην προσταγή με τον ηγετικό του τόνο. Ξεκινάμε τώρα αμέσως, είπε δίνοντας το σύνθημα της εκκίνησης.

Στη στιγμή τέσσερεις οπλισμένοι άντρες ισοπέδωσαν την ξύλινη πόρτα της εισόδου και εν ριπή οφθαλμού, εισέβαλαν στο εσωτερικό του αλευρόμυλου.

- *Ακίνητοι, ακούστηκε απ' όλους μαζί η ηχηρή εντολή, αιφνιδιάζοντας τους.*

Υπό το φόβο της σύλληψης, σκόπευαν να φύγουν γρηγορότερα απ' ότι υπολόγιζαν, όμως τα σχέδιά του ανατράπηκαν. Ο Θάνος έκανε μια απέλπιδα προσπάθεια να φτάσει στο όπλο που είχε αφήσει λίγα μέτρα μακριά του, μα δεν τα κατάφερε. Ο επικεφαλής της ομάδας, μαντεύοντας την πρόθεσή του, το κλώτσησε μακριά πριν προλάβει να κινηθεί.

Ήταν κυκλωμένοι από αστυνομικούς, ανίκανοι ν' αντιδράσουν. Η θέα των προτεταμένων όπλων, τούς έδωσε να καταλάβουν πως το παιχνίδι τελείωσε. Κατάλαβαν πως δεν υπήρχαν περιθώρια διαφυγής. Είχαν πιαστεί σαν τα ποντίκια στη φάκα. Ο Θάνος έβαλε τα χέρια πίσω από το κεφάλι και γονάτισε, δηλώνοντας την παράδοσή του στις αρχές. Γνώριζε πολύ καλά την διαδικασία, αφού την είχε επαναλάβει στο παρελθόν. Ο Σίμος απογοητευμένος από τις εξελίξεις, αντέγραψε τις κινήσεις του.

- *Πίστευες πως θα γλίτωνες Παπαγιάννη; τον ρώτησε ο αρχηγός καθώς του περνούσε τις χειροπέδες. Αυτή τη φορά το παρατράβηξες και θα το πληρώσεις πολύ ακριβά. Φόρτωσες τον ήδη βαρύ φάκελό σου με πολλά επιπλέον κακουργήματα. Εσένα δεν σε ξέρω, είπε απευθυνόμενος στον Σίμο, μα να είσαι σίγουρος πως θα γνωριστούμε.*

- Δεν είμαι υπεύθυνος για τίποτα απ' όσα έγιναν εδώ. Τυχαία βρέθηκα στο μύλο.

- Αυτό θα το δούμε στις ανακρίσεις. Πάρτε τους από μπροστά μου, διέταξε με την αποστροφή να διαγράφεται στα χαρακτηριστικά του, καθώς έσπρωχνε τους δύο άνδρες.

Η Δάφνη και ο Άρης περίμεναν υπομονετικά, ώσπου είδαν να βγαίνουν από το μύλο οι συλληφθέντες. Δεν πίστευαν στα μάτια τους, όταν διαπίστωσαν πως ήταν ανακατεμένος σ' αυτό και ο Σίμος. Κοιτάχτηκαν για λίγο αμίλητοι, ώσπου οι αστυνομικοί που τους συνόδευαν τους έβαλαν στο περιπολικό.

Κατόπιν ειδοποιήθηκαν πως η επιχείρηση εφόδου έληξε επιτυχώς και όρμησαν μέσα. Έμειναν άφωνοι όταν αντίκρισαν την Τούλα δεμένη δίπλα στο Χρήστο.

- Κυρά μου, ήρθες επιτέλους! Σου έστειλα μήνυμα με το περιστέρι μου, όμως φοβόμουν πως δε θα κατάφερνε να φτάσει στα χέρια σου.

- Ευτυχώς ο φτερωτός σου αγγελιοφόρος έκανε καλή δουλειά. Διαφορετικά δε θα μαθαίναμε έγκαιρα που σε κρατούσε.

- Τούλα, δεν ξέραμε πως ήσουν κι εσύ εδώ! αναφώνησε έκπληκτος ο θετός αδερφός της.

- Τι έπαθε ο ώμος σου; ρώτησε η Δάφνη όταν ανακάλυψε το τραύμα που ήταν δεμένο πρόχειρα.

- Αυτό το κάθαρμα έβγαλε όπλο. Προσπάθησα να του το πάρω και πάνω στην πάλη, πατήθηκε η σκανδάλη.

- Έτσι εξηγείτε ο πυροβολισμός που ακούστηκε, συ-

230

μπέρανε ο Άρης. *Πρέπει να πάμε αμέσως στο νοσο-*
κομείο να σε περιποιηθούν.

- *Μην τρομάζεις. Ευτυχώς το τραύμα δεν είναι σοβα-*
ρό.

- *Μα πώς ήξερες πως κρατούσε το παιδί σ' αυτό το*
μύλο;

- *Σας άκουσα να λέτε πως λάβατε ένα μήνυμα που*
έλεγε πως ήταν στον αλευρόμυλο Βεργίνα. Ήξερα
πως ήταν αυτός, γιατί κάποτε ερχόμουν πολύ συχνά
εδώ.

- *Και γιατί δε μας το είπες;* ρώτησε ο Άρης. *Έθεσες τον*
εαυτό σου σε μεγάλο κίνδυνο.

- *Δεν ξέρω! Εκείνη τη στιγμή ήμουν τόσο ζαλισμένη*
που δε σκέφτηκα τίποτα πέρα από τον Χρηστάκο.
Ήθελα να τον δω το συντομότερο.

- *Είναι η μητέρα μου,* αναφώνησε εκείνος περιχαρής.
Το βαφτιστικό της όνομα είναι Κωνσταντία. Εκείνη
έπλεξε το ζακετάκι του Μπόμπυ. Ήταν ψέμα πως
είχε πεθάνει.

Προσπαθούσε να απαριθμήσει μεμιάς, όλες τις απο-
δείξεις που επαλήθευαν τα λεγόμενά του.

- *Μην προσπαθείς να με πείσεις αγόρι μου,* είπε η
Δάφνη. *Το κατάλαβα πως αυτή είναι η μανούλα σου.*
Χαίρομαι που ξαναβρεθήκατε, έστω και κάτω από
αυτές τις συνθήκες.

- *Ήταν σαν να ξύπνησα όταν είδα το αρκουδάκι του*
μωρού μου στα χέρια σου, συμπλήρωσε η Τούλα.

- *Το υποψιαστήκαμε κι εμείς όταν είδαμε την αντίδρα-*
σή σου και βεβαιώθηκα όταν ο αδερφός σου μου
είπε πως σε λένε Κωνσταντία.

231

- *Δηλαδή ο κύριος Άρης είναι θείος μου! συμπέρανε ο Χρήστος ρίχνοντάς του μια επιφυλακτική ματιά.*
- *Ναι αγόρι μου! απάντησε εκείνος καταφατικά.*
- *Αν θέλεις να τα πάμε καλά, τότε θα μου κάνεις μια χάρη.*
- *Αν μπορώ.*
- *Θέλω να σταματήσεις να πολεμάς την κυρά μου.*

Ο Άρης γέλασε με το αυστηρό ύφος που πήρε η έκφρασή του, όταν του το ζήτησε. Ο Χρήστος παρατήρησε το φιλικό χαμόγελο στην όψη του. Συνήθως το ύφος του ήταν βλοσυρό και του προκαλούσε φόβο.

- *Έχουν αλλάξει πολλά και θα εκπλαγείς όταν τα μάθεις. Θα δεις μεγάλες αλλαγές και δεν οφείλονται μόνο στο ότι τελικά είσαι παιδί της αδερφής μου.*

Η διαφορετική αντιμετώπιση απέναντι σε κείνον και την Δάφνη παραξένεψε το παιδί, μα ήταν τόσο χαρούμενο που δεν θέλησε να μάθει τίποτα περισσότερο. Το μόνο που ήθελε ήταν να φύγει από εκεί κρατώντας το χέρι της μητέρας του.

ΚΕΦΑΛΑΙΟ ΕΙΚΟΣΤΟ ΤΕΤΑΡΤΟ

Ο πάτερ- Μάρκος βρισκόταν στο μικρό παρεκκλήσι του μοναστηριού. Προσευχόταν γονατιστός πάνω στο πέτρινο πάτωμα εδώ και ώρα. Είχε τα μάτια κλειστά και τις παλάμες ενωμένες κοντά στα χείλη του. Ψιθύριζε χαμηλόφωνα παρακλητικά λόγια βγαλμένα μέσα από την ψυχή του. Ανάμεσα στα δάχτυλά του ήταν τυλιγμένο το μαύρο κομποσκοίνι, που δεν το αποχωριζόταν ποτέ. Έκανε το σταυρό του κι ανασήκωσε το βουρκωμένο του βλέμμα ψηλά, για ν' αντικρίσει τον Εσταυρωμένο.

- *Με συγχωρείται πατέρα,* ακούστηκε η δισταχτική φωνή ενός μοναχού.

- *Σ' ακούω αδερφέ Γαβριήλ,* είπε ο Ηγούμενος καθώς προσπαθούσε να σταθεί στα μουδιασμένα του γόνατα.

- *Δεν θα ήθελα να σας ενοχλήσω την ιερή ώρα της προσευχής σας, μα είναι ανάγκη να ζητήσω τη σοφή συμβουλή σας. Οι μοναχοί υποσιτίζονται εδώ και τρείς μέρες. Οι δωρεές που μας συντηρούσαν μέχρι τώρα σταμάτησαν εντελώς κι ο άνθρωπος που μας*

233

έφερνε τα τρόφιμα δεν έχει φανεί εδώ και καιρό. Ο δυνατός αέρας δεν μας επιτρέπει να ταξιδέψουμε με τη μοναδική βαρκούλα που μας απέμεινε.

- Τι έχει μείνει στην αποθήκη μας;
- Λίγο αλεύρι που φτάνει ίσα- ίσα για το σημερινό μας ψωμί και τρία αφρόψαρα. Ήταν τα μοναδικά που κατάφερε να πιάσει ο αδερφός Χριστόφορος. Ούτε τα ψάρια δεν πλησιάζουν πια αυτό το νησί. Πώς να χορτάσουν εφτά στόματα;
- Φτάσαμε στο τέρμα λοιπόν, είπε με απόγνωση. Τα περιθώρια στένεψαν ασφυκτικά. Το μόνο που μένει να κάνω, είναι να πάρω τη βάρκα και να πάω απέναντι.
- Μην το κάνετε σάς παρακαλώ! Το σκαρί της δεν είναι σε καλή κατάσταση και είναι επικίνδυνο να βγείτε στ' ανοιχτά μ' αυτό τον αέρα.
- Θα το ρισκάρω. Δεν υπάρχει άλλος τρόπος.
- Τι θα κάνουμε αν πάθετε κάτι εσείς; Καλύτερα να πάει κάποιος άλλος αδερφός στη θέση σας.
- Όχι, εγώ πρέπει να πάω! Είμαι ο Ηγούμενος και υπεύθυνος για την επιβίωση αυτών που απέμειναν να πατούν τα χώματα αυτού του νησιού. Γνωρίζω μερικά σημαντικά άτομα και θα φροντίσω να βρεθεί κάποιο άλλο μοναστήρι να σας φιλοξενήσει. Πες στους αδερφούς να ετοιμαστούν. Ήρθε η ώρα να εγκαταλείψετε το μοναστήρι.
- Γιατί μιλάτε μόνο για εμάς; Εσείς τι θα κάνετε;
- Θα μείνω εδώ. Η μοίρα μου είναι να πεθάνω σ' αυτό το νησί. Στον τόπο που ζω όσο θυμάμαι τον εαυτό μου. Δεν μπορώ ν' αφήσω τον ιερό οίκο του Αγίου

μας. Θ' αφιερώσω το υπόλοιπο της ζωής μου εις την υπηρεσία του. Κοντά στη σπηλιά που βρίσκεται η άδεια θέση της θαυματουργής του εικόνας. Πάντα ήλπιζα πως κάποια μέρα θα την δω πάλι εκεί. Μέχρι σήμερα τουλάχιστον, γιατί η ελπίδα στέρεψε πια μαζί με την υπομονή μας. Πήγαινε τώρα να ενημερώσεις τους αδερφούς μας.

Ο μοναχός Γαβριήλ έφυγε προβληματισμένος από το μικρό παρεκκλήσι κι ο Ηγούμενος έστρεψε ξανά τα μάτια του στον ξύλινο σταυρό τού Ιησού. Λαχταρούσε να ξαναζήσει εκείνα τα ευλογημένα χρόνια που το νησί έσφυζε από ζωή. Τότε που προσκυνητές κατέφταναν από παντού για να παρακαλέσουν την θαυματουργή του εικόνα. Τότε που έβρισκαν παρηγοριά αντικρίζοντας τη μορφή του προστάτη τους. Τότε που όλοι είχαν να διηγηθούν κι ένα θαύμα για τη χάρη του.

Ήταν αποφασισμένος να μείνει ακόμα και μόνος του στο νησί. Φύλακας των ιερών κειμηλίων του μοναστηριού. Τι κι αν ο μεγαλύτερος θησαυρός του δε βρισκόταν πια εκεί;

- Κύριε βοήθησέ μας! Δείξε μου τι πρέπει να κάνω για τους αδερφούς μου! ψιθύρισε κάνοντας το σταυρό του. *Εδώ και είκοσι χρόνια έκανα υπομονή κι είχα την ελπίδα πως η εικόνα του Αγίου Γεωργίου θα ξαναγύριζε, φέρνοντας τη λύτρωση σ' αυτό το νησί,* μονολόγησε. *Πόσο ακόμα να περιμένουμε Θεέ μου;*

ΚΕΦΑΛΑΙΟ ΕΙΚΟΣΤΟ ΠΕΜΠΤΟ

Η επίσκεψη στο γιατρό ήταν επιβεβλημένη, για να περιποιηθούν το τραύμα της Τούλας και τις εκδορές στα άκρα του Χρήστου. Ευτυχώς το τραύμα ήταν επιπόλαιο. Δεν υπήρχε λόγος ανησυχίας, μα χρειαζόταν παρακολούθηση. Η εικοσιτετράωρη παραμονή στο νοσοκομείο θεωρήθηκε αναγκαία.

Μητέρα και γιος ήταν πανευτυχείς και δεν αποχωρίζονταν ούτε στιγμή ο ένας την αγκαλιά του άλλου. Η έκπληξη του αγοριού έγινε τεράστια όταν η Δάφνη του ανακοίνωσε πως το πρόσωπο που έψαχναν ήταν ο Άρης. Του ανέλυσαν με κάθε λεπτομέρεια όλες τις πτυχές της τραγικής ιστορίας, που και ο ίδιος είχε επιλεχθεί για να παίξει ένα σημαντικότατο ρόλο.

- *Λυπάμαι για όσα έκανα, συμπλήρωσε ο Άρης απολογητικά, καθώς έσκυβε το κεφάλι φορτωμένος από ενοχή. Έχω μετανιώσει φρικτά για τα λάθη μου.*

Ο Χρήστος τον κοιτούσε συγκλονισμένος. Η οργή και η πίκρα που κάποτε του είχε προκαλέσει η αλαζονεία του, τώρα πια δεν είχε κανένα νόημα. Η αλλαγή πάνω

237

του ήταν εμφανής. Ακόμα και η όψη του είχε χάσει την αυστηρότητα που τον διέκρινε μέχρι τώρα.

- *Τα έχω χάσει με όλα αυτά που μαθαίνω σήμερα, είπε το παιδί. Κυρά μου υπάρχει και κάτι ακόμα που έμαθα από τον Σίμο. Δεν ευθύνεται ο κύριος Άρης για την φωτιά στην αποθήκη σου. Την έβαλε εκείνος χωρίς να του το πει και τον απέλυσε μόλις το έμαθε.*
- *Είναι αλήθεια;* τον ρώτησε η Δάφνη.
- *Δεν την έβαλα ο ίδιος, μα νιώθω πως φταίω εξίσου με τον εμπρηστή. Ο Σίμος το έκανε χωρίς να του το ζητήσω, θέλοντας να μ' ευχαριστήσει. Όταν ήρθες στο σπίτι μου και με κατηγόρησες ευθέως δεν το γνώριζα ακόμη, μα το υποψιάστηκα. Κατέκρινα την κίνησή του και τον απέλυσα μόλις μου το επιβεβαίωσε. Όμως οφείλω να παραδεχτώ πως επωφελήθηκα από την πράξη του για να σε πιέσω.*
- *Χαίρομαι που δεν μου έδωσες εσύ το τελειωτικό χτύπημα.*
- *Τώρα μπορούμε επιτέλους να πάμε την εικόνα στο νησί,* είπε ο Χρήστος με χαρά.
- *Θα πρέπει να περιμένουμε, γιατί ο κύριος Άρης δεν αισθάνεται έτοιμος ν' αντιμετωπίσει το παρελθόν.*
- *Σε καταλαβαίνω!* είπε κοιτώντας τον με κατανόηση. *Ξέρω πόσο δύσκολο είναι να παραδέχεσαι τα λάθη σου. Η καλή μου κυρά δε με κατέκρινε για τα δικά μου και με συγχώρεσε. Με βοήθησε να ξεφύγω από αυτά γιατί μου έδωσε την ευκαιρία. Της υποσχέθηκα πως θα επανορθώσω και θα κάνω το σωστό.*
- *Το ίδιο πρέπει να κάνεις κι εσύ,* είπε η Δάφνη σ' εκείνον. *Η τιμωρία που έχεις επιβάλει στον εαυτό σου*

*πρέπει κάποτε να λήξει. Οι εφιάλτες δε θα σταματή-
σουν κι εσύ δε θα βρεις την ηρεμία που έχασες εκεί-
νη τη μέρα. Θα συνεχίσεις να είσαι δυστυχισμένος
για όλη την υπόλοιπη ζωή σου, φορτωμένος με μια
θλιβερή κληρονομιά αναμνήσεων.*

*Σταμάτα να κρύβεσαι και αντιμετώπισε την πραγμα-
τικότητα. Ζητάς συγχώρεση από το Θεό, αλλά εσύ ο
ίδιος δεν μπορείς να συγχωρήσεις τον εαυτό σου. Αν
θέλεις να οικοδομήσεις την ψυχική σου υγεία, δεν
μπορείς να την θεμελιώσεις στο φόβο και τις τύψεις.
Βάλε επίλογο στο μαρτύριό σου.*

- *Έχεις δίκιο, συνειδητοποίησε. Μετά από όσα έγιναν,
δεν μπορώ πια να ζω κυνηγημένος από τον ίδιο μου
τον εαυτό. Λοιπόν το αποφάσισα, είπε με σθένος.
Θα ξεθάψω τα χρυσαφικά από τη ρίζα της ξερής λε-
μονιάς και θα τα πάμε μαζί με την εικόνα πίσω στο
νησί.*

- *Τώρα σκέφτεσαι σωστά θείε! Κόλα το! είπε ο Χρή-
στος απλώνοντας το χέρι για φιλικό χτύπημα στην
παλάμη, όπως συνήθιζε να κάνει με τους φίλους
του.*

Ο Αρης ανταποκρίθηκε στην αυθόρμητη κίνησή του
και μετά τον αγκάλιασε θερμά. Ο Χρήστος ένιωσε ευτυ-
χισμένος όσο ποτέ. Είχε τη μητέρα του, τον θείο του και
την Δάφνη, που τον φρόντισε σαν δικό της παιδί. Ήταν σ'
ένα πρωτόγνωρο κόσμο ασφάλειας. Περιτριγυρισμένος
από ανθρώπους που τον νοιάζονταν και τον αγαπούσαν.

ΚΕΦΑΛΑΙΟ ΕΙΚΟΣΤΟ ΕΚΤΟ

Εκείνο το πρωινό ήταν υπερβολικά ομιχλώδες και η ορατότητα περιορισμένη. Βαριά σύννεφα κάλυπταν τον ουρανό, κάνοντας το υγρό ασήμι της θάλασσας να φαντάζει σκούρο και απειλητικό. Αφρισμένες βεντάλιες σάλευαν με χάρη, καθώς το καΐκι που τους μετέφερε διέσχιζε τη ρυτιδωμένη επιφάνεια. Το μόνο που ακουγόταν, ήταν ο απαλός παφλασμός των κυμάτων και το βουητό της μηχανής καθώς ανακάτευε το νερό.

Η Δάφνη κοιτούσε μαγεμένη τη θάλασσα και εισέπνεε το αλμυρό άρωμα που είχε αναμειχθεί αρμονικά με το πελαγίσιο αεράκι. Ο Χρήστος κρατούσε στην αγκαλιά του την εικόνα του Αγίου Γεωργίου, που σε λίγο θα παρέδιδε, όπως ήταν και η τελευταία επιθυμία του ετοιμοθάνατου. Στον ώμο του είχε κουρνιάσει το περιστέρι που τον είχε ακολουθήσει σ' αυτό το ταξίδι. Στο πλάι του ήταν η Τούλα, η αγαπημένη του μητέρα, που είχε αναρρώσει και τον συνόδευε τούτη την σημαντική μέρα.

Ο Αρης καθόταν μπροστά, με το βλέμμα απλανές στην πάχνη του πρωινού. Στο μυαλό του βούιζαν σκέψεις και αναμνήσεις. Ξαναγυρνούσε εκεί που άλλαξαν τα πάντα για κείνον. Ήρθε η ώρα να δώσει εξηγήσεις και να ζητήσει συγχώρεση. Φυσικά δεν ήταν καθόλου εύκολο.

- *Διαλέξατε περίεργη μέρα να επισκεφτείτε το νησάκι, είπε ο καπετάνιος. Ο καιρός είναι βαρύς και η ομίχλη δεν βοηθάει να προσανατολιστώ. Όσο θυμάμαι τον εαυτό μου δεν έχω ξαναδεί κάτι τέτοιο. Δύσκολα τα πράγματα. Να δούμε πως θα τα καταφέρουμε με αυτόν τον παλιόκαιρο. Δεν βλέπω πέρα από τη μύτη μου! Αν δεν ήσασταν τόσο επίμονοι δεν θα ξεκινούσα. Είναι πολύ επικίνδυνο που ξανοιγόμαστε με τέτοιες συνθήκες στα τυφλά.*

- *Μας συγχωρείτε που σας βάζουμε σε αυτή τη θέση, αλλά είναι πολύ σημαντικό να πάμε εκεί, είπε η Δάφνη. Σχεδιάζουμε αυτό το ταξίδι πολύ καιρό και δεν χωρούσε άλλη αναβολή.*

- *Έχει πολλά χρόνια να μου ζητήσει κάποιος να τον μεταφέρω στο Παραδείσι, είπε ο καπετάνιος με το ναυτικό καπέλο και το σκαμμένο απ' τα χρόνια πρόσωπο. Είναι ένα ξερονήσι και μόνο μερικοί μοναχοί επιμένουν ακόμα να το κατοικούν.*

Ο Αρης παραξενεύτηκε με τα λόγια του.

- *Είστε σίγουρος πως πρόκειται για το ίδιο νησί; Εγώ το θυμάμαι κατάφυτο.*

- *Ναι έτσι ήταν κάποτε. Θυμάμαι πως όταν ήμουν μικρός ερχόμασταν εκδρομές με τους γονείς μου. Ήταν πνιγμένο στο πράσινο και πολλές οικογένειες κατοικούσαν μόνιμα. Είχε άφθονο νερό κι έφορη γη. Όλοι πίστευαν πως ο Θεός είχε ευλογήσει αυτό το νησάκι.*

- *Και πώς μεταμορφώθηκε σε ξερονήσι.*

- Όλα άλλαξαν όταν το νερό που ξεπηδούσε μέσα από το βουνό, σταμάτησε να τρέχει. Ήταν η μέρα που έκλεψαν την εικόνα του Αγίου Γεωργίου από το εκκλησάκι της σπηλιάς.

Η Δάφνη και ο Άρης αλληλοκοιτάχτηκαν ξαφνιασμένοι και μερικά δευτερόλεπτα βουβής επικοινωνίας διαδραματίστηκαν μεταξύ τους. Ο Χρήστος έσφιξε την τυλιγμένη εικόνα μέσα στην αγκαλιά του ακόμα πιο δυνατά, καθώς ο καπετάνιος συνέχιζε την αφήγησή του.

- Από κείνη τη μέρα λες και μια κατάρα απλώθηκε στο νησί. Το έζωσαν δυνατοί άνεμοι κι οι βροχές έγιναν ασθενείς και σπάνιες. Η γη στέγνωσε κι ο παράδεισος χάθηκε. Οι κάτοικοι καταλάβαιναν πως η αιτία του κακού ήταν η κλοπή της εικόνας.

Για πολύ καιρό έστελναν επιστολές στις εφημερίδες και ζητούσαν απ' αυτούς που την έκλεψαν να την επιστρέψουν. Πίστευαν πως μαζί της θα ερχόταν η ισορροπία ξανά. Δυστυχώς κανείς δεν έμαθε τίποτα για κείνη.

Ο τόπος δεν μπορούσε πια να θρέψει τους ανθρώπους του. Γι' αυτό αναγκάστηκαν να το εγκαταλείψουν και να βρουν αλλού την τύχη τους. Οι μόνοι που παρέμειναν ακόμα και σήμερα είναι λίγοι μοναχοί στο μοναστήρι, παρά τις δυσκολίες που αντιμετωπίζουν. Καθημερινώς κάνουν δεήσεις και λειτουργίες για να επιστρέψει η θαυματουργή εικόνα. Εσείς γιατί πηγαίνετε εκεί;

- Από καθήκον, απάντησε ο Άρης κοιτάζοντας τον θησαυρό που κρατούσε ο μικρός Χρήστος.

Ο καπετάνιος πετάχτηκε απότομα από τη θέση του

και κοίταξε σκεπτικός τον θολό ορίζοντα. Κατόπιν χτύπησε με το δάχτυλό του τον δείχτη της πυξίδας. Οι εκφράσεις του προσώπου του έδειχναν πως κάτι τον ανησυχεί.

- *Τι συμβαίνει;* ρώτησε ο Άρης.

- *Κάτι δεν πάει καλά αναφώνησε. Η πυξίδα έχει κολλήσει και θα έπρεπε να έχουμε ήδη φτάσει! Φοβάμαι πως έχουμε βγει εκτός πορείας,* είπε τρίβοντας το μέτωπό του.

- *Και τώρα τι θα κάνουμε;* Ακούστηκε η τρομαγμένη φωνή του Χρήστου.

- *Δεν ξέρω. Ίσως θα πρέπει να περιμένουμε να διαλυθεί η ομίχλη για να καταλάβω ακριβώς που βρισκόμαστε.*

- *Μα αυτό μπορεί να πάρει ώρες,* είπε η Δάφνη φοβούμενη πως αυτό το εμπόδιο θα έκανε τον Άρη να δειλιάσει.

- *Λυπάμαι,* είπε ο καπετάνιος απολογητικά, *αλλά δεν διακινδυνεύω να το ρισκάρω. Αν έχουμε απομακρυνθεί πολύ από την πορεία μας θα έχουμε σοβαρό πρόβλημα. Θα τελειώσουν τα καύσιμα και θα ξεμείνουμε στο πέλαγος.*

- *Κι αν βάλει φουρτούνα τι θα κάνουμε;* Αναφώνησε από φόβο ο Χρήστος. *Βοήθησέ μας Άγιε Γεώργιε,* είπε σφίγγοντας ακόμα περισσότερο την εικόνα στον κόρφο του.

Και τότε κάτι παράξενο συνέβη. Μια ηλιαχτίδα κατάφερε να τρυπήσει τα γκρίζα σύννεφα. Η φωτεινή δέσμη που δημιουργήθηκε έπεσε πάνω στο μικρό πλοιάριο και το έλουσε με τη φως. Έμοιαζε σαν το χέρι του Θεού να τους καλούσε ν' ακολουθήσουν.

Όλοι μαγεύτηκαν από το θαυμαστό σημάδι που τους έρανε με τη λάμψη του. Η ηλιαχτίδα σκορπούσε αστραφτερά διαμάντια που χόρευαν στην υγρή επιφάνεια κάτω από το αντιφέγγισμά της, ενώ γλάροι σαν λευκά μαργαριτάρια έσχιζαν τον ουρανό.

- *Ορίστε ο δρόμος σου, είπε ο Άρης δείχνοντας το ιριδίζον μονοπάτι που χαράχτηκε στο νερό.*

Ο καπετάνιος σταυροκοπήθηκε και υπάκουσε. Διαπίστωσε πως το θεϊκό σημάδι τους ακολουθούσε όσο προχωρούσαν, εωσότου η θολούρα άρχισε να διαλύεται. Το μικρό νησάκι άρχισε να διαγράφεται στο βάθος.

- *Να το!* Φώναξε με ενθουσιασμό ο καπετάνιος. *Φτάνουμε εντός ολίγου, είπε κοιτάζοντας τους επιβάτες του. Αυτό που έγινε σήμερα δεν θα το ξεχάσω ποτέ, είπε χαμογελώντας με ανακούφιση. Ευτυχώς ο Θεός ήταν μαζί μας.*

Ο Αρης κάρφωσε το βλέμμα στη σκοτεινή φιγούρα του νησιού που ξεπρόβαλε μέσα από τη θάλασσα. Ένιωσε ένα κόμπο στο λαιμό να τον πνίγει.

Το καΐκι προσάραξε στην ακτή και η παρέα βγήκε στην αμμουδιά. Ο Αρης σάρωσε με το βλέμμα του το τοπίο που είχε καθαρίσει από την ομίχλη. Φάνταζε τελείως διαφορετικό απ' αυτό που θυμόταν. Γκρίζα βουνά ξεδιπλώνονταν στον ορίζοντα όμως δεν ήταν κατάφυτα όπως πριν είκοσι χρόνια, που η καταιγίδα τους έσπρωξε μοιραία εκεί.

Τώρα ήταν μια ανεμοδαρμένη έκταση, ξεπλυμένη από τις παλίρροιες και πεσμένοι κορμοί κείτονταν μισοχωμένοι στην άμμο. Τα κύματα χτυπούσαν αλύπητα τους βράχους, σαν να ήθελαν να τους καταπιούν. Μερικά ξύλινα απομεινάρια, ασπρισμένα από την αλμύρα, ήταν σκορπισμένα ολόγυρα.

Τίποτα δεν ήταν όπως το είχε κρατήσει στη μνήμη του! Εικόνες εγκατάλειψης ξετυλίγονταν μπροστά τους. Ο καπετάνιος είχε δίκιο. Όλα ήταν κατάξερα. Μόνο φρύγανα κι αγκάθια ήταν ριζωμένα παντού. Ο ήχος του τρεχούμενου νερού, που απ' ότι θυμόταν ακουγόταν έντονα, τώρα είχε σωπάσει. Ησυχία κυριαρχούσε παντού. Η πρωινή πάχνη το έκανε να μοιάζει ακόμα πιο έρημο. Ακατοίκητα σπίτια με μισογκρεμισμένες μάντρες, μαρτυρούσαν πως κάποτε υπήρχε ζωή.

Θολές εικόνες ξεπρόβαλαν κάτω από τις δίνες του γκρίζου και του καφεκόκκινου που κυριαρχούσε παντού. Βραχώδη υψώματα λεία από τον άνεμο αντανακλούσαν τις δειλές δεσμίδες του πρωινού φωτός.

- *Όλα είναι τόσο διαφορετικά! Μοιάζει σαν να είναι κάποιο άλλο νησί. Θυμάμαι πως διασχίσαμε την παραλία και συναντήσαμε ένα ανηφορικό δρομάκι. Άρα πρέπει να πάμε από εκεί, είπε σηκώνοντας το δείχτη του δεξιού του χεριού.*

Διέσχισαν το στενό μονοπάτι και βρέθηκαν σ' ένα ξέφωτο γεμάτο από αγκαθωτούς θάμνους. Είχε μετατραπεί σε μια άγρια περιοχή και τα έντονα χρώματα του είχαν χλομιάσει. Ξερές κοίτες φιδωτών ποταμιών απόμειναν να μαρτυρούν πως κάποτε έρεε νερό πάνω στις πέτρες του. Ο Αρης είχε στο μυαλό του μια τελείως διαφορετική εικόνα κι αυτό που έβλεπε ερχόταν σε πλήρη αντίθεση. Η αίσθηση του προσανατολισμού του είχε μπερδευτεί.

- *Κάπου εδώ πρέπει να είναι, μα δεν μπορώ να εντοπίσω το σωστό σημείο. Υπάρχουν κι άλλες σπηλιές τριγύρω. Θα μας πάρει πολύ ώρα για να εντοπίσουμε τη σωστή.*

Ξάφνου, το περιστέρι που καθόταν στον ώμο του Χρήστου, φτερούγισε ψηλά κάνοντας κύκλους πάνω από το άγονο τοπίο. Πήγε και στάθηκε πάνω σ' ένα βράχο κι έμεινε ακίνητο σαν να τους περίμενε.

- *Κοιτάξτε εκεί που έκατσε το περιστέρι μου!* φώναξε αυθόρμητα ο Χρήστος κι έτρεξε μ' ενθουσιασμό.

- *Υπάρχουν αποτυπωμένες χαρακιές σ' εκείνο το σημείο,* διαπίστωσε η Δάφνη.

Όταν πλησίασαν αρκετά, είδαν πως πάνω στο βράχο υπήρχε χαραγμένο το σημείο του σταυρού.

Ο Αρης ένιωσε ένα μούδιασμα να εξαπλώνεται στα μέλη του. Αναγνώρισε πως ήταν η σπηλιά που είχαν βρει καταφύγιο πριν από είκοσι χρόνια. Παραδίπλα υπήρχε το στεγνό στόμιο του κρουνού που κάποτε ανάβλυζε νερό. Ούτε μια σταγόνα δεν υπήρχε στη γούρνα του. Ένιωσε τα πόδια του να τρέμουν καθώς περνούσαν από την πέτρινη πύλη της εισόδου του. Εκεί έμοιαζε να έχει σταματήσει ο χρόνος. Στην εσοχή κρεμόταν ένα αναμμένο καντήλι κι εκεί που παλιά ήταν τοποθετημένη η εικόνα, τώρα ήταν στρωμένο ένα κόκκινο βελούδο με χρυσό κέντημα. Πάνω του υπήρχε ένα κορνιζαρισμένο κείμενο, που έμοιαζε περισσότερο με παρακλητικό γράμμα.

«Η θέση αυτή θ' ανήκει παντοτινά στην ιερή εικόνα του Αγίου Γεωργίου που εκλάπη απ' αυτή τη σπηλιά. Όλοι προσευχόμαστε νυχθημερόν να επιστρέψει πάλι κοντά μας κι ελπίζουμε αυτή η μέρα να μην αργήσει. Έχουμε ανάγκη την παρουσία της, για να μας σκεπάσει με τη χάρη και την ευλογία της».

- *Κοιτάξτε, έχουν ετοιμάσει τη θέση της και την περιμέ-
νουν, είπε ο Άρης κοιτώντας ολόγυρα τον ιερό χώρο.
Δεν το πιστεύω πως βρήκα το θάρρος να έρθω πάλι
εδώ! Πρέπει να δώσω εξηγήσεις και δεν ξέρω πως
θα το κάνω.*

- *Ο Θεός θέλει να αναλάβεις τις ευθύνες σου, γι' αυτό
σε ξανάφερε. Ίσως να σε συγχωρήσει αν δείξεις
πραγματική μεταμέλεια. Κάποτε θα καταλάβεις πως
έκανες το σωστό.*

- *Πάμε λοιπόν να την παραδώσουμε, είπε αποφασι-
σμένος για όλα. Αυτή τη μέρα την περιμένουν πολλά
χρόνια και ξημέρωσε σήμερα.*

ΚΕΦΑΛΑΙΟ ΕΙΚΟΣΤΟ ΕΒΔΟΜΟ

Το μοναστήρι βρισκόταν πολύ κοντά στη σπηλιά. Μέσα στο άγονο τοπίο, ήταν σαν αγριολούλουδο που φύτρωσε στη μέση της ερήμου. Ο κοκκινωπός τρούλος της εκκλησίας, έμοιαζε με τριαντάφυλλο βαλμένο στ' ανθογυάλι του πρωινού ουρανού. Το έντονο χρώμα του ερχόταν σε αντίθεση με τα χλωμά χρώματα του τοπίου. Μικρά κωδωνοστάσια ορθώνονταν στις δυο πλευρές τής εισόδου, που στέκονταν σαν ακοίμητοι φρουροί του μοναστηριού.

Χτύπησαν την καμπανούλα και σε λίγο ένας καλόγηρος άνοιξε τη βαριά ξύλινη πόρτα. Τους οδήγησε στο χώρο αναμονής και ζήτησαν να συναντήσουν τον ηγούμενο, τονίζοντας ιδιαίτερα την σπουδαιότητα της επισκέψεως τους. Ο καλόγηρος τους ζήτησε να περιμένουν ώσπου να τον ειδοποιήσει.

Ο Ηγούμενος στεκόταν μπροστά στο παράθυρο του γραφείου. Το βλέμμα του ήταν καρφωμένο στο στεγνό σιντριβάνι στον περίβολο της μονής. Στο κέντρο του υψωνόταν το άγαλμα ενός αγγέλου με τ' απλωμένα του

φτερά. Στα χέρια του υπήρχε ένα δοχείο που το κρατού-
σε γερμένο. Παλαιότερα από τη βάση του ανάβλυζε το
υγρό χρυσάφι που υπήρχε άφθονο στον τόπου τους. Από
το κανάτι του έτρεχε γάργαρο νερό και ο χώρος γέμιζε
από τον κελαριστό του ήχο. Τώρα μόνο χώμα και πέτρες
είχαν απομείνει. Έμοιαζε με θλιβερό απομεινάρι της πα-
λιάς του δόξας.

Σήμερα θα έκανε μόνος του το ταξίδι για την απένα-
ντι στεριά προς αναζήτηση βοήθειας, όμως η ομίχλη τον
καθυστέρησε. Είχε τελειώσει την πρωινή παράκληση και
τώρα που καθάρισε, θα ξεκινούσε. Το διακριτικό χτύπη-
μα στην δρύινη πόρτα, τον έβγαλε από τις σιωπηλές του
σκέψεις. Στο κατώφλι φάνηκε ο μοναχός Γαβριήλ.

- *Πατέρα Κοσμά, έχουμε επισκέπτες. Είναι ένας κύρι-
ος, δύο κυρίες κι ένα παιδί. Ο κύριος θέλει να εξο-
μολογηθεί. Του είπα πως έχετε προγραμματίσει να
φύγετε, μα είπε πως είναι μεγάλη ανάγκη να σας
μιλήσει για κάτι πολύ σημαντικό.*

- *Άφησέ τον να περάσει! Σπάνια έχουμε πια επισκέ-
πτες και είμαι περίεργος να μάθω τι είναι αυτό που
τους έφερε μέχρι εδώ. Δεν θ' αλλάξει κάτι αν καθυ-
στερήσω λίγο ακόμα!*

Ο μικρός και οι δύο γυναίκες, παρέμειναν στο χώρο
υποδοχής και ο Άρης ακολούθησε τον μοναχό. Τον
οδήγησε στο λιτό δωμάτιο του Ιερέα με την απολύτως
απαραίτητη επίπλωση. Ένα σκουρόχρωμο γραφείο, δύο
πολυθρόνες και μια μικρή βιβλιοθήκη με εκκλησιαστικά
βιβλία, γέμιζαν το χώρο. Ο Ηγούμενος έσπευσε να τον
προϋπαντήσει. Συστήθηκε κι έσκυψε ν' ασπαστεί το δεξί
του χέρι. Αφού βολεύτηκαν στις θέσεις τους, θέλησε να

ενημερωθεί για τον λόγο της επισκέψεως τους.

- *Χαίρομαι πολύ που ήρθατε στο ταπεινό μας νησάκι. Ο αδερφός Γαβριήλ μού είπε πως σας συνοδεύουν δύο κυρίες κι ένα παιδί.*
- *Ναι! είναι η αδερφή μου με τον γιο της και μια... οικογενειακή φίλη, συμπλήρωσε μετά από σκέψη. Θα τους δείτε σε λίγο, μα θα ήθελα να σας μιλήσω πρώτα εγώ.*
- *Έχει περάσει πολύς καιρός από τότε που ήρθε κάποιος για προσκύνημα. Νομίζω πως ζητήσατε να εξομολογηθείτε και να συζητήσουμε κάτι σημαντικό.*
- *Ναι πάτερ Κοσμά! Πρόκειται για ένα εξαιρετικά σοβαρό ζήτημα, που δε χωράει πια άλλη αναβολή.*
- *Με προλάβατε πάνω στην ώρα. Καθυστέρησα λόγω της ομίχλης, μα τώρα ήμουν έτοιμος ν' αναχωρήσω. Λίγα λεπτά ακόμα και το ταξίδι σας θα ήταν ανούσιο, γιατί δε θα με βρίσκατε εδώ. Θα περάσω απέναντι και δεν ξέρω πότε θα επιστρέψω.*
- *Φαίνεται πως είναι θέλημα θεού να γίνει σήμερα,* είπε ο Άρης με τρεμάμενη φωνή.
- *Σ' ακούω τέκνο μου! Πες μου, τι είναι αυτό που σ' έφερε μέχρι εδώ;*

Έμεινε για λίγο σιωπηλός, θαρρείς κι έψαχνε τα κατάλληλα λόγια για να ξεκινήσει.

- *Είναι πιο δύσκολο απ' όσο είχα φανταστεί. Έχω πολύ καιρό να πάω σ' εκκλησία και να εξομολογηθώ. Ξόδεψα το χρόνο μου στο κυνήγι των υλικών αγαθών κι έχασα τον εαυτό μου. Ανάλωσα τη ζωή μου στο να εξουσιάζω τους άλλους και να τους χειραγωγώ σύμφωνα με το συμφέρον μου. Κατηγορώ τον εαυτό μου για την αλαζονεία που υπήρχε στην καρδιά μου. Έβλαψα μια γυναίκα που δεν έφταιγε για τ' αμαρτήματα που δηλητηρίαζαν την ψυχή μου. Δεν έκανα τίποτα για να επανορθώσω τα λάθη που ευθύνονται για την σκληρότητα του χαραχτήρα μου. Μα πιο πολύ τον κατηγορώ για...*

Ένιωσε ένα κόμπο να στέκεται στο λαιμό του και διέκοψε την εξομολόγηση, πάνω στο πιο κρίσιμο σημείο. Ξερόβηξε χωρίς αποτέλεσμα. Ο Ηγούμενος κατάλαβε τη δυσκολία του και θέλησε να τον διευκολύνει. Πήρε από τη βιβλιοθήκη, ένα μπουκαλάκι με κονιάκ και δυο ποτηράκια. Τα γέμισε με το χρυσοκίτρινο υγρό και σήκωσαν τα ποτήρια τους, ευχόμενοι υγεία. Ο Αρης ήπιε μια γενναία γουλιά κι ένιωσε τη θέρμη του ποτού να κυλάει μέσα του.

- Ελπίζω να είστε έτοιμος να μου πείτε αυτό που σας απασχολεί. Είστε ταραγμένος και το ύφος σας είναι περίλυπο. Βλέπω ξεκάθαρα πως υπάρχει κάτι πολύ σοβαρό και σας βασανίζει έντονα.

- Διαβάσατε πολύ καλά την ψυχή μου πάτερ! Έχω να ζητήσω συγνώμη για τόσα πολλά! Τα φαντάσματα του παρελθόντος καταδιώκουν τη ζωή μου και μόνο με την αλήθεια μπορώ να τα ξορκίσω.

- Η αλήθεια προϋποθέτει κότσια κι όποιος τολμά να την πει, αποκτά φτερά στα πόδια του.

- Εγώ δε νιώθω τόσο γενναίος, μα θέλω να το βγάλω από μέσα μου. Δυσκολεύομαι πολύ, γιατί τ' αμαρτήματά μου είναι βαριά.

- Είστε στο κατάλληλο μέρος για να εναποθέσετε ότι σας βαραίνει. Κάθε εξομολόγηση που λέγεται με τα-

πείνωση και πόνο ψυχής, εισακούγεται από το Θεό.
Εσείς έχετε μετανιώσει πραγματικά για τ' αμαρτή-
ματά σας;
- *Κάθε μέρα της ζωής μου! Μα νιώθω πως δεν είναι*
αρκετό. Κρίνω τον εαυτό μου αυστηρά και θέλω να
είμαι πολύ σκληρός μαζί του. Φοβάμαι πως δεν μου
αξίζει συγχώρεση. Έχω μετανιώσει πικρά μα η ζωή
μου συνεχίζει να είναι μια κόλαση.
- *Η κόλαση δεν είναι για τους αμαρτωλούς, μα για τους*
αμετανόητους. Όταν η μετάνοιά είναι ειλικρινής, ο
Θεός συγχωρεί και ξεπλένει τα στίγματα της ψυχής.
- *Είναι τόσα πολλά αυτά που θέλω να σας πω, αλλά*
δεν ξέρω πως ν' αρχίσω.
- *Ξεκινήστε με τον ουσιαστικό λόγο που σας οδήγησε*
να μας επισκεφτείτε. Φαντάζομαι πως είναι στο ση-
μείο που διακόψατε το κατηγορώ του εαυτού σας.
- *Έχω ένα ανεξόφλητο χρέος προς το μοναστήρι σας.*
Νόμιζα πως δεν μπορούσα να κάνω τίποτα για να το
ξεπληρώσω. Ώσπου έγινε κάτι που μου υπενθύμισε
το καθήκον να διορθώσω τα λάθη μου. Εδώ και χρό-
νια κρύβω ένα φοβερό μυστικό και θέλω να σας το
εξομολογηθώ.
- *Είμαι πρόθυμος να σας ακούσω. Μπορείτε να συνε-*
χίσετε.
- *Ήρθα να μιλήσουμε για κάτι ιερό, που χάθηκε από*
τούτο το νησί και ανήκει στη διπλανή σπηλιά.

Τα μάτια του Ηγούμενου άστραψαν στη στιγμή και η
προσοχή του εντάθηκε στην εξομολόγηση του επισκέπτη
του.
- *Γίνετε πιο σαφής σας παρακαλώ!* είπε κρατώντας

σχεδόν την αναπνοή του από αγωνία.

- *Πριν από είκοσι χρόνια δυο άτομα έφτασαν εδώ κι έκλεψαν έναν ανεκτίμητο θησαυρό.*

Ο Ηγούμενος συνειδητοποίησε πως ξαφνικά βρισκόταν, μπροστά σ' έναν απροσδόκητο συνδετικό κρίκο με το παρελθόν.

- *Νομίζω πως ξέρω σε τι αναφέρεστε κι ελπίζω να μην κάνω λάθος. Ο πολυτιμότερος θησαυρός αυτού του δύσμοιρου τόπου, είναι η εικόνα του Αγίου Γεωργίου, που μας την έκλεψαν την χρονική περίοδο που αναφερθήκατε.*

- *Ακριβώς γι' αυτό θέλω να σας μιλήσω.*

- *Συνέχισε τέκνο μου!* είπε ανυπόμονα. *Πες μου ότι γνωρίζεις γι' αυτή.*

- *Η εικόνα βρίσκεται στα χέρια του παιδιού που ήρθε σήμερα μαζί μου και θέλουμε να την τοποθετήσουμε πάλι στη θέση της.*

Ο Ηγούμενος ένιωσε ένα κύμα ανείπωτης χαράς και απερίγραπτης ανακούφισης, να διατρέχει τις φλέβες του.

- *Επιτέλους οι προσευχές μας εισακούστηκαν. Θεέ μου σ' ευχαριστώ!* είπε σηκώνοντας τα χέρια του ψηλά. *Χρόνια τώρα περίμενα τη μέρα που θα μάθαινα το παραμικρό για εκείνη κι ήρθε τώρα, ακριβώς τη στιγμή που σταμάτησα να ελπίζω στην επιστροφή της. Πες μου τέκνο μου, πώς κατέληξε στα χέρια του παιδιού;*

Ο Αρης πήρε μια βαθιά ανάσα κι έσκυψε το κεφάλι.

- *Μακάρι να μη χρειαζόταν να το πω μα...,* είπε διστάζοντας να συνεχίσει. *Ήρθα ν' αναλάβω την ευθύνη για το ανοσιούργημα που συνέβη σ' αυτό το νησί.*

Οφείλω ν' αποκαλύψω τα εγκλήματα για τα οποία είμαι υπεύθυνος. Είμαι ο ένας από αυτούς που την έκλεψαν, παραδέχτηκε γρήγορα, πριν προλάβει να δειλιάσει.

Η αποκάλυψη του σημερινού επισκέπτη, έκοψε την ανάσα του Ηγούμενου. Τα μάτια του έλαμψαν πίσω από το μεταλλικό σκελετό των γυαλιών του. Προσπάθησε να διατηρήσει την ψυχραιμία του, αν και είχε σοκαριστεί αφάνταστα από την ομολογία του.

- Τα δεινά που ακολούθησαν την κλοπή της ήταν μοιραία για την τύχη του νησιού μας. Πήρατε την ευλογία που σκέπαζε τη γη μας. Από τη μέρα που έφυγε, ο τόπος μας μαράζωσε. Το νερό στέρεψε μεμιάς και το Παραδείσι με τα χρόνια μεταμορφώθηκε σε στέρφο αγριότοπο.

- Ναι έμαθα τι ακολούθησε πριν από λίγο. Ο καπετάνιος που μας μετέφερε μας τα είπε όλα. Το διαπίστωσα και ο ίδιος μόλις φτάσαμε. Κάναμε πολύ μεγάλο κακό τότε. Δεν φανταζόμουν ποτέ πως εκείνη η απερίσκεπτη πράξη, θα επέφερε τόσες δραματικές αλλαγές στο γεωφυσικό περιβάλλον του νησιού σας.

- Άνοιξέ μου την ψυχή σου. Πες μου, γιατί έφτασες σ' αυτή την πράξη;

Έπλεξε τα δάχτυλά του από αμηχανία και άνοιξε το βιβλίο της ζωής του στην τραγικότερη σελίδα της. Δεν προσπάθησε να ωραιοποιήσει ή να παραποιήσει την εξομολόγησή του. Αφηγήθηκε με σαφήνεια όλα τα σκοτεινά σημεία του ένοχου μυστικού του, χωρίς να υποτιμήσει την σημασία της πράξης του.

Ο λόγος του έρεε πιο γρήγορα τώρα. Ένας χείμαρρος

από λέξεις που συγκρατούσε μέσα του κι έπνιγαν την ψυχή του, ξεχύθηκε. Απάντησε ειλικρινά στις ερωτήσεις που δέχτηκε από τον Ηγούμενο και δεν προσπάθησε να δικαιολογήσει την πράξη του. Η φωνή της μετάνοιας ξύπνησε μέσα του και η ένοχη συνείδηση του επιζητούσε την τιμωρία, για να εξιλεωθεί.

Σκιαγράφησε λεπτομερώς τα γεγονότα εκείνης της μέρας. Η στιγμή της ομολογίας του φόνου ήταν η πιο δύσκολη. Οι καταπιεσμένες σιωπές απέκτησαν φωνή και λαχταρούσαν ν' ακουστούν. Το πρόσωπό του παλλόταν κυριολεκτικά από αντικρουόμενα συναισθήματα. Ανέφερε όλες τις ύπουλες ενέργειες που κατέστρεψαν το κτήμα της Δάφνης και τον τρόπο που η εικόνα παραδόθηκε στα χέρια του παιδιού με σκοπό να επιστραφεί.

- *Και ο Φώτης είχε μετανιώσει πικρά για την πράξη του, συμπλήρωσε στην αφήγησή του. Τουλάχιστον φρόντισε έστω και την τελευταία στιγμή της ζωής του να βρει κάποιον να την παραδώσει. Αν μιλήσετε με το παιδί θα σας περιγράψει τα θερμά λόγια μετάνοιας, στην στερνή του παράκληση. Πιστεύω πως θα ήθελε να είναι κι αυτός μαζί μας σήμερα, μα τον πρόλαβε ο θάνατος.*

Αυτά είχα να σας πω, είπε τελειώνοντας. Δε θέλω να με λυπηθείτε γιατί δεν το αξίζω. Δεν ξέρω αν ο Θεός θα με συγχωρήσει, αν και το έχω πολύ ανάγκη. Μακάρι να γινόταν να γυρίσω το χρόνο πίσω και ν' άλλαζα ότι έγινε τότε, αλλά μπορώ τουλάχιστον ν' αλλάξω το τώρα.

Δεν τόλμησα να πω την αλήθεια, μα περισσότερο φοβόμουν πως δε θα μου δινόταν η ευκαιρία να

την ξεστομίσω ποτέ. Είμαι ένας δειλός που νιώθει
απεγνωσμένα την ανάγκη να φανεί γενναίος και να
κάνει το σωστό, έστω και για μια φορά στη ζωή του.

Ο Ηγούμενος παρακολούθησε με προσοχή την κάθε
του λέξη κι ένιωσε μέσα από τον ειλικρινή του λόγο, την
απόλυτη μετάνοια που τον είχε κυριεύσει. Έμεινε για
λίγο αμίλητος ψάχνοντας τα κατάλληλα λόγια.

- *Κατάφερες να βγάλεις στην επιφάνεια τον καλό σου*
  εαυτό κι αυτό χρειάζεται γενναιότητα. Όσα συνέβη-
  σαν για να βρεθεί στο δρόμο σου, ήταν σημάδια από
  το Θεό. Εκείνος αποφασίζει πότε είναι η σωστή στιγ-
  μή για το καθετί.
- *Έχετε δίκιο πάτερ. Είμαι πρόθυμος να κάνω ότι μου*
  ζητήσετε. Ακόμα και να ομολογήσω την δολοφονία
  που διέπραξα ενώπιον του νόμου.
- *Θα μιλήσουμε γι' αυτό αργότερα. Τώρα νομίζω πως*
  ήρθε η στιγμή που λαχταρούσα να ζήσω εδώ και
  χρόνια. Ανυπομονώ να ξαναδώ την εικόνα του προ-
  στάτη μας.

Η πόρτα άνοιξε και η υπόλοιπη παρέα πέρασε μέσα.
Ο Ηγούμενος πλησίασε το παιδί που σφιχταγκάλιαζε την
ιερή εικόνα. Ο μικρός ξεδίπλωσε το σκούρο βελούδο που
την τύλιγε κι αποκαλύφθηκε ο θησαυρός που κρατούσε.
Ευθύς ο Ιερέας έπεσε στα γόνατα και σταυροκοπήθηκε.
Την περίμενε είκοσι χρόνια και τώρα ήταν μπροστά του.
Τα μάτια του γέμισαν δάκρυα και την ασπάστηκε με ευ-
λάβεια. Όλοι συγκινήθηκαν από την ταπεινή του υπόκλι-
ση. Μετά στάθηκε στα πόδια του, άγγιξε το κεφάλι του
παιδιού και του έδωσε την ευχή του.

- *Πώς σε λένε παιδί μου;*
- *Χρήστο πάτερ!*
- *Θα μνημονεύουμε τ' όνομά σου σε κάθε λειτουργία της εκκλησίας μας. Είσαι ευλογημένος τέκνο μου. Ο Θεός σε διάλεξε για να διορθώσεις το κακό που έγινε τότε. Δε θα μπορούσε να βρει καλύτερο μεσολαβητή για να ξαναφέρει τον Άγιό μας στο σπίτι του. Μόνο ένα παιδί θα ήταν η σωστή επιλογή. Ήταν γραφτό να σ' επιλέξει γιατί αναγνώρισε σε σένα την αγνότητα της ψυχής σου.*

Εκείνος ο ετοιμοθάνατος έδωσε μια τελευταία ευκαιρία στην ψυχή του να σωθεί. Σου παρέδωσε μια φλόγα κι ανέλαβες την υποχρέωση να την μεταδόσεις άσβεστη. Σε σένα δόθηκε η πυξίδα που σας οδήγησε στο ταλαιπωρημένο μας νησάκι, με τον ανεκτίμητο θησαυρό που κρατάς στα χεράκια σου.

Πριν από πάρα πολλά χρόνια, ένα άλλο παιδάκι την έφερε σ' αυτό το νησί. Τότε ήταν ο παππούς μου που την προστάτευσε. Την είχε για μήνες μέσα στην αγκαλιά του, όταν λίγο πριν την καταστροφή της Σμύρνης η οικογένειά του αναγκάστηκε να ξεριζωθεί από τον τόπο που ζούσε. Αυτή η εικόνα έχει μεγάλη ιστορία και θα ήθελα να σας τη διηγηθώ για να καταλάβετε την αξία της.

Ο Ηγούμενος ζήτησε να καθίσουν και άρχισε να τους εξιστορεί τις περιπέτειες της. Επρόκειτο ν' ακούσουν γεγονότα που έμοιαζαν συνυφασμένα με μύθο. Όλοι προσηλώθηκαν στην αφήγησή του και το ενδιαφέρον τους μεγάλωνε σε κάθε του λέξη.

- *Κανείς δεν γνώριζε πότε και ποιος τη ζωγράφισε,*

είπε ο πάτερ- Κοσμάς. *Κάποιος ειδικός που την εξέτασε την τοποθετεί χρονολογικά κατά την εποχή τής τουρκοκρατίας. Τα θαύματα που συνδέθηκαν με τη χάρη της ήταν πολλά. Ο προπάππους μου ήταν Ιερέας και για πολλά χρόνια η εικόνα βρισκόταν στην εκκλησία που λειτουργούσε, στη Σμύρνη. Κατά την μικρασιατική καταστροφή, ο ξεριζωμένος λαός αναζητώντας μια καινούργια πατρίδα, βρέθηκε σ' αυτό το νησί και για πολύ καιρό ζούσε μέσα στη σπηλιά.*

Μέσα από μια αναλυτική περιγραφή, τους εξιστόρησε με τον γλαφυρό του λόγο όλες τις περιπέτειες του ξεριζωμένου λαού, που στέριωσε σ' έναν άγονο τόπο και τον έκανε τη νέα του πατρίδα. Με τη χάρη και τη βοήθεια της ιερής εικόνας ανέβλυσε νερό και η υγρή ευλογία που πότισε το χώμα, έφερε πρόοδο στον προσφυγικό λαό.

Οικοδόμησαν μια εκκλησία προς τιμήν του προστάτη τους και τοποθέτησαν την εικόνα σε περίοπτη θέση στον καινούργιο ναό. Μα κάτι παράξενο συνέβη. Η εικόνα εξαφανίστηκε μυστηριωδώς, φέρνοντας μεγάλη αναστάτωση. Εντοπίστηκε μετά από δύο μέρες μέσα στην εσοχή της σπηλιάς, που ήταν η παλιά της θέση για μισό αιώνα. Την έβαλαν ξανά στον καινούργιο ναό, χωρίς να μπορέσουν να εξηγήσουν το πώς βρέθηκε εκεί. Το ίδιο επαναλήφθη και τις επόμενες τρεις μέρες. Χανόταν από την σκαλιστή θέση με το χρυσοκέντητο βελούδο και την έβρισκαν στην πέτρινη εσοχή. Συνέχιζαν να την μεταφέρουν στην φροντισμένη της θέση, ώσπου ο γιος του Ιερέα, που ήταν ο παππούς του πάτερ Κοσμά, είδε όραμα τον Άγιο και του είπε:

«*Γιατί θέλετε να με πάρετε από το σπίτι μου; Αυτή εί-*

ναι η θέση που μου ανήκει κι εκεί θέλω να παραμείνω».

«Μα Άγιε μου! απάντησε το αγόρι, που εν τω μεταξύ είχε μεγαλώσει. *Αυτή η εκκλησία φτιάχτηκε για σένα. Για να είναι η εικόνα σου ασφαλής. Θέλουμε να σε λειτουργούμε και να σε θυμιατίζουμε με το μυρωδάτο μοσχολίβανο που έχουμε ακόμα από την πατρίδα μας».*

«Λιβάνιζέ με εσύ κι η ευωδιά θα έρχεται κι εκεί που θέλω να είμαι».

Μεταβίβασε στον Ιερέα παππού του την επιθυμία του προστάτη τους και κατανόησε το θέλημά του. Ήθελε να παραμείνει η εικόνα του στην ταπεινή της θέση κι έτσι υπάκουσε στην προσταγή του. Την άφησαν εκεί που επιθυμούσε και η σπηλιά λειτουργούσε ως παρεκκλήσι. Στην πίσω πλευρά φτιάχτηκε ένα μοναστήρι και πολλοί νέοι αφιερώθηκαν στη χάρη του.

Το έφηβο πια αγόρι, μεγαλώνοντας έγινε ο ακοίμητος φρουρός της ιερής εικόνας. Με τα χρόνια έκανε δική του οικογένεια, μα ποτέ δεν ξέχασε το ιερό του καθήκον. Φρόντιζε το σπηλαιώδες παρεκκλήσι και δεν άφηνε ποτέ το καντήλι του Αγίου σβηστό, μέχρι τα γεράματα του. Όταν απεβίωσε έγινε το εξής θαυμαστό. Ο Αγιος επέλεγε κατά καιρούς έναν από τους μοναχούς του μοναστηριού κι επικοινωνούσε μαζί του. Αν έσβηνε το καντήλι του, άκουγε χτυπήματα στο παράθυρο του κελιού του κι εκείνος ήξερε πως έπρεπε να πάει αμέσως να το ανάψει.

- Αυτό γινόταν μέχρι εκείνη τη ζοφερή μέρα, που άλλαξε τη ζωή όλων μας, είπε ο Ηγούμενος ολοκληρώνοντας την αφήγηση, που είχε καθηλώσει τους ακροατές του.*Τη συνέχεια τη γνωρίζετε. Η εικόνα εκλάπη και από εκείνη τη μέρα το οικοσύστημα του*

νησιού διαταράχτηκε ξανά. Το νερό σταμάτησε να τρέχει μετατρέποντας την περιοχή, στον ξερότοπο που ήταν αρχικά.

Ο Αρης άκουγε τη διήγησή του κουνώντας κατά διαστήματα το κεφάλι του. Ο σωρός των τύψεων μεγάλωνε.

- *Κάθε προσπάθεια για καλλιέργεια του εδάφους ήταν πλέον απαγορευτική, αφού από το χώμα έλειπε το πολυτιμότερο συστατικό του. Οι κάτοικοι άρχισαν να εγκαταλείπουν το Παραδείσι ψάχνοντας αλλού την τύχη τους. Οι προσκυνητές σταμάτησαν τις επισκέψεις τους και ο οικονομικός μαρασμός ήταν αναπόφευκτος.*

- *Όσες φορές αν πω πως λυπάμαι, θα είναι λίγες, είπε συντετριμμένος από τις αποκαλύψεις ο Άρης. Αγνοούσαμε τόσα πολλά όταν τολμήσαμε ν' απλώσουμε τα χέρια μας πάνω της. Χωρίς να θέλω να δικαιολογήσω την πράξη μας, ο στόχος μας δεν ήταν να πάρουμε την εικόνα. Τα χρυσαφικά ήταν αυτά που μας θάμπωσαν.*

Η άσχημη εξέλιξη των γεγονότων μας έκανε να τραπούμε σε φυγή, παίρνοντας μαζί μας ολόκληρη την προθήκη. Πού να ξέραμε τις συνέπειες που θα είχε η απερίσκεπτη πράξη μας για νησί. Δεν πίστευα στα μάτια μου όταν αντίκρισα αυτή την μεταμόρφωση.

- *Όταν γίνετε ένα τόσο μεγάλο κακό, ακόμα κι η φύση το αισθάνεται. Είχε χαθεί η εικόνα του προστάτη μας και το νησάκι μας έδειξε τη θλίψη του μαραζώνοντας.*

- *Γιατί έπρεπε να περάσουν τόσα χρόνια για να επιστρέψει; Τώρα που γνωρίζω τη δύναμή της, ξέρω πως θα μπορούσε να μας είχε σταματήσει από την πρώτη στιγμή.*

- *Έπρεπε να πάρουμε όλοι τα μαθήματά μας. Μέσα από τα βιώματα βρίσκουμε το δρόμο μας κι αυτό χρειάζεται χρόνο. Ο Θεός αποφασίζει πότε είναι η σωστή στιγμή κι έκρινε πως έτσι έπρεπε να γίνει.*

- *Υπάρχει όμως κάποιος που πλήρωσε πολύ ακριβά την απερισκεψία μας. Τι κι αν λυπάμαι; Το παλικάρι που σκότωσα δε θα γυρίσει στη ζωή! Αφαίρεσα μια αθώα ψυχή κι όσο κι αν μετανιώνω, το αποτέλεσμα δεν αλλάζει. Καμία ποινή δεν είναι αρκετή τιμωρία για μένα.*

- *Κι όμως γι' αυτή τη συγκεκριμένη πράξη, η τιμωρία σου ήταν μεγαλύτερη από το έγκλημά σου, γιατί το πλήρωσες με πολλά χρόνια τυραννίας από τις ερινύες που σε κυνηγούσαν.*

- *Τι εννοείτε πάτερ;*

Ο Ηγούμενος έτριψε τα κουρασμένα του μάτια πίσω από τα γυαλιά.

- *Δεν χρειάζεται να ομολογήσεις τίποτα στις αρχές. Οι τύψεις που σε βασάνιζαν ήταν και η ποινή που εξέτισες. Σήμερα θ' αφεθείς ελεύθερος από την επώδυνη φυλακή των ενοχών σου.*

- *Νιώθω πως δεν το αξίζω! Πολλές φορές ξύπναγα στη μέση της νύχτας και νόμιζα πως βρισκόμουν ξανά στη σπηλιά. Ο πανικός που με συνοδεύει, σχεδόν με παραλύει. Γίνομαι πάλι εκείνος ο δεκαεφτάχρονος έφηβος με την πέτρα στο χέρι. Τα μάτια εκείνου του νεαρού μοναχού θα συνεχίσουν να με στοιχειώνουν για όσο θα ζω.*

- *Υπάρχει ακόμα αλαζονεία στην καρδιά σου; ρώτησε μ' ένα αινιγματικό χαμόγελο, που ο Άρης δεν ήξερε πως να το ερμηνεύσει.*
- *Τώρα έμεινε μόνο ταπείνωση και φόβος για την τιμωρία που με περιμένει.*
- *Πρέπει να μάθεις κάτι που αγνοείς. Διέπραξες πολλά αμαρτήματα στη ζωή σου, μα είναι σίγουρο πως δολοφόνος δεν υπήρξες ποτέ.*

Τα λόγια του ακούστηκαν σαν να έβγαιναν μέσα από όνειρο για τον Άρη. Πετάχτηκε απότομα από τη θέση του σαν να τον χτύπησε ηλεκτρικό ρεύμα.

- *Συγνώμη, μήπως δεν άκουσα καλά; Τι ήταν αυτό που είπατε;*
- *Ο άνθρωπος που χτύπησες εκείνη τη μέρα με την πέτρα..., δεν πέθανε.*

Ο Άρης ένιωσε πως ο κόσμος γύρω του άρχισε να γυρίζει πολύ πιο γρήγορα.

- *Δεν μπορώ να το πιστέψω, είπε νιώθοντας μια τεράστια ανακούφιση να τον πλημμυρίζει. Είστε σίγουρος γι' αυτό;*
- *Απόλυτα, του απάντησε χαμογελώντας ο Ηγούμενος.*
- *Γνωρίζεται πού μπορώ να τον βρω; Θέλω να του ζητήσω συγνώμη γονατιστός και να κλάψω στα πόδια του.*
- *Είναι μέλος της μικρής κοινωνίας αυτού του μοναστηριού.*
- *Σας ικετεύω να με οδηγήσετε σ' εκείνον, είπε με μάτια που ανάβλυζαν δάκρυα. Έχω ανάγκη από τη συγχώρεσή του.*

- Δεν χρειάζεται να πας πουθενά, γιατί αυτός που ψάχνεις είναι πολύ κοντά σου. Κοίταξέ με λίγο καλύτερα, τον προέτρεψε βγάζοντας τα γυαλιά του. Ο μοναχός που χτύπησες με την πέτρα... ήμουν εγώ, συμπλήρωσε στη φράση του, αφήνοντας τους όλους με το στόμα ανοιχτό.

ΚΕΦΑΛΑΙΟ ΕΙΚΟΣΤΟ ΟΓΔΟΟ

Ο Αρης σοκαρισμένος από την απρόσμενη αποκάλυψη, άρχισε να παρατηρεί το πρόσωπο του Ηγούμενου. Ο νους του επέστρεψε αστραπιαία στο βλέμμα του νεαρού μοναχού λίγο πριν σωριαστεί. Συνειδητοποίησε πως κοίταζε εκείνα τα ίδια μάτια, που νόμιζε πως τους είχε στερήσει τη ζωή για πάντα. Τώρα το βλέμμα του απέπνεε σοφία και μια ηρεμία που σε συνέπαιρνε. Ήταν μεγαλύτερος και πολύ αλλαγμένος, μα κατάφερε ν' αναγνωρίσει την ομοιότητα που κρυβόταν πίσω από τα γυαλιά.

- *Εσύ ήσουν πάτερ- Κοσμά; Σε σένα έκανα εκείνο το κακό; αναφώνησε συγκλονισμένος και σκέπασε με τις παλάμες του το πρόσωπό του. Συγχώρεσε με σε παρακαλώ ακουγόταν επιτακτικά ανάμεσα από τ' αναφιλητά του. Χαίρομαι τόσο πολύ που είσαι ζωντανός! Ήμουν σίγουρος πως ήσουν νεκρός και τώρα νομίζω πως ονειρεύομαι.*

- *Κι εγώ δε σ' αναγνώρισα στην αρχή μα η εξομολόγησή σου μ' έκανε να καταλάβω ποιον είχα απέναντι μου. Τότε ήμασταν και οι δύο πολύ νέοι. Τα χρόνια*

265

που πέρασαν μάς άλλαξαν.

Εκείνη την εποχή ο Άγιος είχε επιλέξει εμένα για να επικοινωνεί και χτυπούσε το παράθυρο μου όταν έσβηνε το καντήλι του. Έτσι ήμουν πάντα σ' επιφυλακή. Τη μέρα που σημάδεψε τη ζωή και των δυο μας, κοιμόμουν στο κελί μου, όταν με ξύπνησαν κάποιοι παράξενοι χτύποι στην πόρτα. Έμοιαζε σαν κάποιος να πετούσε πάνω της μικρά πετραδάκια.

Στην αρχή το αγνόησα, γιατί δεν ήταν ο συνηθισμένος τρόπος επικοινωνίας μας. Ο ενοχλητικός θόρυβος εντάθηκε και μ' ανάγκασε να σηκωθώ. Άνοιξα την πόρτα μου, μα τίποτα παράξενο δεν εντόπισα στο διάδρομο. Τότε άκουσα μια φωνή να λέει: «Κάποιοι είναι στο σπίτι μου. Κινδυνεύω».

Κατάλαβα πως κάτι συνέβαινε και δεν γινόταν πλέον να το αγνοώ. Ήταν αξημέρωτα ακόμα, όταν πήρα το φανάρι μου και κίνησα για τη σπηλιά. Μόλις μπήκα μέσα, σας είδα να προσπαθείτε ν' ανοίξετε την προθήκη.

Πανικοβλήθηκα κι άρχισα να καλώ τους υπόλοιπους μοναχούς για ν' αποτρέψω το κακό που γινόταν. Δεν υπολόγισα πως αυτό θα σας τρόμαζε και το αποτέλεσμα θα ήταν ολέθριο.

Το τελευταίο που είχε μείνει στη μνήμη μου από κείνη τη μέρα, ήταν το πρόσωπο σου αφού με είχες ήδη χτυπήσει. Θυμάμαι την απελπισία και στο δικό σου βλέμμα, όταν γύρισα να δω ποιος ήταν αυτός που μου έπαιρνε τη ζωή. Μετά όλα έσβησαν από μπροστά μου.

Όλοι πίστευαν πως δε θα κατάφερνα να επιζήσω.

Για τρία χρόνια περίπου, ήμουν περισσότερο νεκρός παρά ζωντανός. Γέρασα πρόωρα από τον Γολγοθά που πέρασα. Τα μαλλιά μου άσπρισαν κι ας ήμουν μόλις είκοσι έξι ετών. Με τα χρόνια συνήρθα κάπως, μα είχα αποκοπεί από την πραγματικότητα. Ζούσα τα πάντα σαν μέσα από όνειρο.

Ώσπου μια μέρα ήρθε δίπλα μου ο μαυροντυμένος νεαρός που με συντρόφευε από παιδί και μου είπε πως ήρθε η ώρα να επιστρέψω στη ζωή. Ήταν ο Άγιος- Γεώργιος που με κράτησε ζωντανό κι αυτός που με καλούσε ξανά στην πραγματικότητα.

Και τότε το θαύμα έγινε. Συνήρθα από το λήθαργο που είχα πέσει κι ήμουν πιο δυνατός και πιο πιστός από πριν. Όταν ο γέροντας μας κοιμήθηκε, ανατέθηκαν σ' εμένα τα καθήκοντα του Ηγούμενου.

- Δεν μπορείτε να φανταστείτε πόσο άσχημα νιώθω. Θα με συγχωρήσετε για το κακό που σας έκανα;

- Αφού ο αναμάρτητος Χριστός συγχώρεσε αυτούς που τον σταύρωσαν, πώς θα μπορούσα να μην το κάνω εγώ ο αμαρτωλός;

- Σ' ευχαριστώ πάτερ, είπε σπεύδοντας να γονατίσει μπροστά του και ν' ασπαστεί το δεξί του χέρι. Μου δίνουν μεγάλη χαρά τα λόγια σου. Άραγε θα μπορέσει να με συγχωρέσει και ο Θεός για όσα προκάλεσε η απληστία μου;

- Υπάρχει μια δύναμη ασύγκριτα ισχυρότερη από την αμαρτία κι αυτή είναι η μετάνοια. Το συναξάρι είναι γεμάτο από ονόματα αγίων που υπήρξαν αμαρτωλοί και κατάφεραν ν' αλλάξουν. Ο Θεός δίνει άφεση όταν δει δάκρυα μεταμέλειας στα μάτια τού αμαρ-

τωλού κι ο ουρανός έχει γιορτή όταν κάποιος μετανοεί. Άξιοι θαυμασμού είναι όσοι έχουν τη δύναμη να γκρεμίζουν ότι έχτισαν πάνω στα λάθη τους. Δε χωράει αμφιβολία πως η εξομολόγησή σου ήταν ειλικρινής και βγαλμένη από τα βάθη της καρδιάς σου. Μια λάθος επιλογή μόλυνε τη ζωή και το μέλλον σου. Ήρθε η ώρα να γιατρευτείς. Παραδέχτηκες την ενοχή σου και θέλησες να πληρώσεις το παλιό σου κρίμα. Το εύκολο θα ήταν να βολευτείς στη δυστυχία σου και να μην αλλάξεις τίποτα. Όμως εσύ τσαλάκωσες τον εγωισμό σου και ανέλαβες τις ευθύνες σου.

- Ίσως να μην έβρισκα ποτέ τη δύναμη, αν δεν ερχόταν στο δρόμο μου η απόδειξη της ιεροσυλίας μου. Τελικά το παρελθόν κάνει κύκλους. Όσο κι αν νομίζεις πως το έχεις θάψει για πάντα, θα έρθει η στιγμή που θα βρει το χώρο του και θα ξαναβγεί στην επιφάνεια, ζητώντας δικαίωση.

- Προσπάθησε από εδώ και πέρα ν' αλλάξεις και μην επαναλάβεις τα λάθη του παρελθόντος.

- Σας υπόσχομαι πάτερ, πως θα προσπαθήσω να εκμεταλλευτώ την ευκαιρία που μου δόθηκε και θα γίνω καλύτερος άνθρωπος.

- Σήμερα είναι μεγάλη μέρα για σένα, όπως και για το μοναστήρι μας. Ζούσαμε με την ελπίδα πως κάποτε θ' αξιωνόμασταν να καλωσορίσουμε την εικόνα στο σπίτι της. Διαρκώς προσευχόμαστε γι' αυτό κι επιτέλους εισακουστήκαμε, αναφώνησε πανηγυρικά. Θα κάνουμε μια ευχαριστήρια λειτουργία και θα την τοποθετήσουμε στη θέση της.

Τα δύο σήμαντρα του ναού σκόρπισαν τον μεταλλικό τους ήχο μέχρι την απέναντι στεριά. Το ασημόηχο κάλεσμα προσκαλούσε τους πάντες στην λαμπρή υποδοχή της θαυματουργής εικόνας του προστάτη τους. Τα νέα της επιστροφής είχαν διαδοθεί και οι πιστοί άρχισαν να καταφτάνουν. Όλοι οι μοναχοί είχαν συγκεντρωθεί στο σπηλαιώδες ιερό, που έμοιαζε σαν το χέρι του Θεού να το είχε πελεκήσει, κάνοντας το να μοιάζει με ναό.

Ο Ηγούμενος ξεκίνησε την εορταστική λειτουργία κι οι γλυκόλαλες ψαλμωδίες υψώθηκαν τόσο ψηλά, που σίγουρα θα σκάλωσαν στο ουράνιο στερέωμα. Το μυρωδάτο θυμίαμα πλημμύρισε τον αέρα, σκορπώντας κατάνυξη στην ατμόσφαιρα. Η συγκίνηση ήταν διάχυτη.

Ο μικρός Χρήστος κρατούσε ευλαβικά την ιερή εικόνα και όλοι πέρασαν από μπροστά του για να την προσκυνήσουν. Ένιωσαν ψυχική ανάταση και θρησκευτικό δέος βλέποντας την ξανά και περισσότερο οι νεαρότεροι μοναχοί, που την αντίκριζαν για πρώτη φορά. Μέχρι σήμερα ότι γνώριζαν για εκείνη ήταν μέσα από τις διηγήσεις των μεγαλύτερων.

Τελευταίος στη σειρά για προσκύνημα, απέμεινε ο Άρης. Μέχρι τώρα δεν είχε τολμήσει να την αγγίξει. Με βήματα αργά και διστακτικά, πλησίασε την εικόνα που κρατούσε το παιδί. Έσκυψε ευλαβικά και με βουρκωμένα μάτια την ασπάστηκε. Τότε ένιωσε κάτι πρωτόγνωρο να τον πλημμυρίζει. Ήταν λες και μέσα στην ψυχή του άναψε ένα φως κι εξαφάνισε με μιας το βασανιστικό σκοτάδι. Αυτή η μαγική στιγμή ήταν αρκετή για ξεκλειδώσει τις μανταλωμένες πόρτες της ψυχής του, που τον κρατούσαν δέσμιο των πράξεών του.

Ένιωσε έντονα την ανάγκη να προσευχηθεί. Ήταν κάτι που είχε να το κάνει από τότε που οι πράξεις του έκαναν απαγορευτική κάθε προσπάθεια επικοινωνίας με τον Θεό. Αποσύρθηκε στο βάθος, έσκυψε το κεφάλι και ένωσε τις παλάμες του σε στάση προσευχής.

Ο Ιερέας τοποθέτησε την εικόνα πάνω στο πορφυρό βελούδο που σκέπαζε την πέτρινη εσοχή και δίπλα της έβαλε το κουτί με το σύνολο των χρυσών προσφορών, που είχαν κλαπεί μαζί μ' εκείνη. Οι πιστοί που έσπευσαν να παραστούν στην επάνοδό της, την στόλισαν μ' ευωδιαστά λουλούδια και την έραναν με πολύχρωμα ροδοπέταλα.

Η Δάφνη γύρισε το βλέμμα της προς τη θέση του Άρη. Αισθανόταν πως πνευματικά βρισκόταν χιλιόμετρα μακριά. Τι να σκεφτόταν άραγε; αναρωτήθηκε. Ποιες εικόνες να γέμιζαν το μυαλό του; Παρατήρησε πως τα χείλη του σχημάτιζαν άηχες λέξεις. Το κέλυφος της σκληρότητας του είχε σπάσει.

Ο ίδιος ένιωθε τις συναισθηματικές ζυμώσεις που βασάνιζαν την ψυχή του να καταλαγιάζουν και κάτι διαφορετικό να τον κατακλύζει. Τα πάντα ηρέμησαν μέσα του και μια γλυκιά ζεστασιά τον συνεπήρε. Ξεχασμένες αισθήσεις ξαναγύρισαν και μια ουράνια γαλήνη τύλιξε την καρδιά του. Επιτέλους ένιωθε. Τα φαντάσματα που τάραζαν τον ύπνο του διαλύθηκαν. Τώρα μπορούσε να πει αντίο στους εφιάλτες του.

Τα μάτια του γέμισαν δάκρυα που άρχισαν να κυλούν ανεμπόδιστα στα μάγουλά του. Άφησε το λυτρωτικό του κλάμα να στάξει στο χώρο που βεβήλωσε. Το στεγνό χώμα ρούφηξε στη στιγμή την απόδειξη της συγνώμη που ανάβλυζε απευθείας από την ψυχή του.

Ξαφνικά έγινε κάτι που αναστάτωσε το εκκλησίασμα. Ένας μοναχός παρότρυνε τους πιστούς να κοιτάξουν την εικόνα. Διαπίστωσαν πως τα χρώματα έγιναν ξανά ζωηρά και το πρόσωπο του Αγίου φεγγοβολούσε. Τότε ένα πνιχτό μπουμπουνητό αντήχησε κι ακολούθησε ο ήχος μιας δυνατής καταιγίδας. Τόσο έντονα καιρικά φαινόμενα είχαν εκλείψει και το ασθενές ψιχάλισμα δεν ήταν αρκετό για να συντηρήσει τη χλωρίδα της περιοχής. Τώρα όμως μια καταρρακτώδης βροχή πλημμύριζε τη διψασμένη γη.

Κατόπιν, κάτι πιο θαυμαστό ακολούθησε. Ένα υπόκωφο μουρμουρητό ακούστηκε να διαπερνά τα σπλάχνα του βουνού. Μετά από λίγο ο ήχος ξεκαθάρισε. Ήταν τρεχούμενο νερό, που κυλούσε με ορμητική ταχύτητα ψάχνοντας διέξοδο. Βλέμματα ελπίδας αντταλλάχτηκαν μεταξύ των παρευρισκομένων. Όλοι βγήκαν στην είσοδο τής σπηλιάς και κάρφωσαν τα βλέμματά τους στο στεγνό στόμιο.

Μετά από ελάχιστα δευτερόλεπτα ένας πίδακας καθάριου νερού ξεπήδησε από τα έγκατα του βουνού. Ευθύς δημιουργήθηκε ένας καταρράχτης και με τη χειμαρρώδη ορμή του αυλάκωσε το χώμα. Πλήθος από ρυάκια άρχισαν να διασχίζουν την άγονη επιφάνεια του νησιού.

Όλα ήταν όπως τότε που οι πρόσφυγες είχαν δει να συμβαίνει το ίδιο θαύμα. Άπαντες σταυροκοπήθηκαν και προσευχές ευγνωμοσύνης ακούστηκαν από τα χείλη των πιστών.

- *Ο Άγιός μας ξαναγύρισε και μαζί του ήρθε η ευλογία,* αναφώνησε περιχαρής ο πάτερ Κοσμάς σηκώνοντας τα χέρια ψηλά. *Η κατάρα που σκέπαζε το νησί μας διαλύθηκε και τώρα θα ξαναγίνει το Παραδείσι που ήταν κάποτε.*

Οι παριστάμενοι μπορούσαν να αισθανθούν στον αέρα την οσμή της ελπίδας που άνθιζε ξανά. Η βροχή κράτησε γύρω στη μισή ώρα και ξέπλυνε την απογοήτευση και τη μιζέρια που μάστιζε την περιοχή. Σιγά- σιγά η καταιγίδα κόπασε και τα γκρίζα σύννεφα σύρθηκαν ανάλαφρα στον ορίζοντα, ξεσκεπάζοντας τον ηλιακό δίσκο.

Η Δάφνη και ο Άρης παρατηρούσαν άναυδοι το θαύμα που συνέβαινε γύρω τους, όταν ακούστηκε έντονα το ποδοβολητό ενός αλόγου. Είδαν ένα μαυροντυμένο καβαλάρη, πάνω στο κατάλευκο άλογο του, να διασχίζει τη νοτισμένη έκταση και να πλησιάζει προς τη σπηλιά. Ο γρήγορος καλπασμός του μειώθηκε και σταμάτησε τελείως μπροστά σε μια λιμνούλα που είχε σχηματιστεί από τα ρυάκια της βροχής. Το άλογο έσκυψε το μακρύ λαιμό του και ξεδίψασε στον υγρό θησαυρό που σάρωνε ξανά το νησί. Ο καβαλάρης γύρισε το πρόσωπό του προς το πλήθος που στεκόταν στην είσοδο της σπηλιάς και σήκωσε το δεξί του χέρι σε κίνηση χαιρετισμού.

- *Κοίτα κυρά!* αναφώνησε ο Χρήστος. *Είναι ο Γιώργης.*

- *Δίκιο έχεις! Αυτός είναι ο εργάτης που με βοήθησε να μαζέψω τη σοδειά μου* είπε στον Άρη. *Μα πώς βρέθηκε εδώ;*

Ο Ηγούμενος τους παρότρυνε να κοιτάξουν προς την εικόνα και στο πρόσωπο του Αγίου που συνέχιζε ν' ακτινοβολεί.

- *Αυτός ο νεαρός ήταν που μ' επανέφερε στην πραγματικότητα όταν ήμουν σχεδόν φυτό.*

Και τότε κατάλαβαν. Σήκωσαν κι εκείνοι τα χέρια και

χαιρέτισαν το νεαρό καβαλάρη, που απομακρυνόταν καλπάζοντας στον ορίζοντα.

ΚΕΦΑΛΑΙΟ ΕΙΚΟΣΤΟ ΕΝΑΤΟ

Μετά από αυτή τη μοναδική εμπειρία, η επιστροφή στο χωριό τους ήταν γεμάτη από το θαύμα που γεύτηκαν. Η αλλαγή στη διάθεση τού Άρη, ήταν αξιοθαύμαστη. Το φορτίο που κουβαλούσε στους ώμους του, είχε εξανεμιστεί. Η αλαζονεία είχε χαθεί από το πρόσωπό του και γαλήνια ηρεμία είχε γλυκάνει την αυστηρότητα των χαρακτηριστικών του.

Η Δάφνη έψαχνε στο βλέμμα του εκείνη την σκληρότητα που την είχε πληγώσει τόσες φορές, μα δεν ήταν πια εκεί. Οι σκιές που κατοικούσαν μόνιμα στα πράσινα μάτια του, είχαν εξαφανιστεί και τώρα ήταν γεμάτα φως.

Η ανακούφιση που ένιωθε ήταν απερίγραπτη. Η ψυχή του φτερούγιζε από αγαλλίαση. Ήταν μια πρωτόγνωρη αίσθηση που πριν λίγο καιρό δεν πίστευε πως θα έβρισκε ποτέ. Για πρώτη φορά άρχισε να διακρίνει ένα μέλλον απαλλαγμένο από τύψεις και εφιάλτες. Τα θετικά συναισθήματα που ήταν εγκλωβισμένα σ' ένα είδος χειμερίας νάρκης επιτέλους ξύπνησαν.

Η Δάφνη σκεφτόταν πως είναι πολύ δύσκολο να κρί-

275

νεις κάποιον αν δεν γνωρίζεις όλη την ιστορία του. Κατανοούσε τι ήταν αυτό που τον ανάγκαζε να βγάζει την κακή πλευρά του εαυτού του. Προφανώς γιατί τίποτα δεν γέμιζε το κενό της ψυχής του. Μόνο η αίσθηση της εξουσίας και η επιβολή της δύναμης του έδινε σκοπό στη ζωή. Τώρα έβλεπε έναν άνθρωπο που μεταλλάχτηκε. Το πρόσωπό του έλαμπε από ικανοποίηση και το χαμόγελό του ήταν γνήσιο, γιατί πήγαζε πια μέσα από την ψυχή του.

Βρίσκονταν και οι δυο στον κήπο του και στέκονταν μπροστά στο δέντρο της συγνώμης. Κοντά στη ρίζα του, ήταν ακόμα εμφανής η μικρή λακκούβα από το σημείο που ο Άρης ξέθαψε το κουτί με τα τάματα. Τώρα ήταν ξανά δίπλα στην εικόνα, εκεί που ανήκαν δικαιωματικά. Η θέα του δεν του προκαλούσε πόνο, όπως αυτόν που ένιωθε παλαιότερα όταν το κοιτούσε.

- *Δάφνη με στήριξες πολύ το τελευταίο διάστημα, αν και δεν το άξιζα μετά από τον τρόπο που σου φέρθηκα. Ήμουν άδικος απέναντί σου και σου φέρθηκα σκληρά.*
- *Καλύτερα να τα ξεχάσουμε όλα αυτά. Δεν έχει κανένα νόημα πια.*
- *Έχει, γιατί όλα θ' αλλάξουν πια στη ζωή μου, είπε χαρίζοντας της ένα γενναιόδωρο χαμόγελο.*
- *Ναι! Αυτό είναι σίγουρο. Μα δεν ξέρω αν για μένα οι αλλαγές που θα γίνουν θα είναι για καλό.*

Η απόχρωση της πίκρας που φάνηκε στο ηχόχρωμα της φωνή της, δεν πέρασε απαρατήρητη από τον Άρη.

- *Γιατί το λες αυτό;*

- Σε λίγες μέρες φεύγω από το χωριό. Θα επιστρέψω στην Αθήνα. Μια φίλη μου φρόντισε να μού βρει δουλειά. Για άλλη μια φορά θα ξεκινήσω τη ζωή μου από την αρχή.
- Όχι δεν πρόκειται να φύγεις, είπε αποφασιστικά.
- Και τι να κάνω; Δε με κρατάει τίποτα πια εδώ. Ο μόνος λόγος που ίσως να μ' εμπόδιζε να το αποφασίσω ήταν η κηδεμονία του Χρήστου. Μα τώρα έχει τη μανούλα του, που τον αγαπάει και θα τον φροντίσει καλύτερα από εμένα. Φεύγω ήσυχη γιατί ξέρω πως το αγοράκι μου βρίσκεται σε καλά χέρια. Το αγρόκτημα είναι πια δικό σου κι εγώ δεν θέλω να μείνω άλλο στο χωριό.
- Κι όμως! Έχεις πάρα πολλά πράγματα να κάνεις εδώ.

Σήκωσε την αριστερή πλευρά του σακακιού του κι έβγαλε από την εσωτερική του τσέπη το διπλωμένο συμβόλαιο που είχε υπογράψει ήδη η Δάφνη.

- Τα θυμάσαι αυτά τα χαρτιά;
- Πώς είναι δυνατό να τα ξεχάσω. Σύμφωνα μ' αυτά είσαι ο ιδιοκτήτης ολόκληρου του κτήματος, αφού τώρα είσαι κάτοχος και του δικού μου μεριδίου.
- Σου το πήρα με πλάγιους τρόπους και δεν ήταν δίκαιο.
- Όπως και να 'χει, κάναμε μια συμφωνία και δεν ωφελεί να το συζητάμε. Έκανα την επιλογή μου κι αυτό δεν αλλάζει.
- Ποτέ να μην είσαι απόλυτη για τίποτα.

Ξεδίπλωσε το συμβόλαιο με αργές κινήσεις και ξαφνικά, μπροστά στα έκπληκτα μάτια της Δάφνης, το έσκισε στη μέση. Τα δύο κομμάτια, έγιναν τέσσερα, μετά οχτώ και στη συνέχεια πολλά περισσότερα. Τ' άφησε να πέσουν απ' τα χέρια του και το απαλό αεράκι τα παρέσυρε ολόγυρα.

- *Γιατί το έκανες αυτό; ρώτησε σοκαρισμένη από την κίνησή του.*
- *Την ίδια ερώτηση σου έκανα κι εγώ όταν με έπεισες να ξεπεράσω τις αναστολές μου και να πάω στο νησί. Όταν σε ρώτησα γιατί μου συμπαραστέκεσαι, θυμάσαι τι μου είπες;*
- *Πώς όλοι αξίζουν μια δεύτερη ευκαιρία.*
- *Σωστά! Γι' αυτό τώρα θα έχεις κι εσύ τη δική σου. Πες πως αυτό το συμβόλαιο δεν υπήρξε ποτέ. Το μερίδιο του αγροκτήματος συνεχίζει να είναι δικό σου και το νερό θα τρέχει ανεμπόδιστα και στη δική σου πλευρά, όπως γινόταν πάντα.*
- *Μα και πάλι αδυνατώ να το καλλιεργήσω! Δεν έχω τα απαραίτητα κεφάλαια για να ξεκινήσω απ' την αρχή.*
- *Έχεις την επιταγή που σου έδωσα.*
- *Η επιταγή είναι το αντίτιμο για την αγορά του κτήματος και αφού ακύρωσες την πώληση το σωστό είναι να στην επιστρέψω.*
- *Το σωστό είναι τα χρήματα της επιταγής να τα κρατήσεις εσύ. Δεν είναι δώρο, αλλά αποζημίωση για τις καταστροφές που υπέστης εξαιτίας μου. Μ' αυτά θέλω να διορθώσεις τις ζημιές και να φτιάξεις το οινοποιείο που ονειρεύεσαι.*

Η Δάφνη προσπαθούσε να βρει ξανά την ανάσα της, μετά τις απίστευτες δηλώσεις του.

- *Μα είναι πάρα πολλά χρήματα. Πολύ περισσότερα*

278

από αυτά που θα έβγαζα εγώ.

- Δούλεψες σκληρά κι η σοδειά σου θ' απέδιδε ικανοποιητικά κέρδη αν δεν έμπαινα στη μέση εγώ με την απληστία μου. Τώρα που καταλάγιασαν όλα μέσα μου, βλέπω πως ήμουν τρομερά σκληρός μαζί σου και ντρέπομαι για τη συμπεριφορά μου. Οι πράξεις μου ανέτρεψαν ολόκληρη τη ζωή σου. Αυτό είναι το λιγότερο που μπορώ να κάνω για να επανορθώσω.

- Ομολογώ πως με ξαφνιάζεις. Δεν περίμενα κάτι τέτοιο. Η κίνησή σου είναι τρομερά γενναιόδωρη.

- Όχι, δεν είναι πράξη γενναιοδωρίας ή εκδήλωση συμπόνιας. Ούτε η ομολογία μου είναι κοινότυπα λόγια χωρίς αντίκρισμα, αλλά βαθιά συναίσθηση των πράξεων μου. Είναι η απεγνωσμένη ανάγκη ενός δειλού να επανορθώσει για τα λάθη του και να ζητήσει ταπεινά συγνώμη που κατέφυγε σε δολιότητες για να υπερισχύσει. Επίσης έχω να σου δώσω και κάτι άλλο.

Μέσα από την τσέπη του έβγαλε ένα μικρό κουτί. Της το έδωσε και όταν το άνοιξε είδε πως ήταν ο σκαλιστός σταυρός της γιαγιάς της. Η Δάφνη έκανε προσπάθεια να ελέγξει τις αντιδράσεις χαράς που ένιωθε ν' αναβλύζουν από μέσα της.

- Νόμιζα πως τον είχα χάσει για πάντα και δε θα τον ξανάβλεπα ποτέ. Τον είχα βάλει ενέχυρο, μα δεν κατάφερα να τον πάρω πίσω στο διάστημα που δικαιούμουν. Όταν πήγα να τον ζητήσω πίσω, μου είπαν πως βγήκε σε πλειστηριασμό.

- Έτυχε να βρεθώ εκείνη τη μέρα σ' αυτόν τον πλειστηριασμό. Τον αναγνώρισα αμέσως γιατί σε είχα *δει να τον φοράς. Κατάλαβα πως είναι πολύ σημαντικός για σένα και δεν ξέρω γιατί, αλλά σκέφτηκα να τον διασώσω. Κατάφερα να πλειοδοτήσω και τον απέκτησα. Είχα σκοπό να σου τον δώσω μετά την υπογραφή του συμβολαίου, μα τα γεγονότα με πρόλαβαν.*

- *Αν δεν το είχες κάνει θα είχε χαθεί οριστικά. Δεν ξέρω τι να πω, δήλωσε γελώντας αμήχανα.*
- *Να μου πεις πως θα μείνεις εδώ και θα κάνεις το χωριό μας διάσημο για τα κρασιά που θα παράγει.*
- *Σ' ευχαριστώ είπε, μη ξέροντας με ποιο τρόπο να του ανταποδώσει την ευγενική του χειρονομία. Δεν έχεις καμία σχέση με τον αλαζόνα κι εγωκεντρικό άνθρωπο που ήσουν. Δυσκολεύομαι να πιστέψω πως είσαι το ίδιο πρόσωπο. Είσαι η ζωντανή απόδειξη πως οι άνθρωποι μπορούν ν' αλλάξουν.*
- *Καιρός ν' αφήσουμε πίσω τις προστριβές μας και ν' αρχίσουμε από την αρχή. Σ' ότι κι αν χρειαστείς θα σε στηρίξω. Αυτή τη φορά θα χρησιμοποιήσω τη δύναμή μου για καλό σκοπό. Αρκεί να κερδίσω την εμπιστοσύνη και τη φιλία σου.*
- *Την έχεις είπε σηκώνοντας ψηλά το χέρι της, ενώ το ίδιο έκανε κι ο Άρης. Κόλα το, που λέει κι ο Χρήστος, είπε εύθυμα ενώ χτυπούσαν ηχηρά τις παλάμες τους. Όλα τ' άσχημα τα διέγραψα ήδη από τη μνήμη μου, μα την ευκαιρία που μου δίνεις δεν πρόκειται να την ξεχάσω ποτέ. Μόνο που θέλω να σου ζητήσω κάτι κι ελπίζω να το δεχτείς.*
- *Αν περνάει από το χέρι μου, πολύ ευχαρίστως! δήλωσε εκείνος με προθυμία.*

- Νομίζω πως πρέπει να πας στο ίδρυμα που βρίσκεται ο πατέρας σου. Πιστεύω πως θα του κάνει καλό η επίσκεψή σου.
- Είναι περίεργο που το λες, γιατί ακριβώς αυτό σκεφτόμουν κι εγώ σήμερα. Ήθελα να μου δώσεις οδηγίες για το μέρος που βρίσκεται.
- Αλήθεια; χαίρομαι πολύ γι' αυτό. Φοβόμουν πως θα το αρνιόσουν.
- Κάποτε ναι, μα τώρα βλέπω τελείως διαφορετικά τα πράγματα. Είναι το αγκάθι που έχει απομείνει στη ζωή μου και σκοπεύω να μην αφήσω τίποτα να μου χαλάει την ηρεμία που μου δόθηκε. Θέλω πολύ να τον συναντήσω, γιατί χρωστάω και σ' εκείνον μια ειλικρινή συγνώμη. Όμως πιστεύεις πως θα με αναγνωρίσει;
- Δεν ξέρω, μα δεν έχει και τόσο μεγάλη σημασία. Το σημαντικό είναι πως θα βρεθείς κοντά του μετά από όσα περάσατε οι δυο σας. Πες του πως διόρθωσες το λάθος σου και ότι άλλο έχεις στην καρδιά σου. Φίλησέ του τα χέρια κι αν ακόμα δεν σ' αναγνωρίσει, η ψυχή του θα νιώσει πως ο γιος του, που νόμιζε τόσα χρόνια για χαμένο, είναι και πάλι κοντά του.
- Θα το κάνω αύριο κιόλας, είπε μ' ενθουσιασμό. Έλα κι εσύ μαζί μου για να μου δώσεις κουράγιο, όπως έκανες στο νησί.
- Μετά χαράς! απάντησε γελώντας.
- Εντάξει λοιπόν κανονίστηκε κι αυτό. Τώρα θέλω να είσαι παρούσα σ' αυτό που θα κάνω. Αποφάσισα πως ήρθε η στιγμή ν' απαλλαγώ από αυτό το ξερό κούτσουρο. Πίστευα πως μόνο αν βλαστήσει θα με

συγχωρούσε ο Θεός. Τώρα ξέρω πως δεν αρκούσε να θάψω την απόδειξη της ιεροσυλίας μου στη ρίζα της λεμονιάς για να μου δοθεί συγχώρεση. Η μεταμέλειά μου έπρεπε να στηρίζεται σε πράξεις που να την αποδεικνύουν. Ήρθε η ώρα να το ξεριζώσω, αφού η παρουσία του εδώ δεν έχει πια κανένα νόημα.

Ο Αρης πήρε τον κασμά κι άρχισε να ξεθάβει τις ρίζες. Η Δάφνη πλησίασε κοντά και στάθηκε απέναντι. Ξαφνικά είδε κάτι που την έκανε ν' αναφωνήσει.

- *Σταμάτα! Μην το ξεριζώνεις.*

Εκείνος αιφνιδιάστηκε από την αντίδρασή της και ο κασμάς έμεινε μετέωρος.

- *Τι έγινε;* την ρώτησε απορημένα.

- *Κοίτα εδώ!*

Ακολούθησε με το βλέμμα του το σημείο που του έδειχνε με το δάχτυλό της και διαπίστωσε πως είχε σκάσει ένα μικρό βλαστάρι.

- *Είναι απίστευτο,* ψέλλισε έκπληκτος. *Πώς είναι δυνατόν να υπάρχει ζωή σ' αυτό το κατάξερο κούτσουρο;*

- *Γιατί Εκείνος το θέλησε,* είπε δείχνοντας ψηλά. *Είναι ένα ακόμα θαύμα που δεν εξηγείται με τη λογική. Το δέντρο της συγνώμης επιβεβαιώνει τ' όνομά του. Αυτό το βλαστάρι είναι προάγγελος μιας μελλοντικής ανάστασης. Σου έδωσε το σημάδι που λαχταρούσες και μαζί μια ελπιδοφόρα υπόσχεση για το μέλλον.*

- *Ένα καλύτερο αύριο απαλλαγμένο από τις ενοχές του χτες,* είπε ξεφυσώντας από ανακούφιση.

ΚΕΦΑΛΑΙΟ ΤΡΙΑΚΟΣΤΟ

Η επίσκεψη στο ίδρυμα ήταν γεμάτη αγωνία και προσμονή. Ήταν μια υποχρέωση που όφειλε στον πατέρα του, μα και στον ίδιο του τον εαυτό. Η προϊσταμένη, που ήδη γνώριζε την Δάφνη, ενημερώθηκε για την ταυτότητα του καινούριου επισκέπτη που την συνόδευε. Τους οδήγησε στο δωμάτιό του και τους άφησε να μπουν μόνοι τους. Ο πατέρας του Άρη καθόταν πάνω σε μια αναπηρική καρέκλα κοντά στο ανοιχτό παράθυρο, μα το βλέμμα του ήταν κενό.

Το πρόσωπό του είχε σκαφτεί από τα σημάδια του χρόνου και την ταλαιπωρία της αρρώστιας. Ήταν πολύ διαφορετικός από την τελευταία φορά που τον είδε, μα μέσα από τις κακουχίες που είχαν αποτυπωθεί πάνω του, αναγνώριζε τον αγαπημένο του πατέρα.

Χάιδεψε με τρυφερότητα τα κάτασπρα μαλλιά του και γονάτισε μπροστά του. Πήρε τα ρυτιδωμένα του χέρια μέσα στις παλάμες του και τον κοίταξε βαθιά στα μάτια.

Ο ηλικιωμένος ασθενής ένιωσε πως αυτός ο άντρας

δεν ήταν νοσοκόμος ή ο γιατρός που συνήθως τον επισκέπτονταν και εστίασε πάνω του.

- *Εγώ είμαι πατέρα! Ο ανόητος γιος σου, που έκανε πολλά λάθη, μα συνεχίζει να βρίσκεται στη ζωή. Συγχώρεσε με που σε άφησα να πιστεύεις πως ήμουν νεκρός. Πίστευα πως δεν άξιζα ν' ανησυχείς για μένα κι έτσι θα ήσουν καλύτερα.*

Εκείνος τον κοίταζε συνεχώς σαν να άκουγε αυτά που του έλεγε, μα δεν έκανε προσπάθεια να πει κάτι. Ο Άρης συνέχιζε να του μιλά χωρίς να ξέρει αν καταλάβαινε κάτι από αυτά που του έλεγε.

- *Είχες δίκιο πατέρα, σε όλα όσα μου είχες πει. Κρίμα που δε σε άκουσα. Έπρεπε να πάω αμέσως πίσω την εικόνα που έκλεψα. Αν σε είχα ακούσει τότε, θα είχαμε γλιτώσει πολύ πόνο και αθώοι άνθρωποι δεν θα αναγκάζονταν να υποστούν τα δεινά που προκάλεσε η ανωριμότητά μου.*

Ήρθα να σου πω πως το έκανα πατέρα. Άργησα μα το έκανα, του είπε με δάκρυα στα μάτια. Η εικόνα είναι πάλι στη θέση της. Ελπίζω κάποτε να καταφέρεις να με συγχωρήσεις.

Έκανε μια παύση στον μονόλογό του και γύρισε το βλέμμα του προς την Δάφνη που παρακολουθούσε σιωπηλά. Η προσπάθειά του φαινόταν μάταιη. Τότε ένιωσε το χέρι του ηλικιωμένου άνδρα να κινείτε ανοδικά και ν' αγγίζει το νωπό του μάγουλο. Γύρισε ξανά προς εκείνον και μέσα στο κουρασμένο του βλέμμα, εντόπισε την αναγνώριση που ζητούσε.

- *Χαρίλαε!* ψέλλισε αδύναμα.
- *Ναι πατέρα!* απάντησε με ανακούφιση.

- *Πού ήσουν τόσο καιρό γιε μου;*
- *Πάλευα να βρω τον εαυτό μου. Δεν ήταν καθόλου εύκολο, μα τα κατάφερα επιτέλους. Τώρα είμαι πάλι κοντά σου και θα σε φροντίσω όπως σου αξίζει.*
- *Μου αρκεί που σε ξαναβλέπω,* είπε και τον αγκάλιασε με τ' αδύναμα χέρια του.

Οι στιγμές που ακολούθησαν ήταν φορτισμένες από χαρά και συγκίνηση. Ακόμα και η Δάφνη δεν κατάφερε να μείνει αμέτοχη στην δύναμη της σκηνής που εξελισσόταν μπροστά της. Λύγισε βλέποντας την επανασύνδεση αυτών των ανδρών και τα δάκρυά της δεν σταματούσαν να κυλούν. Ο Αρης ήταν πανευτυχής που ξαναβρήκε τον πατέρα του και που είχε την δυνατότητα να επικοινωνεί μαζί του. Η τελευταία του εκκρεμότητα με το παρελθόν είχε πλέον κλείσει και μπορούσε πια ν' ατενίζει μ' αισιοδοξία το μέλλον.

ΕΠΙΛΟΓΟΣ

Πέρασαν δεκαπέντε χρόνια από τότε. Πολλά άλλαξαν μέσα σ' αυτό το διάστημα. Άραγε ποιες αόρατες δυνάμεις υφαίνουν τον ιστό της μοίρας; Εκείνο το ξερό κούτσουρο ξαναγεννήθηκε κι έγινε μια υγιής και καρποφόρα λεμονιά. Τα κλαδιά της γέμισαν με καταπράσινη φυλλωσιά και ζουμερούς, μυρωδάτους καρπούς, που δεν έλειπαν από το δέντρο καθ' όλη τη διάρκεια του έτους.

Ποιος θα το πίστευε πως αυτό το νεκρό απομεινάρι θα έκρυβε μέσα του ένα μικρό ίχνος ζωής; Θα έλεγε κανείς πως υπάκουσε σε κάποια ανώτερη εντολή. Βλάστησε τη στιγμή που έπρεπε. Ήταν ένα ελπιδοφόρο σημάδι που περίμενε υπομονετικά τη μοίρα ν' αποφασίσει πότε θα το ξυπνήσει. Η αναγέννηση τού ξερού κούτσουρου επιβεβαιώνει πως τα θαύματα μπορούν να συμβούν όταν υπάρχει πίστη και υπομονή.

Ο χαραχτήρας του Άρη μεταλλάχτηκε εντυπωσιακά. Βρήκε τον δεκαεφτάχρονο εαυτό του εκεί που τον είχε αφήσει, μα δεν ήταν πια τρομοκρατημένος και κρυμμένος πίσω από τείχη. Αναπλήρωσε τα εφηβικά χρόνια που

στερήθηκε, δείχνοντας απίστευτη καλοσύνη και γενναι-
οδωρία στους συνανθρώπους του. Αποδείχτηκε πως η
ψυχή του ήταν σαν λευκό μαργαριτάρι που από φόβο
κρύφτηκε μέσα σ' ένα κατάμαυρο όστρακο.

Ο κακός του εαυτός εξαλείφτηκε ανεπιστρεπτεί. Έγι-
νε ένας άνθρωπος που νοιαζόταν και βοηθούσε τους άλ-
λους. Κι όλα αυτά γιατί είχε γίνει μια τεράστια αλλαγή
μέσα του. Το κέλυφος των ενοχών είχε θρυμματιστεί και
ήταν κατακλυσμένος από εκρηκτική αίσθηση ελευθερί-
ας. Ευτυχώς που κατάλαβε πως η ψυχική ηρεμία είναι
ένα παράσημο, που για να το κερδίσει έπρεπε να μπει
στη μάχη κι όχι να συνεχίζει το κρυφτό με τον εαυτό του.
Είχε καταφέρει να ξορκίσει τα φαντάσματα των τύψεων
και δεν τον στοίχειωναν πια. Λες και ολόκληρη η ζωή είχε
προγραμματιστεί πάνω στα λάθη του, για να πάρει το
μάθημα που έπρεπε.

Η υγεία του πατέρα του είχε βελτιωθεί απ' όταν τον
έβγαλε από το ίδρυμα και τον πήρε κοντά του. Μετά από
εντατική φροντίδα από επαγγελματίες που ειδικεύονταν
στις ανάγκες της κατάστασής του, μπορούσε να επικοι-
νωνήσει με όλους όπως παλιά. Η σχέση του με το γιο του
ήταν άψογη και αναπλήρωσαν τ' ατέλειωτα κενά χρόνια.
Αυτό βοήθησε στην καλή ψυχολογία και των δυο τους.
Περισσότερο χαρούμενος ήταν ο Χρήστος. Πάντα ονει-
ρευόταν έναν παππού και τώρα τον είχε.

Τα πράγματα για τον Άρη είχαν πάει πολύ καλύτερα
από όσο είχε τολμήσει να ελπίσει. Η αρχική εχθρότητα
του με την Δάφνη μετατράπηκε σε θερμή φιλία και τε-
λικά, όσο απίστευτο και να ακούγεται, τρία χρόνια μετά
κατέληξε σε έναν ευτυχισμένο γάμο. Τώρα, δεκαπέντε

χρόνια μετά, είχαν αποκτήσει δυο παιδιά. Ένα γιο έντεκα ετών και μια κόρη εννιά. Έτσι εκπληρώθηκε ένα όνειρο του που θεωρούσε ανέφικτο. Η δημιουργία οικογένειας ήταν το σημαντικότερο κομμάτι της ζωής τους, όμως και οι επιχειρηματικές τους δραστηριότητες ήταν εποικοδομητικές και προσοδοφόρες. Ένωσαν τις δυνάμεις τους και κατάφεραν πολλά. Τα δυο κομμάτια του κτήματος ενοποιήθηκαν κι εκεί που βρισκόταν ο καμένος αχυρώνας, φτιάχτηκε ένα υπερσύχρονο οινοποιείο. Παρασκεύαζαν οίνους εκλεκτής ποιότητας, αφού τα εύφορα αμπέλια τους ήταν φορτωμένα με πλούσια σοδειά. Οι εξαιρετικές ποικιλίες των κλημάτων τους, ήταν η πηγή της πρώτης ύλης τους.

Ο Χρήστος από την μέρα που βρήκε τη μητέρα του ένιωσε για πρώτη φορά τη σταθερότητα να εισβάλει στη ζωή του. Τον τύλιξε με την αγάπη της και του έδωσε την ασφάλεια που στερήθηκε. Δε φοβόταν πια πως κινδύνευε ανά πάσα στιγμή να ξαναβρεθεί στο ίδρυμα. Ανήκε πλέον σ' ένα σπιτικό με γερά θεμέλια και γύρω του υπήρχαν άνθρωποι που είχαν κάτι κοινό. Τον αγαπούσαν όλοι πάρα πολύ. Επιτέλους βρήκε σταθερό έδαφος για να χτίσει τον καινούργιο του εαυτό.

Δεν ξέχασε ποτέ πως η Δάφνη ήρθε σαν φύλακας άγγελος στην ταραγμένη παιδική του ηλικία. Βρέθηκε αναπάντεχα στο δρόμο του και τον προστάτευσε από τους κινδύνους που καραδοκούσαν. Στάθηκε δίπλα του όταν ήταν ολομόναχος και ανέλαβε την κηδεμονία του, όταν η μοναδική λύση ήταν το ίδρυμα. Ήταν για εκείνον η δεύτερη μητέρα του. Την αγαπούσε και τη σεβόταν όπως την πραγματική του μαμά.

Ο γάμος της με τον θείο του, την έκανε κι εκείνη μέλος στην οικογένειά τους. Ο Αρης ήταν το πατρικό του πρότυπο στα χρόνια της εφηβείας του και τα πήγαιναν εξαιρετικά καλά μεταξύ τους. Η κακή εικόνα που είχε διαμορφώσει για εκείνον αρχικά, διαγράφηκε εντελώς.

Ήταν πια μέλος μιας καλά δομημένης οικογένειας και αυτό του έδωσε μεγάλη δύναμη. Αφοσιώθηκε με όλη του την ψυχή στο στόχο που είχε θέσει. Μελέτησε με μεγαλύτερη μανία απ' ότι πριν και αναπλήρωσε τα χαμένα διδαχτικά χρόνια της σχολικής του μόρφωσης, με το παραπάνω. Πέρασε στη νομική σχολή Αθηνών και αποφοίτησε με άριστα. Οι επιδόσεις του ήταν εξαιρετικές και του πρότειναν αμέσως θέση σε μεγάλο δικηγορικό γραφείο. Το μέλλον του διαγραφόταν λαμπρό. Ποιος θα το πίστευε πως αυτός ο πολλά υποσχόμενος νεαρός δικηγόρος, μέχρι τα δέκα του χρόνια δεν ήξερε να γράψει ούτε τ' όνομά του.

Σήμερα δεκαπέντε χρόνια μετά από εκείνη τη μέρα που η εικόνα είχε επιστρέψει στο Παραδείσι, γινόταν όπως κάθε χρόνο η καθιερωμένη πανήγυρης. Το Παραδείσι με τα χρόνια επιβεβαίωνε ακόμα μια φορά τ' όνομά του. Η φύση ντύθηκε με τον πολύχρωμο μανδύα της. Η γη κάρπισε ξανά και γέμισε με πρασινάδα κι αγριολούλουδα. Τα γαλάζια πουλιά επέστεψαν και γέμισαν τα δάση με την ανάλαφρη κίνηση των φτερών τους. Ένα ποικιλόμορφο μείγμα ζωής και κίνησης ξεφύτρωνε σε κάθε γωνιά. Αμέτρητα είδη πτηνών και ζώων βρήκαν καταφύγιο στις δροσερές σκιές.

Οι γλυκόλαλες καμπάνες με τον μεταλλικό τους ήχο,

καλούσαν τους πιστούς στην μεγάλη γιορτή. Οι μοναχοί είχαν φροντίσει τα πάντα με κάθε λεπτομέρεια. Όλα έλαμπαν στο φρεσκοβαμμένο μοναστήρι.

Ο μπρούτζινος σταυρός πάνω στο τριανταφυλλένιο χρώμα του τρούλου, αστραποβολούσε σαν χρυσάφι, κάτω από το λαμπερό φως του ήλιου. Όμως οι κάτοικοι δεν πήγαιναν στην επιβλητική εκκλησία, αλλά ανηφόριζαν στην ταπεινή σπηλιά.

Ο Αρης και η Δάφνη μαζί με τα παιδιά τους περνούσαν το κατώφλι της σπηλιάς. Ακολουθούσαν ο Χρήστος αγκαζέ με την μητέρα του. Το μυαλό του εικοσιπεντάχρονου πια νεαρού, ταξίδεψε μερικά χρόνια πριν και ξεχασμένες διαδρομές άρχισαν να ξετυλίγονται μπροστά στα μάτια του. Η σημαντικότερη ανάμνηση της παιδικής του ηλικίας διαδραματίστηκε σ' αυτή τη σπηλιά.

Τα σήμαντρα χτυπούσαν χαρμόσυνα και το μοσχολίβανο έκαιγε αδιάκοπα, σκορπώντας ολόγυρα την χαρακτηριστική του μυρωδιά, που συνόδευε τα κατανυχτικά λόγια της λειτουργίας.

Όλα όσα συνέβησαν τότε φάνταζαν τόσο μακρινά, σαν ένα όνειρο, απτό όσο ένα σύννεφο. Μερικά πράγματα πρέπει να οδηγηθούν μέσα από δύσκολα μονοπάτια, για να φτάσουν στο σωστό προορισμό. Η ιστορία του Άρη ήταν το ελπιδοφόρο μήνυμα ενός ανθρώπου, που ξαναγεννήθηκε μέσα από τη μετάνοια και τη συγχώρεση.

Λίγα λόγια για την Συγγραφέα

Η Μαρία Καλατζή γεννήθηκε στην Αθήνα, αλλά κατάγεται από τη Μυτιλήνη και την Αστυπάλαια. Εργάζεται ως αγιογράφος και παράλληλα ασχολείται με την ποίηση και την λογοτεχνία. Είναι μητέρα τριών παιδιών.

Η πρώτη της εμφάνιση στην ελληνική πεζογραφία έγινε με το μυθιστόρημα «Δύναμη Ψυχής» (2007) και ακολούθησε το μυθιστόρημα «Το Στοιχειωμένο Αρχοντικό» (2008).

Ο «Θησαυρός του Νερού» είναι το τρίτο της βιβλίο.

Made in the USA
Coppell, TX
10 April 2020